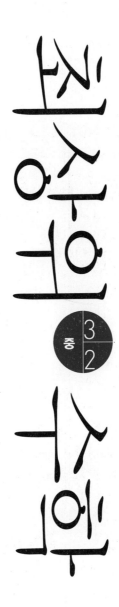

최상위 수학 중 3/2

Structure

상위권을 위한 심화 학습 교재, 최상위 수학

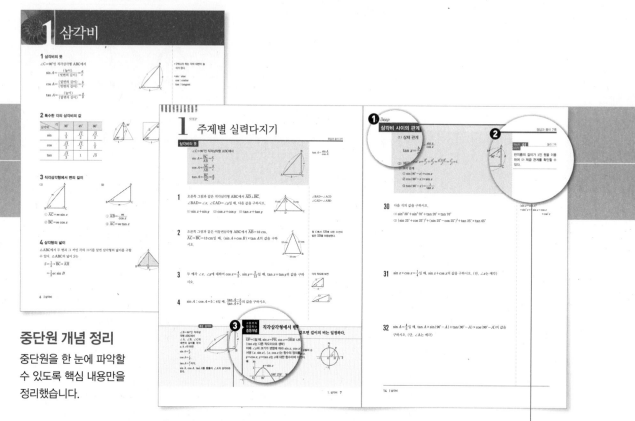

중단원 개념 정리

중단원을 한 눈에 파악할 수 있도록 핵심 내용만을 정리했습니다.

1STEP 주제별 실력 다지기

고난도 문제 유형들을 주제별로 정리하여 차근차근 실력을 쌓을 수 있도록 하였습니다.

❶, ❷ DEEP의 심화 주제와 최상위 NOTE를 통해서 최상위 실력을 쌓을 수 있는 바탕을 마련하였습니다.

❸ 고등까지 연결되는 중등개념을 통해 학년별 내용을 연계하여 파악하고 연계된 내용 안에서의 핵심을 볼 수 있도록 하였습니다.

정답과 풀이

정답과 풀이에서 최상위 NOTE를 심도 있게 다루어 원리에 대한 이해를 더욱더 견고히 할 수 있도록 하였습니다.

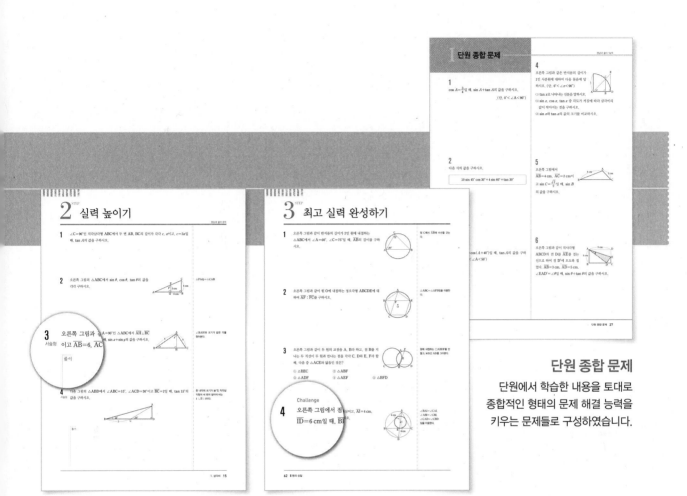

2STEP 실력 높이기

특목고 시험 등에 잘 나오는 문제들을 통해
실전 감각을 익히고, 서술형 문항을 통해
논리적인 사고를 키울 수 있도록 하였습니다.

3STEP 최고 실력 완성하기

문제해결력을 요구하는 심화문제들을 통해서
최고의 실력을 완성할 수 있도록 하였고,
Challenge에서는 최상위 문제들을 실었습니다.

단원 종합 문제

단원에서 학습한 내용을 토대로
종합적인 형태의 문제 해결 능력을
키우는 문제들로 구성하였습니다.

Contents

I 삼각비

1. 삼각비

1 삼각비

1 삼각비의 뜻

$\angle C = 90°$인 직각삼각형 ABC에서

$$\sin A = \frac{(높이)}{(빗변의 길이)} = \frac{a}{c}$$

$$\cos A = \frac{(밑변의 길이)}{(빗변의 길이)} = \frac{b}{c}$$

$$\tan A = \frac{(높이)}{(밑변의 길이)} = \frac{a}{b}$$

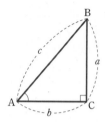

■구하고자 하는 각의 대변이 높이가 된다.

■sin : sine
 cos : cosine
 tan : tangent

2 특수한 각의 삼각비의 값

삼각비 \ 각	30°	45°	60°
sin	$\dfrac{1}{2}$	$\dfrac{\sqrt{2}}{2}$	$\dfrac{\sqrt{3}}{2}$
cos	$\dfrac{\sqrt{3}}{2}$	$\dfrac{\sqrt{2}}{2}$	$\dfrac{1}{2}$
tan	$\dfrac{\sqrt{3}}{3}$	1	$\sqrt{3}$

3 직각삼각형에서 변의 길이

(1)
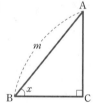

① $\overline{AC} = m \sin x$

② $\overline{BC} = m \cos x$

(2)
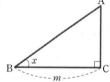

① $\overline{AB} = \dfrac{m}{\cos x}$

② $\overline{AC} = m \tan x$

4 삼각형의 넓이

$\triangle ABC$에서 두 변과 그 끼인 각의 크기를 알면 삼각형의 넓이를 구할 수 있다. $\triangle ABC$의 넓이 S는

$$S = \frac{1}{2} \times \overline{BC} \times \overline{AH}$$

$$= \frac{1}{2} ac \sin B$$

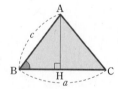

■$\triangle ABH$에서
$\overline{AH} = c \sin B$

1 STEP 주제별 실력다지기

정답과 풀이 3쪽

삼각비의 뜻

∠C＝90°인 직각삼각형 ABC에서

$$\sin A=\frac{\overline{BC}}{\overline{AB}}=\frac{a}{c}$$

$$\cos A=\frac{\overline{AC}}{\overline{AB}}=\frac{b}{c}$$

$$\tan A=\frac{\overline{BC}}{\overline{AC}}=\frac{a}{b}$$

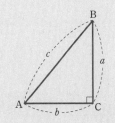

$\tan A=\dfrac{\sin A}{\cos A}$

---

1 오른쪽 그림과 같은 직각삼각형 ABC에서 $\overline{AD}\perp\overline{BC}$, ∠BAD＝∠$x$, ∠CAD＝∠$y$일 때, 다음 값을 구하시오.

(1) $\sin x+\sin y$　(2) $\cos x+\cos y$　(3) $\tan x+\tan y$

∠BAD＝∠ACD
∠CAD＝∠ABD

---

2 오른쪽 그림과 같은 이등변삼각형 ABC에서 $\overline{AB}=10$ cm, $\overline{AC}=\overline{BC}=13$ cm일 때, $(\sin A+\cos B)\times\tan A$의 값을 구하시오.

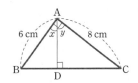

점 C에서 $\overline{AB}$에 내린 수선의 발은 $\overline{AB}$를 이등분한다.

---

3 두 예각 ∠x, ∠y에 대하여 $\cos x=\dfrac{4}{5}$, $\sin y=\dfrac{5}{13}$일 때, $\tan x+\tan y$의 값을 구하시오.

각각 작도해 보면

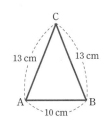

---

4 $\sin A:\cos A=5:4$일 때, $\dfrac{\tan A-2}{\tan A+2}$의 값을 구하시오.

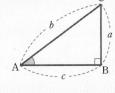
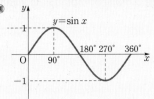
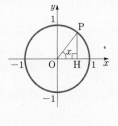

5 오른쪽 그림과 같이 $\overline{AD} \perp \overline{BC}$인 △ABC에서 $\sin B = \cos C$이고, $\overline{AB} = 13$ cm, $\overline{AD} = 12$ cm일 때, $\overline{AC}$의 길이를 구하시오.

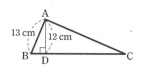

특수한 각의 삼각비의 값

(1) $\sin 30° = \dfrac{1}{2}$, $\cos 30° = \dfrac{\sqrt{3}}{2}$, $\tan 30° = \dfrac{1}{\sqrt{3}} = \dfrac{\sqrt{3}}{3}$

$\sin 60° = \dfrac{\sqrt{3}}{2}$, $\cos 60° = \dfrac{1}{2}$, $\tan 60° = \sqrt{3}$

(2) $\sin 45° = \dfrac{1}{\sqrt{2}} = \dfrac{\sqrt{2}}{2}$, $\cos 45° = \dfrac{1}{\sqrt{2}} = \dfrac{\sqrt{2}}{2}$

$\tan 45° = 1$

(3) $\sin 0° = 0$, $\cos 0° = 1$, $\tan 0° = 0$

(4) $\sin 90° = 1$, $\cos 90° = 0$, $\tan 90°$의 값은 정할 수 없다.

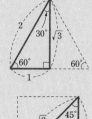
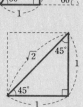

반지름의 길이가 1인 사분원 위의 점 $A(x, y)$에 대하여 ∠AOB를 $\angle\theta$라 하면

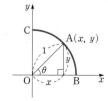

$\sin \theta = y$, $\cos \theta = x$

(3) $\angle\theta = 0°$이면
$A(x, y) = B(1, 0)$이므로
$\sin 0° = 0$, $\cos 0° = 1$

(4) $\angle\theta = 90°$이면
$A(x, y) = C(0, 1)$이므로
$\sin 90° = 1$, $\cos 90° = 0$

6 다음 식의 값을 구하시오.

(1) $\sin^2 60° + \tan 30° \times \cos 30° + \cos^2 60°$

(2) $\dfrac{1}{\tan 60° - 1} \div \dfrac{3 \tan 30° + 1}{4 \cos 60°}$

7 다음 중 옳지 <u>않은</u> 것은?

① $\sin 0° - \tan 30° \times \tan 60° + \cos 90° = -1$

② $\sin^2 60° + \cos^2 60° - 2 \sin 90° \times \cos 0° = -1$

③ $(\sin 90° + \cos 45°) \times (\cos 0° - \sin 45°) = 1$

④ $\cos 90° - \cos 30° \times \tan 30° + \sin 30° = 0$

⑤ $\sqrt{3} \tan 60° - 2 \tan 45° = 1$

8 $\dfrac{1 - \tan A}{1 + \tan A} = 2 - \sqrt{3}$ 일 때, ∠A의 크기를 구하시오. (단, ∠A는 예각)

$\tan A = x$로 놓고 x의 값을 먼저 구한다.

---

9 오른쪽 그림의 △ABC에서 ∠A=∠ADC=90°이고,

∠C=30°일 때, $\dfrac{\cos B}{\sin(\angle CAD)}+\tan(\angle BAD)$의 값을 구하시오.

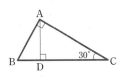

∠B, ∠CAD, ∠BAD의 크기를 각각 구한다.

10 오른쪽 그림과 같은 △ABC에서 ∠C=90°, ∠B=30°, $\overline{AB}=4$ cm이고 ∠A의 이등분선이 $\overline{BC}$와 만나는 점을 D라 할 때, $\overline{BD}$의 길이를 구하시오.

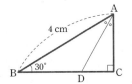

$\overline{BD}=\overline{BC}-\overline{CD}$

11 $\cos(2x-30°)=\dfrac{\sqrt{3}}{2}$일 때, $\tan x$의 값을 구하시오. (단, 15°≤∠x≤60°)

12 $\tan A=2$일 때, $\dfrac{3\sin A+2\cos A}{2\sin A-\cos A}$의 값을 구하시오. (단, ∠A는 예각)

$\tan A=2$

사분원을 이용한 삼각비의 값

반지름의 길이가 1인 사분원에서 ∠x의 삼각비는

$\sin x=\dfrac{\overline{AB}}{\overline{OA}}=\overline{AB}$

$\cos x=\dfrac{\overline{OB}}{\overline{OA}}=\overline{OB}$

$\tan x=\dfrac{\overline{CD}}{\overline{OC}}=\overline{CD}$

13 오른쪽 그림과 같이 반지름의 길이가 1인 사분원에 대하여 다음 물음에 답하시오.

(1) $\tan x$를 나타내는 선분을 구하시오.

(2) $\sin x$와 $\tan x$의 대소를 비교하시오. (단, ∠x는 예각)

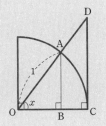

14 오른쪽 그림과 같이 반지름의 길이가 1인 사분원에서 점 P의 좌표가 $\left(0, \dfrac{\sqrt{3}}{3}\right)$일 때, $\tan\theta$의 값을 구하시오.

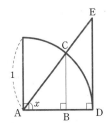

점 A의 x좌표를 a라 하면 $a^2+\left(\dfrac{\sqrt{3}}{3}\right)^2=1^2$

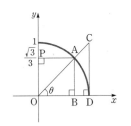

삼각비를 이용한 변의 길이 구하기

(1) 빗변의 길이가 주어진 경우
  ① $\overline{AC}=c\sin x$
  ② $\overline{BC}=c\cos x$

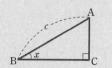

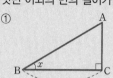

$\overline{AC}=\dfrac{c}{2}$, $\overline{BC}=\dfrac{\sqrt{3}}{2}c$

(2) 빗변 이외의 변의 길이가 주어진 경우
  ①
  (i) $\overline{AB}=\dfrac{a}{\cos x}$
  (ii) $\overline{AC}=a\tan x$

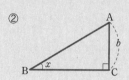

  ②
  (i) $\overline{AB}=\dfrac{b}{\sin x}$
  (ii) $\overline{BC}=\dfrac{b}{\tan x}$

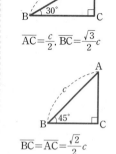

$\overline{BC}=\overline{AC}=\dfrac{\sqrt{2}}{2}c$

Deep (3)

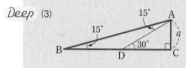

$\overline{AD}=\overline{BD}=2a$, $\overline{CD}=\sqrt{3}a$이므로
$\overline{AB}=\sqrt{\overline{AC}^2+\overline{BC}^2}=\sqrt{8+4\sqrt{3}}\,a=(\sqrt{6}+\sqrt{2})a$

(3) $\sqrt{8+4\sqrt{3}}$
  $=\sqrt{8+2\sqrt{12}}$
  $=\sqrt{(\sqrt{6})^2+2\times\sqrt{6}\times\sqrt{2}+(\sqrt{2})^2}$
  $=\sqrt{(\sqrt{6}+\sqrt{2})^2}$
  $=\sqrt{6}+\sqrt{2}$

---

15 다음 그림의 △ABC에서 x, y의 값을 각각 구하시오.

(1)

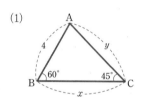

(2)

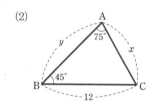

---

16 오른쪽 그림의 △ABC에서 $\overline{BC}\perp\overline{AD}$, $\overline{AC}\perp\overline{DE}$, $\angle B=\angle DAE=60°$, $\overline{AB}=10\ \text{cm}$일 때, $\overline{CE}$의 길이를 구하시오.

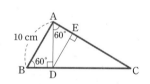

---

17 오른쪽 그림과 같이 바이킹이 지면에 수직인 중심축 $\overline{OA}$를 중심으로 좌우로 30°씩 움직일 때, 바이킹의 위치가 가장 높을 때와 가장 낮을 때의 높이의 차를 구하시오.
(단, 바이킹의 높이는 무시한다.)

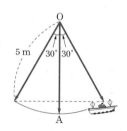

18 오른쪽 그림과 같이 강에 놓여 있는 다리의 길이, 즉 A 지점에서 C 지점까지의 거리를 구하기 위해 B 지점에서 몇 가지를 측정하였다. $\overline{BC}=20$ m, $\angle ABC=40°$, $\angle ACB=90°$일 때, 이 다리의 길이를 구하시오.

(단, $\cos 40°=0.77$, $\tan 40°=0.84$로 계산한다.)

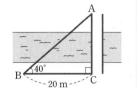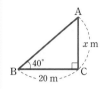

19 오른쪽 그림과 같이 산의 높이를 구하기 위해 두 지점 A, B에서 산을 올려다본 각의 크기가 각각 30°, 45°였고, 두 지점 A, B 사이의 거리가 100 m였다. 이 산의 높이를 구하시오.

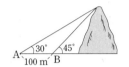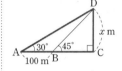

20 오른쪽 그림과 같이 섬 안의 유원지까지의 거리를 구하기 위해 두 지점 A, B에서 유원지의 한 지점 C를 바라다본 각의 크기가 각각 45°, 75°이고, 두 지점 A, B 사이의 거리가 300 m일 때, B 지점에서 C 지점까지의 거리를 구하시오.

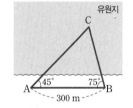

21 오른쪽 그림의 △ABD에서 $\angle D=90°$, $\angle ACD=30°$이고 $\overline{AC}=\overline{BC}$일 때, $\tan 15°$의 값을 구하시오.

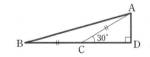

22 오른쪽 그림의 △ABC에서 $\angle BAD=30°$, $\angle DAC=45°$, $\overline{BC}\perp\overline{AD}$일 때, $\sin 75°$의 값을 구하시오.

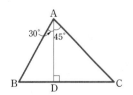

(1) 삼각형의 넓이 S

①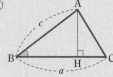

$\overline{AH}=c \sin B$

$S=\dfrac{1}{2}\times\overline{BC}\times\overline{AH}$

$\therefore S=\dfrac{1}{2}ac \sin B$

②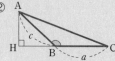

$\overline{AH}=c \sin(180°-B)$

$S=\dfrac{1}{2}\times\overline{BC}\times\overline{AH}$

$\therefore S=\dfrac{1}{2}ac \sin(180°-B)$

(2) 사각형의 넓이 S

① 평행사변형

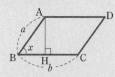

$\overline{AH}=a \sin x$

$\therefore S=ab \sin x$

② 사각형

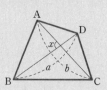

$S=\dfrac{1}{2}ab \sin x$

(2) ②

23 다음 그림과 같은 도형의 넓이를 구하시오.

(1)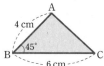

(2)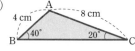

(3)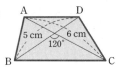

(4)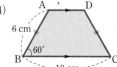

24 오른쪽 그림과 같이 $\overline{AB}=8$ cm, $\overline{BC}=5$ cm인 △ABC의 넓이가 10 cm²일 때, 예각인 ∠B의 크기를 구하시오.

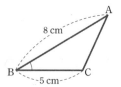

△ABC
$=\dfrac{1}{2}\times\overline{AB}\times\overline{BC}\times\sin B$

25 오른쪽 그림과 같은 △ABC에서 $\overline{AB}=12$ cm, $\overline{AC}=6$ cm, ∠A=$60°$일 때, △ABC의 내접원의 반지름의 길이를 구하시오.

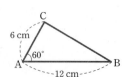

내접원의 반지름의 길이가 r이고, 세 변의 길이가 각각 a, b, c인 삼각형의 넓이 S는
$S=\dfrac{r}{2}(a+b+c)$

정다각형의 성질

(1) 정삼각형

한 변의 길이가 a인 정삼각형의 넓이 S는

① $h = a \sin 60° = \dfrac{\sqrt{3}}{2}a$

② $S = \dfrac{1}{2} \times a \times a \times \sin 60° = \dfrac{\sqrt{3}}{4}a^2$

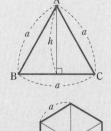

(2) 정육각형

① 정육각형은 대각선에 의해 정삼각형 6개로 나뉜다.

② 한 변의 길이가 a인 정육각형의 넓이 S는

$$S = \left(\dfrac{1}{2} \times a \times a \times \sin 60°\right) \times 6 = \dfrac{\sqrt{3}}{4}a^2 \times 6 = \dfrac{3\sqrt{3}}{2}a^2$$

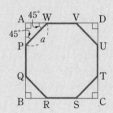

(3) 정팔각형

① $\overline{AP} = \overline{AW} = a \sin 45° = \dfrac{\sqrt{2}}{2}a$

② 한 변의 길이가 a인 정팔각형의 넓이 S는

$$S = \square ABCD - 4 \triangle APW$$
$$= \{(\sqrt{2}+1)a\}^2 - 4 \times \left\{\dfrac{1}{2} \times \left(\dfrac{\sqrt{2}}{2}a\right)^2\right\}$$
$$= 2(\sqrt{2}+1)a^2$$

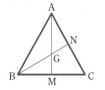

---

26 오른쪽 그림과 같은 정삼각형 ABC에서 $\overline{BC}$, $\overline{CA}$의 중점을 각각 M, N이라 하고 $\overline{AM}$과 $\overline{BN}$의 교점을 G라 할 때, 다음을 구하시오.

(1) $\overline{AG} = 4$ cm일 때, $\triangle ABC$의 한 변의 길이

(2) $\triangle ABC = 30\sqrt{3}$ cm²일 때, $\overline{BG}$의 길이

점 G는 $\triangle ABC$의 무게중심이므로
$\overline{AG} : \overline{GM} = \overline{BG} : \overline{GN}$
$= 2 : 1$

27 한 변의 길이가 10 cm인 정육각형의 넓이를 구하시오.

28 한 변의 길이가 10 cm인 정팔각형의 넓이를 구하시오.

29 오른쪽 그림과 같이 한 변의 길이가 8 cm인 정사각형 ABCD의 네 모서리에서 합동인 직각이등변삼각형을 잘라내어 정팔각형을 만들었다. 다음을 구하시오.

(1) 정팔각형의 한 변의 길이

(2) 정팔각형의 넓이

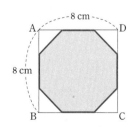

삼각비 사이의 관계

(1) 상제 관계

$$\tan x = \frac{b}{a} = \frac{\dfrac{b}{c}}{\dfrac{a}{c}} = \frac{\sin x}{\cos x}$$

(2) 제곱 관계

$$\sin^2 x + \cos^2 x = \frac{b^2}{c^2} + \frac{a^2}{c^2} = \frac{a^2 + b^2}{c^2} = \frac{c^2}{c^2} = 1$$

(3) 여각 관계

① $\sin(90° - x) = \cos x$

② $\cos(90° - x) = \sin x$

③ $\tan(90° - x) = \dfrac{1}{\tan x}$

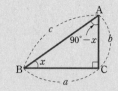

최상위 **01**
NOTE

풀이 2쪽

반지름의 길이가 1인 원을 이용하여 (2) 제곱 관계를 확인할 수 있다.

30 다음 식의 값을 구하시오.

(1) $\sin^2 20° + \sin^2 70° + \tan 20° \times \tan 70°$

(2) $(\sin 25° + \cos 25°)^2 + (\sin 25° - \cos 25°)^2 + \tan 25° \times \tan 65°$

$(\sin x + \cos x)^2$
$= \sin^2 x + 2\sin x \times \cos x$
$\qquad + \cos^2 x$

31 $\sin x \times \cos x = \dfrac{1}{4}$일 때, $\sin x + \cos x$의 값을 구하시오. (단, $\angle x$는 예각)

32 $\sin A = \dfrac{4}{5}$일 때, $\tan A \times \sin(90° - A) + \tan(90° - A) \times \cos(90° - A)$의 값을 구하시오. (단, $\angle A$는 예각)

1 $\angle C = 90°$인 직각삼각형 ABC에서 두 변 AB, BC의 길이가 각각 c, a이고, $c = 2a$일 때, $\tan A$의 값을 구하시오.

2 오른쪽 그림의 $\triangle ABC$에서 $\sin\theta$, $\cos\theta$, $\tan\theta$의 값을 각각 구하시오.

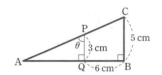

$\triangle PAQ \backsim \triangle CAB$

3 오른쪽 그림과 같이 $\angle A = 90°$인 $\triangle ABC$에서 $\overline{AH} \perp \overline{BC}$
서술형 이고 $\overline{AB} = 6$, $\overline{AC} = 4$일 때, $\sin x + \sin y$의 값을 구하시오.

풀이

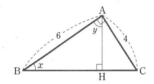

$\angle BAH$와 크기가 같은 각을 찾아본다.

4 다음 그림의 $\triangle ABD$에서 $\angle ABC = 15°$, $\angle ACD = 30°$이고 $\overline{BC} = 2$일 때, $\tan 15°$의
서술형 값을 구하시오.

한 내각의 크기가 30°인 직각삼각형의 세 변의 길이의 비는 $1 : \sqrt{3} : 2$이다.

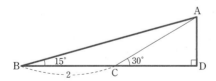

풀이

5 오른쪽 그림에서 △ABC의 한 변 AC가 원 O의 중심을 지나고 ∠BAC=45°이다. $\overline{AO}=4$ cm, $\overline{OC}=6$ cm일 때, sin C의 값을 구하시오.

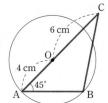

$\overline{OA}=\overline{OB}$이므로 ∠BOC=90°

6 다음 식의 값을 구하시오.

$$\left(\sin A-\frac{1}{\sin A}\right)^2+\left(\cos A-\frac{1}{\cos A}\right)^2-\left(\tan A-\frac{1}{\tan A}\right)^2$$

$\tan x=\dfrac{\sin x}{\cos x}$

$1-\sin^2 x=\cos^2 x$

$1-\cos^2 x=\sin^2 x$

7 서술형

다음을 구하시오.

(1) $\sin^2 1°+\sin^2 2°+\sin^2 3°+\cdots+\sin^2 89°$

(2) $\tan 1°\times\tan 2°\times\tan 3°\times\cdots\times\tan 89°$

풀이

여각 관계

$\sin(90°-x)=\cos x$

$\cos(90°-x)=\sin x$

$\tan(90°-x)=\dfrac{1}{\tan x}$

8 $\sin x+\cos x=\dfrac{5}{4}$일 때, 다음을 구하시오.

(1) $\dfrac{1}{\cos x}+\dfrac{1}{\sin x}$ 　　(2) $\tan x+\dfrac{1}{\tan x}$ 　　(3) $\sin x-\cos x$

$\sin^2 x+\cos^2 x=1$

$\tan x=\dfrac{\sin x}{\cos x}$

9 넓이가 같은 정삼각형과 정육각형의 둘레의 길이의 비는?

① $\sqrt{2}:1$ ② $\sqrt{3}:\sqrt{2}$ ③ $3:2$

④ $\sqrt{2}:\sqrt{3}$ ⑤ $2:3$

10 다음 삼각형에서 x의 값을 구하시오.

(1)
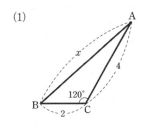

(2)
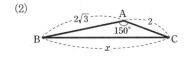

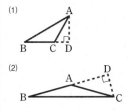

11
서술형

오른쪽 그림과 같이 언덕 위에 국기 계양대가 세워져 있다. A 지점에서 국기 계양대의 꼭대기를 올려다본 각의 크기가 $60°$이고, A 지점에서 국기 계양대 방향으로 $10\,\mathrm{m}$ 걸어간 B 지점부터 오르막이 시작된다. B 지점에서 언덕의 시작점인 D 지점까지의 거리는 $4\sqrt{3}\,\mathrm{m}$이고 오르막의 경사가 $30°$일 때, 국기 계양대만의 높이인 $\overline{CD}$의 길이를 구하시오.

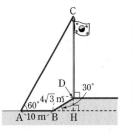

$\triangle$AHC와 $\triangle$BHD는 세 내각의 크기가 각각 $30°$, $60°$, $90°$인 직각삼각형이다.

풀이

12
서술형

오른쪽 그림과 같이 기구의 지면으로부터의 높이를 알아보기 위하여 $100\,\mathrm{m}$ 떨어져 있는 두 지점 A, B에서 기구를 올려다본 각의 크기를 측정하였더니 각각 $30°$, $45°$이었다. 이때 이 기구의 높이를 구하시오.

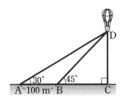

$\triangle$DBC는 직각이등변삼각형이다.

풀이

13 오른쪽 그림의 직각삼각형 ABC에서 $\overline{AB}=c$, $\overline{BC}=a$, $\overline{CA}=b$, $\angle B=\angle x$라 하자. $c=a+\dfrac{b}{2}$일 때, $\tan x$의 값을 구하시오.

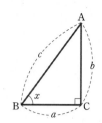

14 오른쪽 그림과 같이 100 m 떨어져 있는 지면 위의 두 지점 A,
서술형 B에서 풍선을 올려다본 각의 크기가 각각 α, β이었다. $\cos\alpha=\dfrac{2}{3}$, $\cos\beta=\dfrac{1}{3}$일 때, 풍선의 높이를 구하시오.

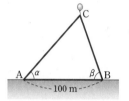

점 C에서 $\overline{AB}$에 수선을 그어 본다.

풀이

15 오른쪽 그림과 같은 □ABCD의 넓이를 구하시오.

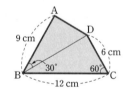

△ABD와 △BCD의 넓이를 각각 구한다.

16 다음 그림에서 어두운 부분의 넓이를 구하시오.

(1)

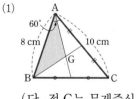

(단, 점 G는 무게중심)

(2)

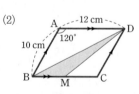

(단, $\overline{BM}=\overline{CM}$)

삼각형의 두 변의 길이와 그 끼인 각의 크기를 알면 삼각형의 넓이를 구할 수 있다.

17
서술형

오른쪽 그림과 같이 $\angle A = 90°$인 $\triangle ABC$와 $\angle C = 90°$인 $\triangle BCD$에서 $\angle ABC = 45°$, $\angle BDC = 60°$이고 $\overline{AB} = 2\sqrt{2}$일 때, 어두운 부분의 넓이를 구하시오.

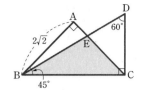

점 E에서 $\overline{BC}$에 수선을 그은 후, tan의 값을 이용하여 $\triangle EBC$의 높이를 구한다.

풀이

18

오른쪽 그림에서 $\overline{AB}$를 지름으로 하는 반원과 $\overline{AC}$의 교점을 P라 할 때, 어두운 부분의 넓이를 구하시오.

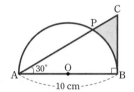

(어두운 부분의 넓이)
$= \triangle ABC - \triangle AOP$
$\quad - ($부채꼴 OBP의 넓이$)$

19

오른쪽 그림과 같이 폭이 10 cm인 종이 테이프를 $\angle ABC = 30°$가 되도록 접었을 때, $\triangle ABC$의 넓이를 구하시오.

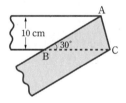

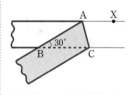

$\angle XAC = \angle CAB$ (접은 각)
$\angle XAC = \angle ACB$ (엇각)

20

오른쪽 그림과 같이 한 변의 길이가 5 cm인 정사각형 ABCD에 정삼각형 AEF가 내접할 때, $\overline{BE}$의 길이를 구하시오.

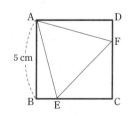

$\overline{BE} = x$ cm라 하면
$\overline{CE} = \overline{CF} = (5 - x)$ cm
$\therefore \overline{AE} = \overline{EF}$
$\qquad = \sqrt{2}(5 - x)$ cm

21 오른쪽 그림과 같이 반지름의 길이가 10 cm인 원 O에 정육각형 ABCDEF가 내접한다. 이때 어두운 부분의 넓이를 구하시오.

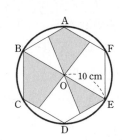

22 오른쪽 그림의 △ABC에서 $\overline{AB}=6$ cm, $\overline{AC}=4$ cm, $\angle BAD = \angle CAD = 30°$일 때, $\overline{AD}$의 길이를 구하시오.

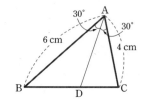

△ABC＝△ABD＋△ACD

23 △ABC에서 세 변의 길이 a, b, c 사이에 $a-2b+c=0$, $3a+b-2c=0$인 관계가 성립할 때, $\sin A : \sin B : \sin C$를 구하시오.

△ABC의 넓이를 S라 하면
$$S=\frac{1}{2}ac\sin B$$
$$=\frac{1}{2}ab\sin C$$
$$=\frac{1}{2}bc\sin A$$

24 오른쪽 그림과 같이 한 모서리의 길이가 10 cm인 정사면체 A−BCD에서 $\overline{BD}$의 중점을 M이라 할 때, 점 B에서 출발하여 겉면을 따라 $\overline{AC}$, $\overline{AD}$를 지나 점 M까지 감은 실의 최단 길이를 구하시오.

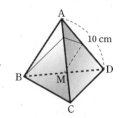
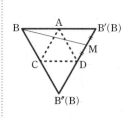

25 $\sin\theta=\dfrac{2}{3}$일 때, 직선 $x\sin\theta+y\cos\theta=\tan(90°-\theta)$와 x축, y축으로 둘러싸인 부분의 넓이를 구하시오. (단, $\angle\theta$는 예각)

26 오른쪽 그림과 같은 정육면체에서 $\square$ABCD의 두 대각선 AC와 BD의 교점을 P라 할 때, $\cos x$의 값을 구하시오.

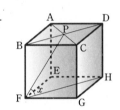

정사각형의 두 대각선은 길이가 같고 서로 다른 것을 수직이등분한다.

27
서술형

오른쪽 그림과 같이 반지름의 길이가 각각 4, $2\sqrt{2}$인 두 원 O와 O′이 두 점 P, Q에서 만나고 $\angle POQ=60°$, $\angle PO′Q=90°$일 때, 어두운 부분의 넓이를 구하시오.

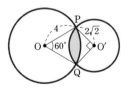

△POQ와 △PO′Q는 두 변의 길이와 그 끼인 각의 크기를 알 수 있으므로 넓이를 구할 수 있다.

풀이

1 직선 $y+a=bx-\sqrt{3}$이 x축의 양의 방향과 이루는 각의 크기가 $60°$이고 y절편이 $\sqrt{3}+4$일 때, $b-a$의 값을 구하시오. (단, a, b는 상수)

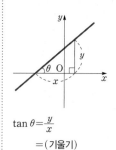

$\tan\theta=\dfrac{y}{x}$
    $=(기울기)$

2 다음 식의 값을 구하시오.

$$\cos 0°\times(1+\tan 45°+\sin 90°)+\sin 30°\times\tan 45°\times\cos 60°$$
$$+(1+\sin 60°)(1-\cos 30°)$$

3 오른쪽 그림과 같이
$\angle ACB=\angle DAC=\angle EAD=\angle FAE=30°$이고
$\overline{AB}=1$일 때, $\overline{AF}$의 길이를 구하시오.

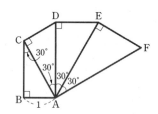

한 내각의 크기가 $30°$인 직각삼각형의 세 변의 길이의 비는 $1:\sqrt{3}:2$이다.

4 오른쪽 그림과 같이 한 변의 길이가 4인 정삼각형 ABC가 있다. $\overline{BC}$ 위의 임의의 점 P에서 $\overline{AB}$, $\overline{AC}$에 내린 수선의 발을 각각 Q, R라 할 때, $\overline{PQ}+\overline{PR}$의 길이를 구하시오.

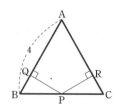

보조선 AP를 그은 후, 정삼각형의 넓이를 생각한다.

5 오른쪽 그림과 같이 ∠A=15°, ∠B=45°, $\overline{BC}$=10 cm인 △ABC의 넓이를 구하시오.

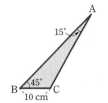

점 A에서 $\overline{BC}$의 연장선에 수선을 긋는다.

6 오른쪽 그림과 같은 △ABC에서 $\overline{AB}$=3 cm, $\overline{BC}$=6 cm, ∠ABD=45°, ∠DBC=30°일 때, $\overline{AD} : \overline{CD}$를 구하시오.

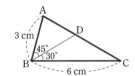

$\overline{AD} : \overline{CD}$
=△ABD : △BCD

7 오른쪽 그림과 같이 은정이가 B 지점에서 깃대 끝을 올려다본 각도가 60°, 현정이가 C 지점에서 깃대 끝을 올려다본 각도가 45°였다. $\overline{BC}$=10 m이고, ∠HBC=90°일 때, 깃대의 높이인 $\overline{AH}$의 길이를 구하시오.

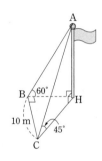

$\overline{AH}$=x m라 하고 $\overline{BH}$, $\overline{CH}$의 길이를 x를 사용하여 나타낸다.

8 $A=\tan 50°$, $B=\sin 62°$, $C=\cos 70°$일 때, 다음 중 대소 관계가 옳은 것은?

① $A<B<C$ 　　　② $B<A<C$ 　　　③ $B<C<A$

④ $C<A<B$ 　　　⑤ $C<B<A$

9 오른쪽 그림과 같은 정육면체에서 $\overline{EF}$의 중점을 M, $\angle CMH = \angle x$라 할 때, $\cos x$의 값을 구하시오.

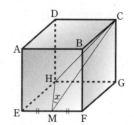

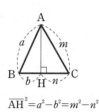

$\overline{AH}^2 = a^2 - b^2 = m^2 - n^2$

10 오른쪽 그림과 같이 정삼각형 ABC의 높이를 한 변으로 하는 정삼각형 ADE와 정삼각형 ADE의 높이를 한 변으로 하는 정삼각형 AFG가 있다. 이때 세 삼각형 ABC, ADE, AFG 의 넓이의 비를 가장 간단한 자연수의 비로 나타내시오.

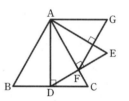

한 변의 길이가 a인 정삼각형에서 높이는 $\dfrac{\sqrt{3}}{2}a$이고, 넓이는 $\dfrac{\sqrt{3}}{4}a^2$이다.

11 오른쪽 그림과 같이 $\angle A = 45°$, $\angle C = 75°$이고 $\overline{AB} = 6\sqrt{2}$인 △ABC의 점 B에서 $\overline{AC}$에 내린 수선의 발을 D라 할 때, $\overline{AB}$, $\overline{BC}$ 위의 임의의 두 점 P, Q에 대하여 △PQD의 둘레의 길이의 최솟값을 구하시오.

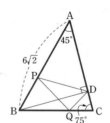

직각이등변삼각형의 세 변의 길이의 비는 $1 : 1 : \sqrt{2}$, 한 내각의 크기가 60°인 직각삼각형의 세 변의 길이의 비는 $1 : \sqrt{3} : 2$이다.

12 다음 그림의 △ADF에서 $\overline{AB}=\overline{BC}=\overline{CA}=\overline{DB}=\overline{CE}=2$이고 $\angle ACE=90°$일 때, $\overline{EF}$의 길이를 구하시오.

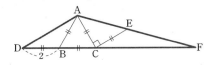

특수한 직각삼각형의 세 변의
길이의 비

Challenge

13 오른쪽 그림과 같이 $\overline{AB}=\overline{AC}$인 이등변삼각형 ABC에서 $\angle A=36°$이고 $\angle ABD=\angle DBC$, $\overline{BC}=a$일 때, $\cos 36°$의 값을 구하시오.

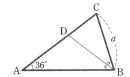

점 D에서 $\overline{AB}$에 내린 수선의 발을 H라 하면
$\cos 36°=\dfrac{\overline{AH}}{\overline{AD}}$
또, $\overline{BC}=\overline{BD}=\overline{AD}$이고
$\triangle ABC \backsim \triangle BCD$

Challenge

14 오른쪽 그림과 같은 직각삼각형 ABC에서 빗변 AC의 삼등분점을 각각 D, E라 하자. $\overline{BD}=\sin x$, $\overline{BE}=\cos x$일 때, 빗변 AC의 길이를 구하시오. (단, $0°<\angle x<90°$)

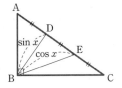

두 점 D, E에서 각각 $\overline{AB}$와 $\overline{BC}$에 수선을 긋는다.

[15~17]

둔각의 삼각비

직각이 아닌 다른 한 예각의 크기가 같은 모든 직각삼각형은 세 변의 길이의 비가 항상 일정하다. 이와 같은 사실을 바탕으로 만든 수학 이론이 삼각비이다.

직각삼각형으로는 예각의 삼각비만 구할 수 있다. 그렇다면 둔각일 때는 삼각비를 어떻게 구할 수 있을까?

옛 고대인들은 하늘의 별이 지구를 중심으로 하는 큰 반원 위에 떠 있다고 생각하여 두 팔을 별들을 향해 뻗어 그 사이의 일정한 각을 찾았다. 고대 천문학자들은 이 일정한 각을 표로 작성하여 두 별 사이의 거리를 구하였고, 이 표는 삼각비의 기원이 되었다.

옛 고대인들의 두 별 사이의 거리를 구하는 방법을 이용하여 둔각의 삼각비를 구해 보자. 오른쪽 [그림 1]에서 두 점 A, B는 각각 두 별의 위치를 나타낸다고 할 때,

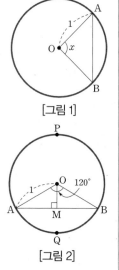

[그림 1]

㈎ $\angle\text{AOB}=\angle x$이면 두 별 A, B 사이의 거리는 $2\sin\dfrac{x}{2}$이다.

이를 이용하여 둔각 120°의 sin의 값을 구해 보자.

오른쪽 [그림 2]에서 $\angle\text{AOB}=120°$라 하면 점 O에서 점 P의 방향으로 두 점 A, B를 보았을 때, 점 A는 왼쪽 뒤에, 점 B는 오른쪽 뒤에 위치하므로 두 점이 이루는 각의 크기는 $\overset{\frown}{\text{APB}}$의 중심각인 240°이고, 두 점 사이의 거리는 $\overline{\text{AB}}$이다. 이것은 점 O에서 점 Q의 방향으로 두 점 A, B를 보았을 때, 두 점이 이루는 각의 크기는 $\angle\text{AOB}=120°$이고 두 점 사이의 거리는 $\overline{\text{AB}}$인 것과 같다.

[그림 2]

따라서 ㈏ $\triangle\text{AOM}$에서 $\angle\text{AOM}=\boxed{①}$°이므로

$\overline{\text{AM}}=\overline{\text{OA}}\sin\boxed{①}°=\boxed{②}$

즉, $\overline{\text{AB}}=\boxed{③}$이므로 $\overline{\text{AB}}=2\sin\dfrac{240°}{2}=\boxed{③}$에서 $\sin 120°=\boxed{④}$이 된다.

15 ㈎를 증명하시오.

16 ㈏의 ①~④에 알맞은 수를 차례로 쓰시오.

17 ㈎를 이용하여 sin 90°의 값을 구하는 방법을 설명하시오.

I 단원 종합 문제

1

$\cos A = \dfrac{3}{4}$일 때, $\sin A + \tan A$의 값을 구하시오.

(단, $0° < \angle A < 90°$)

2

다음 식의 값을 구하시오.

$$10 \sin 45° \cos 30° + 4 \sin 60° + \tan 30°$$

3

$\sin(A-10°)=\cos(A+40°)$일 때, $\tan A$의 값을 구하시오. (단, $10° < \angle A < 50°$)

4

오른쪽 그림과 같은 반지름의 길이가 1인 사분원에 대하여 다음 물음에 답하시오. (단, $0° < \angle x < 90°$)

(1) $\tan x$로 나타나는 선분을 말하시오.

(2) $\sin x$, $\cos x$, $\tan x$ 중 각도가 커짐에 따라 삼각비의 값이 작아지는 것을 구하시오.

(3) $\sin x$와 $\tan x$의 값의 크기를 비교하시오.

5

오른쪽 그림에서 $\overline{AB}=4\,\text{cm}$, $\overline{AC}=2\,\text{cm}$이고 $\sin C = \dfrac{\sqrt{2}}{2}$일 때, $\sin B$의 값을 구하시오.

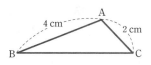

6

오른쪽 그림과 같이 직사각형 ABCD의 점 D를 $\overline{AE}$를 접는 선으로 하여 점 D′에 오도록 접었다. $\overline{AB}=3\,\text{cm}$, $\overline{AD}=5\,\text{cm}$, $\angle EAD'=\angle\theta$일 때, $\sin\theta+\tan\theta$의 값을 구하시오.

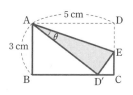

7

오른쪽 그림과 같이 ∠H=90°인
직각삼각형 ABH에서
$\overline{BC}$=5 cm, ∠B=30°,
∠ACH=45°일 때, $\overline{AH}$의 길이는?

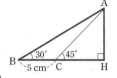

① $\sqrt{3}$ cm
② $3\sqrt{3}$ cm
③ $5\sqrt{3}$ cm
④ $3(1+\sqrt{3})$ cm
⑤ $\dfrac{5(1+\sqrt{3})}{2}$ cm

8

△ABC에서 ∠A : ∠B : ∠C=3 : 4 : 5일 때,
sin A : cos B를 구하시오.

9

직선 $y=\dfrac{5}{12}x$가 x축의 양의 방향과 이루는 예각의 크기
를 ∠A라 할 때, 다음 중 옳지 <u>않은</u> 것은?

① sin $A=\dfrac{5}{13}$

② cos $A=\dfrac{12}{13}$

③ tan $A=\dfrac{12}{5}$

④ sin $A \times$ cos $A=\dfrac{60}{169}$

⑤ sin $A \times$ tan $A=\dfrac{25}{156}$

10

오른쪽 그림과 같이
직각이등변삼각형
OAB에 직각삼각형
들이 연결되어 있고,
$\overline{OA}=\overline{AB}=\overline{BC}=1$ cm, $\overline{CD}=2$ cm, $\overline{DE}=3$ cm일 때,
cos (∠DOE)의 값을 구하시오.

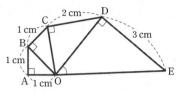

11

오른쪽 그림과 같이 좌표평면 위
에 $\overline{OA}=\overline{OA'}$, $\overline{OB}=\overline{OB'}$,
$\overline{OC}=\overline{OC'}$이 되도록 작도를 하였
다. 다음을 구하시오.
(단, 두 점 C와 D는 x축에 대하
여 대칭이다.)

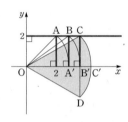

(1) 점 D의 좌표
(2) 부채꼴 OCD의 넓이

12

오른쪽 그림과 같은 직각삼각형
ABC의 한 꼭짓점 A에서 $\overline{BC}$
에 내린 수선의 발을 D라 하고,
$\overline{AB}=3$ cm, $\overline{BD}=2$ cm일 때,
cos (∠ACD)의 값을 구하시오.

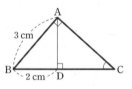

13

오른쪽 그림의 △OAB에서
∠B=90°, $\overline{OA}$=5,
tan(∠AOB)=$\frac{3}{4}$일 때, 점 B
의 좌표는?

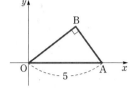

① $\left(\frac{14}{5}, \frac{12}{5}\right)$　　② $\left(3, \frac{5}{2}\right)$

③ $\left(3, \frac{14}{5}\right)$　　④ $\left(\frac{16}{5}, \frac{12}{5}\right)$

⑤ $\left(\frac{7}{2}, \frac{13}{4}\right)$

14

오른쪽 그림과 같이
∠A=120°, $\overline{AB}=\overline{AC}$=4 cm
인 이등변삼각형 ABC의 넓이
를 구하시오.

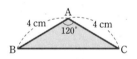

15

오른쪽 그림과 같이
$\overline{AB}$=4 cm, $\overline{AD}$=$3\sqrt{2}$ cm
이고 ∠B=45°인 평행사변형
ABCD의 넓이를 구하시오.

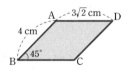

16

오른쪽 그림에서 ∠B=30°,
∠C=45°, $\overline{BC}$=20 cm일 때,
△ABC의 넓이를 구하시오.

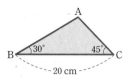

17

오른쪽 그림과 같이 정팔각형이 원에
내접하고 $\overline{AO}$=10 cm일 때, 이 정팔
각형의 넓이를 구하시오.

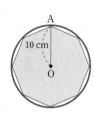

18

$\sin(90°-A)=\frac{15}{17}$일 때, $\tan A$의 값을 구하시오.

(단, ∠A는 예각)

19

다음 중 $1+\tan^2 A$와 항상 같은 것은?

① $\sin^2 A$ ② $\cos^2 A$ ③ $\dfrac{1}{\sin^2 A}$

④ $\dfrac{1}{\cos^2 A}$ ⑤ $\dfrac{1}{\tan^2 A}$

20

주연이는 어느 공원 위를 오른쪽 그림과 같이 열기구를 타고 지나 가게 되었다. 어느 순간 공원의 양쪽 끝을 바라보았더니 눈높이

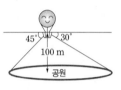

와 이루는 각의 크기가 각각 $45°$, $30°$였다. 지면에서부터 주연이의 눈높이까지의 높이가 $100\,\text{m}$일 때, 이 공원의 폭을 구하시오.

21

오른쪽 그림과 같이 규현이는 슬 기가 있는 곳에서부터 동쪽으로 $20\,\text{m}$ 떨어진 지점에서 $60°$ 방향 으로 움직이고 있다. 규현이가 초 속 $1\,\text{m}$로 걷는다면 슬기와 규현 이가 가장 가까워지는 것은 몇 초 후인지 구하시오.

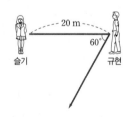

(단, 슬기는 움직이지 않는다.)

22

오른쪽 그림과 같이 A 지점에서 산꼭대기인 C 지점을 올려다본 각의 크기가 $30°$이고, 그 방향으 로 똑바로 $200\,\text{m}$ 간 B 지점에서 C 지점을 올려다본 각의 크기가 $60°$였다. 이때 산의 높이 를 구하시오.

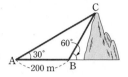

23

한 내각의 크기가 $135°$이고, 한 변의 길이가 $10\,\text{cm}$인 마 름모의 넓이를 구하시오.

24

오른쪽 그림과 같이 $\overline{\text{AB}}=8\,\text{cm}$, $\overline{\text{BC}}=10\,\text{cm}$인 직 사각형 ABCD에서 점 A가 $\overline{\text{BC}}$ 위에 오도록 접었을 때, $\sin(\angle\text{EDF})$의 값을 구하시오.

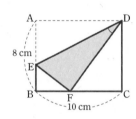

II 원의 성질

1 원과 직선

1 중심각에 대한 호와 현

한 원 또는 합동인 두 원에서

(1) 크기가 같은 두 중심각에 대한 호와 현의 길이는 각각 같다.

(2) 길이가 같은 두 호 또는 현에 대한 중심각의 크기는 같다.

(3) 호의 길이와 중심각의 크기는 서로 정비례한다.

(4) 현의 길이는 중심각의 크기에 정비례하지 않는다.

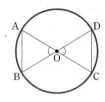

- (1) $\angle AOB = \angle COD$이면
  $\overparen{AB} = \overparen{CD}$, $\overline{AB} = \overline{CD}$
- (2) $\overparen{AB} = \overparen{CD}$이면
  $\angle AOB = \angle COD$
  또, $\overline{AB} = \overline{CD}$이면
  $\angle AOB = \angle COD$
- (3) $\angle AOB : \angle COD$
  $= \overparen{AB} : \overparen{CD}$

2 현의 수직이등분선

(1) 원의 중심에서 현에 내린 수선은 그 현을 이등분한다.

(2) 현의 수직이등분선은 그 원의 중심을 지난다.

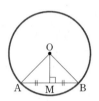

- (1) $\overline{OM} \perp \overline{AB}$이면
  $\overline{AM} = \overline{BM}$

3 현의 길이

한 원 또는 합동인 두 원에서

(1) 원의 중심으로부터 같은 거리에 있는 두 현의 길이는 같다.

(2) 길이가 같은 두 현은 원의 중심으로부터 같은 거리에 있다.

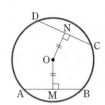

- (1) $\overline{OM} = \overline{ON}$이면 $\overline{AB} = \overline{CD}$
- (2) $\overline{AB} = \overline{CD}$이면 $\overline{OM} = \overline{ON}$

4 원의 접선의 성질

(1) 원의 접선은 그 접점을 지나는 반지름과 수직이다.
  즉, $\overline{PA} \perp \overline{OA}$, $\overline{PB} \perp \overline{OB}$

(2) 원 밖의 한 점 P에서 원 O에 그은 두 접선의 길이는 같다.
  즉, $\overline{PA} = \overline{PB}$

(3) $\overline{OP} \perp \overline{AB}$, $\overline{AQ} = \overline{BQ}$, $\angle x + \angle y = 180°$

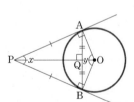

- (2) △OAP와 △OBP에서
  $\overline{OA} = \overline{OB}$(반지름),
  $\angle A = \angle B = 90°$, $\overline{OP}$는 공통이므로 △OAP≡△OBP
  (RHS 합동)
  ∴ $\overline{PA} = \overline{PB}$
- (3) △OAQ와 △OBQ에서
  (2)의 결과로
  $\angle AOQ = \angle BOQ$,
  $\overline{OA} = \overline{OB}$(반지름), $\overline{OQ}$는
  공통이므로
  △OAQ≡△OBQ
  (SAS 합동)
  ∴ $\overline{AQ} = \overline{BQ}$
  ∴ $\angle OQA = \angle OQB = 90°$

5 삼각형의 내접원

원 I가 △ABC와 세 점 D, E, F에서 접할 때

(1) $c = x + y$, $a = y + z$, $b = x + z$

(2) $\triangle ABC = \dfrac{r}{2}(a + b + c)$

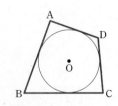

- (2) $\triangle IAB = \dfrac{1}{2}cr$
  $\triangle ICA = \dfrac{1}{2}br$
  $\triangle IBC = \dfrac{1}{2}ar$
  ∴ △ABC
  $= \dfrac{1}{2}ar + \dfrac{1}{2}br + \dfrac{1}{2}cr$
  $= \dfrac{r}{2}(a + b + c)$

6 외접사각형

(1) 외접사각형의 두 쌍의 대변의 길이의 합은 같다.
  즉, $\overline{AB} + \overline{CD} = \overline{AD} + \overline{BC}$

(2) 대변의 길이의 합이 같은 사각형은 원에 외접한다.

STEP 1
주제별 실력다지기

중심각과 호

(1) 중심각과 호의 길이

한 원 또는 합동인 두 원에서

① ∠AOB=∠COD이면 $\overarc{AB}=\overarc{CD}$

② $\overarc{AB}=\overarc{CD}$이면 ∠AOB=∠COD

③ ∠AOB : ∠COD=$\overarc{AB}$: $\overarc{CD}$

(2) 부채꼴의 호의 길이(l)와 넓이(S)

① $l=2\pi r \times \dfrac{\theta}{360}$

② $S=\pi r^2 \times \dfrac{\theta}{360}=\dfrac{1}{2}rl$

(2) $S=\pi r^2 \times \dfrac{\theta}{360}$

$=\dfrac{r}{2} \times \left(2\pi r \times \dfrac{\theta}{360}\right)$

$=\dfrac{1}{2}rl$

---

1 오른쪽 그림과 같이 $\overline{OB} /\!/ \overline{DC}$이고, $\overarc{BC}=3$ cm일 때, $\overarc{AB}$의 길이를 구하시오.

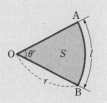

$\overline{OC}=\overline{OD}$이므로
∠OCD=∠ODC

---

2 오른쪽 그림에서 $\overline{AD} /\!/ \overline{OC}$이고, ∠ODA=50°일 때, $\overarc{AD}$: $\overarc{DC}$: $\overarc{CB}$를 구하시오.

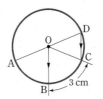

$\overline{OA}=\overline{OD}$이므로
∠OAD=∠ODA

---

3 오른쪽 그림과 같이 원 O의 지름 AB의 연장선과 현 CD의 연장선이 만나는 점을 E라 하고, $\overline{DO}=\overline{DE}$일 때, $\overarc{AC}$: $\overarc{BD}$를 구하시오.

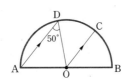

∠ODC=∠DOE+∠DEO

---

4 오른쪽 그림에서 부채꼴 OAB의 반지름의 길이는 8 cm이고, 호 AB의 길이는 2π cm이다. 점 A에서 $\overline{OB}$에 내린 수선의 발을 C라 할 때, $\overline{OC}$를 반지름으로 하는 부채꼴 OCD에서 $\overarc{CD}$의 길이를 구하시오.

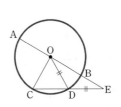

반지름의 길이가 r이고, 중심각의 크기가 $\theta°$인 부채꼴의 호의 길이 l은

$l=2\pi r \times \dfrac{\theta}{360}$

중심각과 현

(1) 현의 성질
① 한 원 또는 합동인 두 원에서 현의 길이는 중심각의 크기에 정비례하지 않는다.
② 한 원 또는 합동인 두 원에서 중심각의 크기가 같은 두 현의 길이는 같다.
③ 원의 중심에서 현에 그은 수선은 그 현을 이등분한다.
④ 원의 중심에서 같은 거리에 있는 두 현의 길이는 같다.
⑤ 임의의 현의 수직이등분선은 반드시 그 원의 중심을 지난다.

(2) 공통현의 성질
두 원이 두 점에서 만날 때 두 원의 중심을 이은 선분은 두 원의 공통현을 수직이등분한다.
[참고] 공통현 : 두 원이 두 점에서 만날 때, 그 교점을 이은 선분

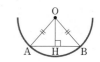

(1) ③의 증명

△OAH와 △OBH에서
$\overline{OA}=\overline{OB}$, $\overline{OH}$는 공통,
∠OHA=∠OBH=90°
이므로 △OAH≡△OBH
(RHS 합동)
∴ $\overline{AH}=\overline{BH}$

(1) ④의 증명

△OBH와 △OCH'에서
$\overline{OB}=\overline{OC}$, $\overline{OH}=\overline{OH'}$,
∠OHB=∠OH'C=90°
이므로 △OBH≡△OCH'
(RHS 합동)
∴ $\overline{BH}=\overline{CH'}$
∴ $\overline{AB}=2\overline{BH}=2\overline{CH'}=\overline{CD}$

5 오른쪽 그림에서 ∠AOB=∠BOC=60°, $\overline{OD}$=4 cm일 때, $\widehat{AB}$의 길이를 구하시오.

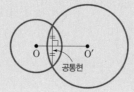

6 오른쪽 그림은 원의 일부인 활꼴이다. $\overline{AH}=\overline{BH}$=6 cm, $\overline{CH}$=3 cm이고 $\overline{CH}\perp\overline{AB}$일 때, 원래 원의 넓이를 구하시오.

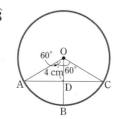

원의 반지름의 길이를 r cm라 하면

7 오른쪽 그림과 같이 원 O의 지름 PQ 위의 임의의 점 R에서 만나는 두 현 AC, BD가 있다. ∠BRO=∠CRO이고 $\overline{AC}$=10 cm일 때, $\overline{BD}$의 길이를 구하시오.

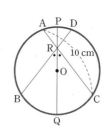

점 O에서 $\overline{AC}$, $\overline{BD}$에 내린 수선의 발을 각각 H, H'이라 하면
△ORH≡△ORH'
(RHA 합동)

8 오른쪽 그림과 같이 반지름의 길이가 4 cm, 3 cm인 두 원 O, O'이 두 점 A, B에서 만나고 ∠OAO'=90°이다. 이때 두 원의 공통현 AB의 길이를 구하시오.

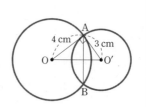

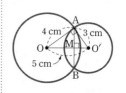

$\overline{AB}\perp\overline{OO'}$, $\overline{AM}=\overline{BM}$

접선의 성질

(1) 원의 접선은 그 접점을 지나는 반지름과 수직이다.

(2) 원 밖의 한 점에서 그 원에 그은 두 접선의 길이는 같다.

(3) 삼각형의 내접원

① $a=y+z$, $b=x+z$, $c=x+y$

② $\triangle ABC = \dfrac{r}{2}(a+b+c)$

(4) 외접사각형

① 외접사각형의 두 쌍의 대변의 길이의 합은 같다.

즉, $\overline{AB}+\overline{CD}=\overline{AD}+\overline{BC}$

② 대변의 길이의 합이 같은 사각형은 원에 외접한다.

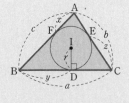
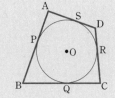

최상위 02   풀이 20쪽
NOTE

원의 중심과 접점을 이은 선분은 원의 접선과 서로 수직으로 만난다.

(4) ①의 증명
$\overline{AB}+\overline{CD}$
$=(\overline{AP}+\overline{BP})+(\overline{CR}+\overline{DR})$
$=\overline{AS}+\overline{BQ}+\overline{CQ}+\overline{DS}$
$=(\overline{AS}+\overline{DS})+(\overline{BQ}+\overline{CQ})$
$=\overline{AD}+\overline{BC}$

---

9 오른쪽 그림에서 반직선 PA는 점 P에서 원 O에 그은 접선일 때, 다음을 구하시오.

(1) $\overline{OA}=5$ cm, $\overline{PA}=12$ cm일 때, $\overline{BP}$의 길이

(2) $\overline{PA}=15$ cm, $\overline{BP}=25$ cm일 때, $\overline{CP}$의 길이

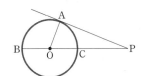

(2) 원의 반지름의 길이를 r cm로 놓는다. 즉,
$\overline{OA}=\overline{OB}=\overline{OC}=r$ cm

---

10 다음 그림에서 x의 값을 구하시오.

(1)
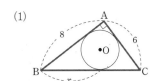

(2)
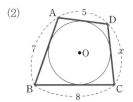

---

11 오른쪽 그림에서 $\overline{BC}$는 반원 O의 지름이고, $\overline{AB}$, $\overline{AD}$, $\overline{CD}$는 반원 O의 접선이다. $\overline{AD}=13$ cm, $\overline{CD}=5$ cm일 때, $\overline{BC}$의 길이를 구하시오. (단, 세 점 B, C, P는 접점이다.)

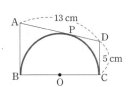

점 D에서 $\overline{AB}$에 내린 수선의 발을 H라 할 때, $\triangle ADH$가 직각삼각형임을 이용한다.

중3 원의 성질 | 고등까지 연결되는 중등개념 | 고1 원의 방정식

한 점 O에서 같은 거리(r)에 있는 점들의 모임을 '원'이라 하며, 많은 원에 관한 성질들이 있다.

한 점에서 일정한 거리에 있는 점들이 모이면 원이다.

$\triangle POH$에서 $\overline{OP}=\sqrt{x^2+y^2}$이고,
$\sqrt{x^2+y^2}=r$이므로
원점을 중심으로 하고 반지름의 길이가 r인 원의 방정식은
$x^2+y^2=r^2$

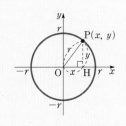

직각삼각형 ABC에서 $\overline{AB}$, $\overline{AC}$, $\overline{BC}$를 각각 지름으로 하는 세 반원의 넓이를 각각 S_1, S_2, S_3이라 할 때,

$$S_1 + S_2 = S_3$$

[참고] 피타고라스 정리
$$\overline{AB}^2 + \overline{AC}^2 = \overline{BC}^2$$

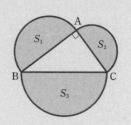

$S_1 = \dfrac{\pi}{2}\left(\dfrac{1}{2}\overline{AB}\right)^2$,

$S_2 = \dfrac{\pi}{2}\left(\dfrac{1}{2}\overline{AC}\right)^2$,

$S_3 = \dfrac{\pi}{2}\left(\dfrac{1}{2}\overline{BC}\right)^2$이므로

$S_1 + S_2 = \dfrac{\pi}{8}(\overline{AB}^2 + \overline{AC}^2)$

$= \dfrac{\pi}{8}\overline{BC}^2$

$= \dfrac{\pi}{2}\left(\dfrac{1}{2}\overline{BC}\right)^2$

$= S_3$

12 오른쪽 그림과 같이 $\overline{BC} = 5$ cm일 때, 직각삼각형 ABC의 두 변 AB, AC를 각각 지름으로 하는 두 반원의 넓이의 합 $S_1 + S_2$ 의 값을 구하시오.

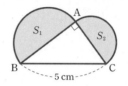

13 오른쪽 그림과 같이 직각삼각형 ABC의 세 변을 각각 한 변으로 하는 정삼각형의 넓이를 x, y, z 라 할 때, x, y, z 사이의 관계식을 구하시오.

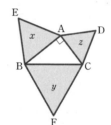

한 변의 길이가 a인 정삼각형의 넓이는 $\dfrac{\sqrt{3}}{4}a^2$이다.

14 오른쪽 그림과 같이 직각삼각형 ABC의 세 변 AB, AC, BC를 각각 지름으로 하는 반원이 있다. 이 반원들로 이루어진 도형의 넓이를 S_1, S_2, $\triangle$ABC의 넓이를 S라 할 때, $S_1 + S_2 = S$임을 증명하시오.

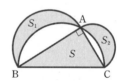

'히포크라테스의 달꼴'이라는 정리이다.

15 오른쪽 그림에서 $\triangle$ABC는 $\angle A = 90°$인 직각삼각형이고 $\overline{AB} = 12$ cm, $\overline{BC} = 13$ cm일 때, $\triangle$ABC의 세 변을 각각 지름으로 하는 반원들로 이루어진 도형의 넓이의 합 $S_1 + S_2$의 값을 구하시오.

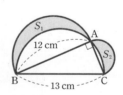

공통접선

(1) 공통접선

　① 공통접선 : 두 원에 동시에 접하는 직선

　② 공통외접선 : 두 원이 공통접선을 기준으로 같은 쪽에 있는 경우의 접선

　③ 공통내접선 : 두 원이 공통접선을 기준으로 서로 반대쪽에 있는 경우의 접선

(2) 공통접선의 길이

　① 공통외접선의 길이　　　　　　② 공통내접선의 길이

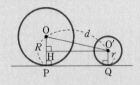　　　　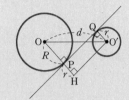

$$\overline{PQ} = \overline{HO'} = \sqrt{d^2 - (R-r)^2}$$　　　$$\overline{PQ} = \overline{HO'} = \sqrt{d^2 - (R+r)^2}$$

[참고] 두 원의 외접과 내접
두 원이 한 점에서 만날 때, 두 원은 서로 접한다고 하며 이때 두 원이 만나는 점을 두 원의 접점이라 한다. 서로 외부에서 접하면 외접한다고 하고, 한 원이 다른 원의 내부에서 접하면 내접한다고 한다.

(1) 외접한다.

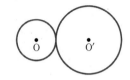

(2) 내접한다.

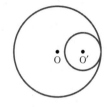

---

16 다음 그림에서 공통외접선과 공통내접선의 길이를 각각 구하시오.

(1)
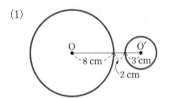

(2)
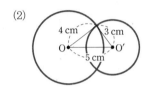

---

17 오른쪽 그림과 같이 두 원 O, O′이 점 R에서 서로 외접하고, 직선 PQ와 직선 RM은 각각 두 원의 공통외접선과 공통내접선이다. 다음 물음에 답하시오.

⑴ ∠PRQ=90°임을 증명하시오.

⑵ ∠OMO′=90°임을 증명하시오.

⑶ $\overline{OP}$=4 cm, $\overline{O'Q}$=2 cm일 때, △OMO′의 넓이를 구하시오.

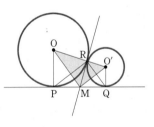

$\overline{PM} = \overline{RM} = \overline{QM}$

---

18 오른쪽 그림에서 두 원 O, O′의 반지름의 길이의 비는 2 : 3이고, $\overline{AB}$는 두 원의 공통내접선이다.

$\overline{AC}$=3 cm, $\overline{BD}$=4 cm일 때, 두 원의 공통내접선인 $\overline{AB}$의 길이를 구하시오. (단, 두 점 A, B는 접점이다.)

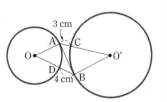

두 원 O, O′의 반지름의 길이를 각각 2r cm, 3r cm로 놓는다.

두 원의 위치 관계

(1) 외접 또는 내접하는 두 원

 ① 외접 또는 내접하는 두 원의 중심선은 반드시 접점을 지난다.

 ② 두 원 O, O′의 반지름의 길이가 각각 R, r일 때 (단, $R>r$)

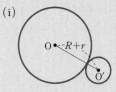 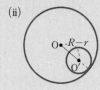

$$\overline{OO'}=R+r \qquad \overline{OO'}=R-r$$

(2) 반지름의 길이가 같은 두 원

 ① 두 원은 합동이다.

 ② 두 원이 두 점에서 만날 때

  (ⅰ) 공통현을 대칭축으로 하는 선대칭도형이다.

  (ⅱ) 두 원의 중심선과 공통현은 서로 다른 것을 수직이등분한다.

최상위 **03**
NOTE
풀이 20쪽

두 원의 중심을 지나는 직선을 두 원의 중심선이라 하고 두 원의 중심 사이의 거리를 중심거리라 한다.

19 오른쪽 그림과 같이 한 변의 길이가 10 cm인 정사각형에 내접하는 원 O가 있다. 이때 원 O와 정사각형의 두 변에 동시에 접하는 원 O′의 반지름의 길이를 구하시오.

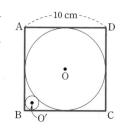

원 O′의 반지름의 길이를 r cm로 놓고, $\overline{OO'}$을 빗변으로 하는 직각삼각형의 각 변의 길이를 r로 나타낸다.

20 오른쪽 그림과 같이 가로, 세로의 길이가 각각 8 cm, 6 cm인 직사각형의 내부에 반지름의 길이가 같은 두 원 O, O′이 접하고 있다. 이 원의 반지름의 길이를 구하시오.

　　　　　　　　　　　　　(단, 두 원은 외접한다.)

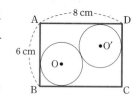

21 오른쪽 그림과 같이 한 변의 길이가 $6\sqrt{3}$ cm인 정삼각형 ABC에 원 O가 내접하고, 원 O′은 $\overline{AB}$, $\overline{BC}$와 원 O에 동시에 접할 때, 원 O′의 반지름의 길이를 구하시오.

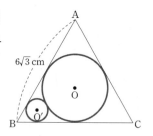

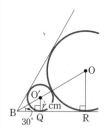

△BQO′∽△BRO이고,
$\overline{BO}:\overline{OR}:\overline{RB}=2:1:\sqrt{3}$

22 오른쪽 그림과 같이 반지름의 길이가 10 cm인 원 O에 내접하는 합동인 세 원 P, Q, R가 서로 외접할 때, 작은 원의 반지름의 길이를 구하시오.

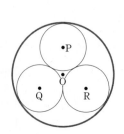

△PQR는 정삼각형이고, 점 O는 △PQR의 무게중심이다.

삼각형의 방심

(1) 방심 : 삼각형의 한 내각의 이등분선과 다른 두 각의 외각의 이등분선의 교점

(2) 기본 정리

① 방심에서 삼각형의 세 변 또는 그 연장선에 그은 수선의 길이는 같다.

즉, $\overline{OP}=\overline{OQ}=\overline{OR}$이므로 세 점 P, Q, R를 지나는 방접원을 그릴 수 있다.

② ($\triangle ABC$의 둘레의 길이)$=2\overline{AP}=2\overline{AR}$

③ 한 삼각형의 방접원은 세 개 존재한다.

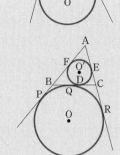

(3) 두 원 O, O′이 각각 $\triangle ABC$의 방접원, 내접원이면

$\overline{BC}=\overline{FP}=\overline{ER}$

[증명] $\overline{AP}=\overline{AR}$, $\overline{AF}=\overline{AE}$이므로 $\overline{FP}=\overline{ER}$

$2\overline{FP}=\overline{FP}+\overline{ER}=(\overline{BF}+\overline{BP})+(\overline{CE}+\overline{CR})$

$=(\overline{BD}+\overline{BQ})+(\overline{CD}+\overline{CQ})$

$=(\overline{BD}+\overline{CD})+(\overline{BQ}+\overline{CQ})=2\overline{BC}$

$\therefore \overline{FP}=\overline{BC}$

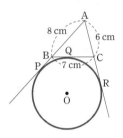

(2) ①의 증명

(i) $\angle OPB=\angle OQB=90°$, $\overline{OB}$는 공통,

$\angle OBP=\angle OBQ$이므로

$\triangle OBP\equiv\triangle OBQ$

(RHA 합동)

$\therefore \overline{OP}=\overline{OQ}$

(ii) $\angle OQC=\angle ORC=90°$, $\overline{OC}$는 공통,

$\angle OCQ=\angle OCR$이므로

$\triangle OCQ\equiv\triangle OCR$

(RHA 합동)

$\therefore \overline{OQ}=\overline{OR}$

(i), (ii)에서

$\overline{OP}=\overline{OQ}=\overline{OR}$

(2) ②의 증명

$\overline{BP}=\overline{BQ}$, $\overline{CR}=\overline{CQ}$이므로

($\triangle ABC$의 둘레의 길이)

$=\overline{AB}+\overline{BC}+\overline{CA}$

$=\overline{AB}+(\overline{BQ}+\overline{QC})+\overline{CA}$

$=(\overline{AB}+\overline{BP})$

$\qquad +(\overline{CR}+\overline{CA})$

$=\overline{AP}+\overline{AR}$

$=2\overline{AP}=2\overline{AR}$

---

23 오른쪽 그림과 같이 $\overline{AB}=8$ cm, $\overline{BC}=7$ cm, $\overline{CA}=6$ cm인 $\triangle ABC$에서 원 O는 방접원이다. 이때 $\overline{AP}$의 길이를 구하시오.

(단, 세 점 P, Q, R는 접점이다.)

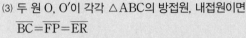

---

24 오른쪽 그림과 같이 $\triangle ABC$의 내접원 O와 방접원 O′이 한 점 P에서 서로 외접한다. 두 원 O, O′의 반지름의 길이가 각각 2 cm, 8 cm이고, $\overline{AQ}=\dfrac{8}{3}$ cm일 때, $\triangle ABC$의 둘레의 길이를 구하시오.

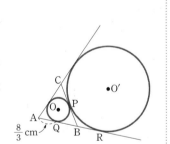

($\triangle ABC$의 둘레의 길이)
$=2\overline{AR}$

---

25 오른쪽 그림에서 두 원 O, O′은 각각 $\triangle ABC$의 내접원, 방접원이고, $\overline{BC}$와의 접점을 각각 E, Q라 하자. $\overline{AB}=7$ cm, $\overline{BC}=6$ cm, $\overline{CA}=6$ cm일 때, $\overline{QE}$의 길이를 구하시오.

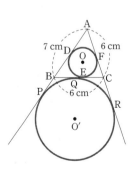

내접원 O에서 $\overline{BE}$, 방접원 O′에서 $\overline{BQ}$의 길이를 구하면 $\overline{QE}=\overline{BE}-\overline{BQ}$

1 오른쪽 그림과 같이 원 O의 지름인 $\overline{AB}$의 연장선과 현 CD 의 연장선과의 교점을 P라 하고, $\overline{PD}=\overline{OD}$, ∠OPD=20°, $\widehat{AC}$=9 cm일 때, $\widehat{BD}$의 길이를 구하시오.

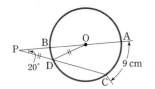

호의 길이는 중심각의 크기에 정비례한다.

2 오른쪽 그림에서 $\overline{AB}$와 $\overline{CD}$는 원 O의 지름이고, $\overline{AE}\,/\!/\,\overline{CD}$이 다. ∠OCB=30°, $\widehat{BD}$=3 cm일 때, $\widehat{AE}$의 길이를 구하시오.

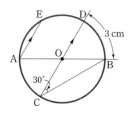

3 오른쪽 그림과 같이 $\overline{AB}$가 반원 O의 지름이고, $\overline{AD}\,/\!/\,\overline{OC}$이 서술형 다. ∠BOC=30°이고 $\widehat{BC}$=5일 때, $\widehat{AD}$의 길이를 구하시 오.

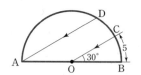

$\widehat{AD}$의 중심각인 ∠AOD의 크 기를 구해 본다.

풀이

4 오른쪽 그림과 같이 중심이 같은 두 원 O와 O′의 넓이의 차가 16π cm²이고, $\overline{AB}$는 작은 원의 접선일 때, $\overline{AB}$의 길이를 구하시 오. (단, 점 P는 접점이다.)

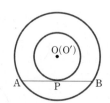

큰 원의 반지름의 길이를 R cm, 작은 원의 반지름의 길 이를 r cm라 하면 $\pi R^2 - \pi r^2 = 16\pi$

5 오른쪽 그림과 같이 점 O를 중심으로 하는 두 개의 원이 있다.
서술형 $\overline{AD}=a$, $\overline{AB}=\overline{BC}=\overline{CD}$이고 두 원의 반지름의 길이의 합이 2
일 때, 두 원의 반지름의 길이의 차를 a로 나타내시오.

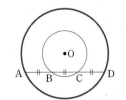

원의 중심에서 현에 내린 수선은 그 현을 이등분한다.

풀이

6 오른쪽 그림과 같이 일부분이 떨어져 나간 원형의 청동거울이
서술형 고분에서 출토되었다. 이 청동거울을 원래 모양으로 복원하였
을 때, 그 넓이를 구하시오.

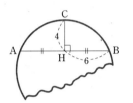

현의 수직이등분선은 그 원의 중심을 지난다.

풀이

7 오른쪽 그림에서 $\overline{AB}$는 원 O의 지름이고, $\overline{PT}$는 원 O의
접선이다. $\overline{PA}=5$ cm, $\angle APT=30°$일 때, $\overline{PT}$의 길이
를 구하시오.

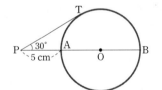

보조선 $\overline{OT}$를 그으면
$\overline{PO}:\overline{OT}:\overline{PT}=2:1:\sqrt{3}$

8 오른쪽 그림과 같이 반지름의 길이가 5 cm인 원 O에 외접하는
사각형 ABCD에 대하여 $\overline{AD}=10$ cm, $\overline{BC}=12$ cm,
$\angle BCD=90°$일 때, 어두운 부분의 넓이를 구하시오.

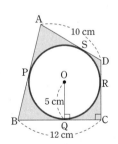

$\square ABCD$
$=\triangle OAB+\triangle OBC$
$\qquad +\triangle OCD+\triangle ODA$

9 오른쪽 그림과 같이 $\overline{AP}$, $\overline{AQ}$가 반지름의 길이가 5 cm인 원 O에 접하고 $\overline{AP}=12$ cm일 때, $\overline{PQ}$의 길이를 구하시오.

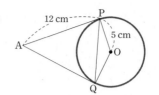

$\overline{OA}$와 $\overline{PQ}$의 교점을 M이라 하면 $\overline{OA}\perp\overline{PQ}$, $\overline{PM}=\overline{QM}$

10 오른쪽 그림과 같이 세 변의 길이가 9 cm, 10 cm, 11 cm인 △ABC에 내접하는 원 O에 대하여 $\overline{PQ}$가 원 O에 접할 때, △PBQ의 둘레의 길이를 구하시오.

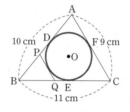

(△PBQ의 둘레의 길이)
$=\overline{BD}+\overline{BE}$
$=2\overline{BD}$

11
서술형
오른쪽 그림과 같이 가로, 세로의 길이가 각각 12, 9인 직사각형 ABCD에 합동인 두 원 O, O′이 각각 두 변에 접해 있다. 두 점 P, Q가 각각 두 원 O, O′의 접점일 때, $\overline{PQ}$의 길이를 구하시오.

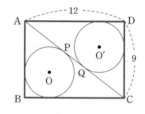

두 원 O, O′은 각각 두 직각삼각형 ABC, ACD의 내접원이고, $\overline{PQ}$는 두 원의 공통내접선이다.

풀이

12
서술형
오른쪽 그림에서 △ABC는 한 변의 길이가 10인 정삼각형이고, 두 원은 각각 △ABC의 내접원과 외접원이다. 이때 어두운 부분의 넓이를 구하시오.

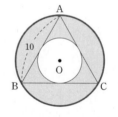

원의 접선은 그 접점을 지나는 반지름과 수직이고, 원의 중심에서 현에 내린 수선은 그 현을 이등분한다.

풀이

13 오른쪽 그림에서 $\overline{AB}$, $\overline{AD}$, $\overline{CD}$는 반원 O의 접선이고, 세 점 B, P, C는 접점이다. $\overline{AB}=2$ cm, $\overline{CD}=8$ cm이고, 점 P에서 $\overline{BC}$에 내린 수선의 발을 H라 할 때, $\overline{PH}$의 길이를 구하시오.

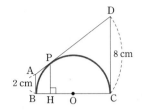

$\overline{AC}$와 $\overline{PH}$의 교점을 Q라 하면
△APQ∽△ADC
△CQH∽△CAB

14
서술형
오른쪽 그림의 □ABCD는 한 변의 길이가 12인 정사각형이다. 점 D에서 $\overline{BC}$를 지름으로 하는 반원 O에 그은 접선이 $\overline{AB}$와 만나는 점을 E라 할 때, $\overline{DE}$의 길이를 구하시오.

풀이

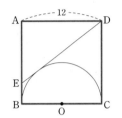

$\overline{AB}$, $\overline{CD}$, $\overline{DE}$는 반원 O의 접선이다.

15 오른쪽 그림과 같이 원 O에 외접하는 사다리꼴 ABCD에서 $\angle C = \angle D = 90°$이고, $\overline{AD}=6$ cm, $\overline{BC}=8$ cm일 때, 원 O의 넓이를 구하시오.

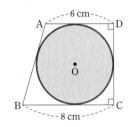

원 O의 반지름의 길이를 r cm라 하면

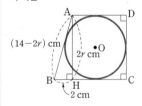

16 오른쪽 그림에서 △ABO는 $\overline{BO}=12$ cm인 직각이등변삼각형이다. 점 O를 중심으로 하고 $\overline{OB}$를 반지름으로 하는 사분원과 $\overline{AB}$를 지름으로 하는 반원을 그렸을 때 만들어지는 도형의 넓이 S_1과 △ABO의 넓이 S_2의 합 S_1+S_2의 값을 구하시오.

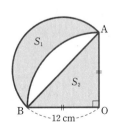

17 오른쪽 그림의 부채꼴 OAB에서 $\overline{OB}=4$ cm이고 $\overline{NM}$은 $\overline{OB}$의 수직이등분선일 때, 어두운 부분의 넓이를 구하시오.

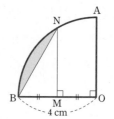

반지름의 길이가 r, 중심각의 크기가 $x°$인 부채꼴의 넓이는 $\pi r^2 \times \dfrac{x}{360}$

18 오른쪽 그림과 같이 원 O′은 가로, 세로의 길이가 각각 9 cm, 6 cm인 직사각형 ABCD의 세 변에 접하고, $\overline{AF}$는 원 O′과 점 E에서 접한다. 원 O가 △ABF에 내접할 때, 원 O의 반지름의 길이를 구하시오.

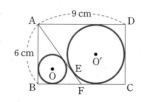

$\overline{EF}=x$ cm로 놓고 △ABF에서 피타고라스 정리를 이용하여 x의 값을 구해본다.

19 오른쪽 그림의 □ABCD는 한 변의 길이가 2 cm인 정사각형이다. 점 E는 원 O와 사분원 DAC의 접점이고, 두 점 F, G는 원 O와 □ABCD의 접점일 때, $\overline{OF}$의 길이를 구하시오.

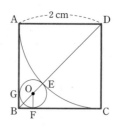

20 오른쪽 그림과 같이 반지름의 길이가 각각 10 cm, 7 cm, 2 cm인 세 원 O, P, Q가 서로 접하고 있다. 이때 △OPQ의 둘레의 길이를 구하시오.

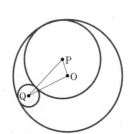

두 원의 중심 사이의 거리는 두 원이 외접할 때는 두 원의 반지름의 길이의 합과 같고, 한 원이 다른 원에 내접할 때는 두 원의 반지름의 길이의 차와 같다.

21 직선 AB는 크기가 같은 두 원 O, O'의 공통내접선이고, 두 점 A, B는 그 접점이다. $\overline{AB}=9$ cm, $\overline{OO'}=15$ cm일 때, 어두운 부분의 넓이를 구하시오.

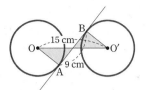

점 O'에서 $\overline{OA}$의 연장선에 수선의 발을 내려본다.

22 오른쪽 그림에서 두 원 O, O'은 각각 △ABC의 내접원, 방접원이다. $\overline{O'P}=8$ cm, $\overline{OQ}=3$ cm, $\overline{BC}=12$ cm일 때, $\overline{OO'}$의 길이를 구하시오. (단, 두 점 P, Q는 접점이다.)

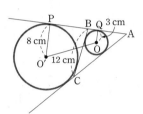

$\overline{PQ}=\overline{BC}$이므로 점 O에서 $\overline{PO'}$에 수선의 발 H를 내린 후, 피타고라스 정리를 이용한다.

23 오른쪽 그림과 같이 반지름의 길이가 5 cm인 반원 C의 둘레를 움직이는 점 P가 있다. △ABP의 내접원 O의 넓이가 최대일 때, 원 O의 반지름의 길이를 구하시오. (단, ∠APB=90˚)

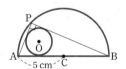

△ABP의 넓이가 최대일 때, 원 O의 넓이도 최대이고 △ABP의 넓이가 최대이려면 점 P는 $\widehat{AB}$의 중점이어야 한다.

1 오른쪽 그림과 같이 $\overline{\mathrm{AB}}=4$ cm인 직사각형 ABCD의 세 변과 $\overline{\mathrm{BE}}$에 접하는 원 O에 대하여 ∠ABE=45°일 때, $\overline{\mathrm{BC}}$의 길이를 구하시오.

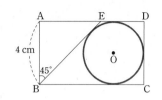

$\overline{\mathrm{EB}}+\overline{\mathrm{DC}}=\overline{\mathrm{ED}}+\overline{\mathrm{BC}}$

2 오른쪽 그림은 반지름의 길이가 8 cm인 사분원이고, 직사각형 BCDF의 넓이는 18 cm²이다. 어두운 부분의 둘레의 길이는?

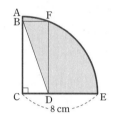

① $(10+4\pi)$ cm   ② $(12+4\pi)$ cm

③ $(13+4\pi)$ cm   ④ $(14+4\pi)$ cm

⑤ $(15+4\pi)$ cm

반지름의 길이가 r이고, 중심각의 크기가 $x°$인 부채꼴의 호의 길이는 $2\pi r \times \dfrac{x}{360}$

3 오른쪽 그림에서 원 O는 ∠B=90°인 △ABC의 외접원이고, 원 O′은 내접원이다. 원 O의 반지름의 길이가 10 cm이고, 원 O′의 반지름의 길이가 4 cm일 때, △ABC의 넓이를 구하시오.

(단, $\overline{\mathrm{AB}}>\overline{\mathrm{BC}}$)

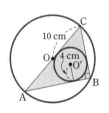

△ABC에서 $\overline{\mathrm{AC}}=20$ cm이므로 접선의 성질과 피타고라스 정리를 이용하여 $\overline{\mathrm{AB}}$, $\overline{\mathrm{BC}}$의 길이를 각각 구해본다.

4 오른쪽 그림과 같이 반지름의 길이가 각각 5 cm, 6 cm인 두 원 O와 O′에 대하여 $\overline{\mathrm{OO'}}=7$ cm일 때, 두 원의 공통인 현 AB의 길이를 구하시오.

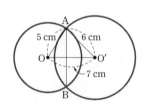

△AOO′의 넓이를 S라 하면 $\overline{\mathrm{OO'}}$은 $\overline{\mathrm{AB}}$를 수직이등분하므로 $S=\dfrac{1}{2}\times\overline{\mathrm{OO'}}\times\dfrac{\overline{\mathrm{AB}}}{2}$

5 오른쪽 그림에서 $\overline{AB}$를 지름으로 하는 반원 O의 반지름의 길이는 $\frac{25}{4}$ cm이고, $\overline{OC}=\frac{7}{4}$ cm인 $\overline{OA}$ 위의 점 C에서 $\overline{AB}$에 수선을 그어 반원과 만나는 점을 D라 하자. 이 반원의 호 AB와 내부 한 점에서 만나고, $\overline{CA}$, $\overline{CD}$와 접하는 원의 반지름의 길이를 구하시오.

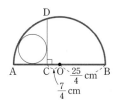

6 오른쪽 그림과 같이 한 변의 길이가 16 cm인 정사각형 ABCD에서 $\overset{\frown}{AC}$, $\overset{\frown}{BD}$는 정사각형의 한 변을 반지름으로 하는 사분원의 호이다. 이때 어두운 부분의 넓이를 구하시오.

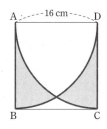

7 오른쪽 그림과 같이 반지름의 길이가 10 cm인 원 O에 네 개의 원 O_1, O_2, O_3, O_4가 각각 내접하고 네 개의 원은 서로 외접한다. 두 원 O_1, O_3의 반지름의 길이가 같고, 두 원 O_2, O_4의 반지름의 길이가 같을 때, 원 O_4의 반지름의 길이를 구하시오.

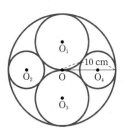

$\triangle O_1 O O_4$는 $\angle O_1 O O_4 = 90°$인 직각삼각형이다.

8 오른쪽 그림과 같이 반지름의 길이가 10 cm인 반원 O의 일부를 지름 AB와 한 점 C에서 만나도록 접었다. 접힌 선 PQ 위의 점 M에 대하여 $\overline{PM}=\overline{QM}$, $\angle MOC=60°$일 때, $\overline{OC}$의 길이를 구하시오.

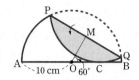

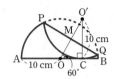

호 PCQ를 원의 일부로 하는 원 O'을 작도한다.

9 오른쪽 그림과 같이 반지름의 길이가 8 cm인 반원 O에 두 원 P, Q가 내접하고 두 원 P, Q는 서로 외접한다. 이때 원 Q의 반지름의 길이를 구하시오.

　　　　　　　　　(단, 두 점 C, O는 접점이다.)

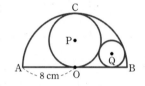

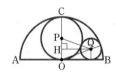

점 Q에서 $\overline{OC}$에 내린 수선의 발을 H라 할 때, △PHQ와 △OHQ에서 피타고라스 정리를 생각한다.

Challenge

10 오른쪽 그림과 같이 반지름의 길이가 10 cm인 세 원 O_1, O_2, O_3가 외접하고 세 점 B, C, T는 접점이다. 이때 $\overline{EF}$의 길이를 구하시오.

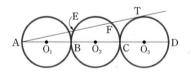

두 점 O_2, O_3에서 $\overline{AT}$에 각각 수선을 내린다.

11 오른쪽 그림과 같이 ∠A=90°, $\overline{AB}$=6 cm, $\overline{AC}$=8 cm
인 직각삼각형 ABC가 있다. $\overline{BC}$에 접하고, 동시에 서로
외부의 한 점에서 만나는 n개의 합동인 원을 그릴 때, 이
원의 반지름의 길이를 n으로 나타내시오.
(단, 양 끝쪽의 원은 각각 $\overline{AB}$와 $\overline{AC}$에 접한다.)

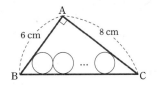
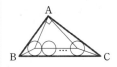

Challenge

12 오른쪽 그림과 같이 $\overline{AB}$=8 cm, $\overline{BC}$=7 cm, $\overline{CA}$=6 cm인
△ABC에 대하여 ∠A의 이등분선이 $\overline{BC}$와 만나는 점을 D라
할 때, $\overline{AD}$의 길이를 구하시오.

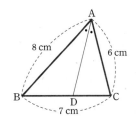

세 내각의 이등분선의 교점 I는
내접원의 중심이 된다.

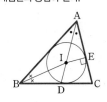

(i) △ABC
$$=\frac{1}{2}\times(\overline{AB}+\overline{BC}+\overline{CA})$$
$$\times\overline{IE}$$
(ii) $\overline{AB}:\overline{AC}=\overline{BD}:\overline{CD}$
(iii) $\overline{AB}:\overline{BD}=\overline{AI}:\overline{ID}$

Challenge

13 오른쪽 그림과 같은 직사각형 ABCD에서 $\overline{AB}$=3 cm이
고, $\overline{DC}$ 위에 한 점 P를 잡고 사각형 안에 $\overline{DP}$를 지름으
로 하는 반원 O를 그린 다음, 반원 O와 외부 한 점에서
만나고, $\overline{PC}$와 $\overline{BC}$에 접하는 원 O_1을 그렸다. 또, 반원 O
와 원 O_1과 외부 한 점에서 만나고, $\overline{AD}$와 $\overline{BC}$에 접하는 원 O_2를 그렸다. 이때 $\overline{CP}$의
길이를 구하시오.

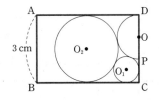

2 원과 각

1 원주각과 중심각의 성질

(1) 원 O에서 $\overset{\frown}{AB}$ 위에 있지 않은 원 위의 한 점 P에 대하여 $\angle APB$를 $\overset{\frown}{AB}$에 대한 원주각이라 한다.

(2) 한 원에서 한 호에 대한 원주각의 크기는 그 호에 대한 중심각의 크기의 $\frac{1}{2}$이다.

(3) 한 원 또는 합동인 두 원에서

 ① 원주각의 크기는 호의 길이에 정비례한다.

 ② 길이가 같은 호에 대한 원주각의 크기는 같다.

 ③ 크기가 같은 원주각에 대한 호의 길이는 같다.

(4) 반원에 대한 원주각의 크기는 90°이다.

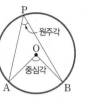
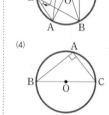

2 접선과 현이 이루는 각

원의 접선과 그 접점을 지나는 현이 이루는 각의 크기는 그 각의 내부에 있는 호에 대한 원주각의 크기와 같다.

즉, $\overrightarrow{AT}$가 원 O의 접선일 때, $\angle TAB = \angle ACB$

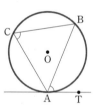

3 내접사각형의 성질

(1) 한 쌍의 대각의 크기의 합은 180°이다.

 즉, $\angle A + \angle BCD = \angle B + \angle D = 180°$

(2) 한 외각의 크기는 그 내대각의 크기와 같다.

 즉, $\angle A = \angle DCE$

 [참고] 내대각 : 사각형에서 한 외각에 이웃한 내각의 대각

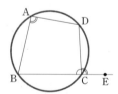

■사각형이 원에 내접할 조건
(1) 사각형에서 한 쌍의 대각의 크기의 합이 180°일 때
(2) 사각형의 한 외각의 크기가 그 내대각의 크기와 같을 때

1 STEP 주제별 실력다지기

원주각의 기본 성질

(1) 원주각과 중심각

① 한 원에서 한 호에 대한 원주각의 크기는 그 호에 대한 중심각의 크기의 $\frac{1}{2}$이다.

② 한 원의 원주각의 크기의 총합은 180°이다.

③ 반원에 대한 원주각의 크기는 90°이다.

(2) 호의 길이와 원주각의 크기 : 한 원 또는 합동인 두 원에서

① 원주각의 크기는 호의 길이에 정비례한다.

② 같은 길이의 호에 대한 원주각의 크기는 같다.

③ 같은 크기의 원주각에 대한 호의 길이는 같다.

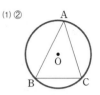

(1) ②

($\widehat{AB}$에 대한 원주각)=∠C
($\widehat{BC}$에 대한 원주각)=∠A
($\widehat{CA}$에 대한 원주각)=∠B
∠A+∠B+∠C=180°이
므로 한 원의 원주각의 크기
의 총합은 180°이다.

---

1 다음 각 그림을 이용하여 한 호에 대한 원주각의 크기는 중심각의 크기의 $\frac{1}{2}$임을 증명하시오.

(1)
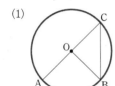

(2)
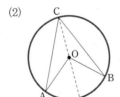

(3)
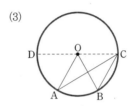

---

2 다음 그림에서 x의 값을 구하시오.

(1)
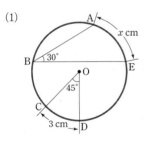

(2)
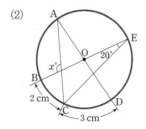

(2) 한 원에서 원주각의 크기는
호의 길이에 정비례한다.
∴ ∠BEC : ∠CAD=2 : 3

---

3 오른쪽 그림에서 $\widehat{AB} : \widehat{BC} : \widehat{CA}=5 : 4 : 3$일 때, $\overline{AB} : \overline{BC} : \overline{CA}$를 구하시오.

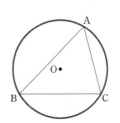

∠A, ∠B, ∠C의 크기를 각각
구한 후, 점 C에서 $\overline{AB}$에 수선
을 그어본다.

Deep

원의 내부와 외부에 존재하는 각

원 위의 두 점 A, B에 대하여 점 P와 이루는 각 APB의 크기 구하기

(1) 점 P가 원의 외부에 있을 때

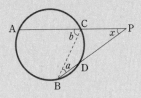

(2) 점 P가 원의 내부에 있을 때

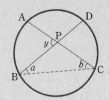

$\angle x + \angle a = \angle b$

즉, $\angle x = \angle b - \angle a$

$\angle y = \angle a + \angle b$

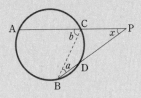

삼각형의 한 외각의 크기는 그와 이웃하지 않는 두 내각의 크기의 합과 같다.

4 다음 그림에서 θ의 크기를 구하시오.

보조선 BD를 긋는다.

(1)

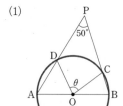

(2)

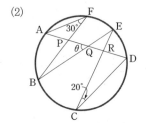

5 오른쪽 그림과 같이 $\overline{BE} \parallel \overline{CD}$, $\overset{\frown}{AB} = \overset{\frown}{DE}$이고, $\angle ADC = 46°$일 때, $\angle ACB$의 크기를 구하시오.

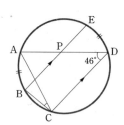

6 오른쪽 그림과 같이 $\overline{AB}$는 원 O의 지름이다. 호 AB 위에 $\overset{\frown}{AP} = \overset{\frown}{PQ} = \overset{\frown}{QB}$가 되도록 두 점 P, Q를 잡고, 다른 쪽의 호 위에는 $\overset{\frown}{AR} : \overset{\frown}{RB} = 2 : 1$이 되도록 점 R를 잡을 때, $\angle OCQ$의 크기를 구하시오.

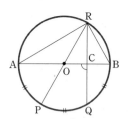

△ACR에서
$\angle OCQ = \angle ARC + \angle RAC$

7 오른쪽 그림과 같은 원 O에서 $\overset{\frown}{AB} = \overset{\frown}{BC} = \overset{\frown}{AD}$이고, $\angle APB = 30°$일 때, $\angle ADB$의 크기를 구하시오.

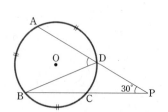

한 원의 원주각의 크기의 총합은 180°이다.

접선과 현이 이루는 각의 크기

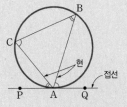

(1) 접선과 현이 이루는 각의 크기는 그 각의 내부에 있는 호에 대한
원주각의 크기와 같다.

즉, ∠PAC=∠ABC, ∠QAB=∠ACB

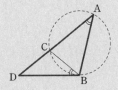

(2) (1)의 역도 성립한다.

즉, ∠BAD=∠CBD이면 직선 DB는 △ABC의
외접원과 접한다.

최상위 **04** 풀이 34쪽
NOTE

(1)을 확인하기 위해 ∠QAB가
각각 직각, 예각, 둔각인 경우로
나누어 생각한다.
또한 이 성질을 이용하여 두 원에
서 접선과 현이 이루는 각도 알
수 있다.

8 다음 그림에서 θ의 크기를 구하시오.

(1) 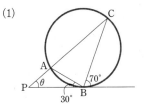　　(2)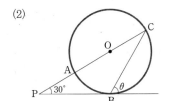

(2) 보조선 AB를 그으면
∠ABC=90°

9 오른쪽 그림에서 $\overline{AC}=\overline{BC}$이고, ∠P=42°일 때, ∠ACB의
크기를 구하시오.

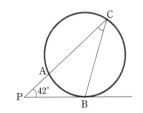

보조선 AB를 그으면
∠CAB=∠CBA

10 오른쪽 그림에서 $\overline{AB}$는 원의 접선이고, $\overline{AD}$는 ∠CAE
의 이등분선이다. ∠ADC=75°일 때, sin(∠ABE)의
값을 구하시오.

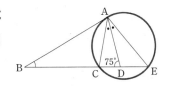

11 오른쪽 그림에서 △CAB와 △DEA는 각각 $\overline{CA}=\overline{CB}$,
$\overline{DA}=\overline{DE}$인 이등변삼각형이고, ∠ACB=40°일 때,
∠BAE의 크기를 구하시오.

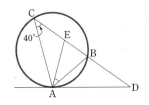

∠ACB=∠BAD
∠CAB=∠CBA
∠DAE=∠DEA

내접사각형에서 각의 크기

(1) 한 쌍의 대각의 크기의 합은 180°이다.

즉, ∠BAD+∠BCD=∠ABC+∠ADC=180°

(2) 한 외각의 크기는 그 내대각의 크기와 같다.

즉, ∠DCP=∠DAB

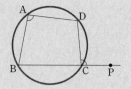

(2) 두 원이 두 점에서 만날 때

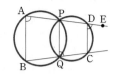

∠EDC=∠PQC,
∠PQC=∠PAB
∴ ∠PAB=∠EDC
즉, $\overline{AB}$∥$\overline{DC}$

12 다음 그림에서 θ의 크기를 구하시오.

(1)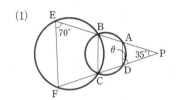

(2)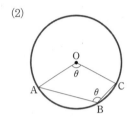

13 오른쪽 그림과 같이 원에 내접하는 오각형 ABCDE에서
∠B=∠D=100°일 때, ∠AOE의 크기를 구하시오.

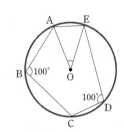

보조선 BE를 긋는다.

14 오른쪽 그림에서 $\widehat{ADC}$의 길이는 원주의 $\frac{3}{4}$, $\widehat{BCD}$의 길이는
원주의 $\frac{1}{3}$일 때, ∠ADC+∠DCE의 크기를 구하시오.

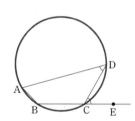

$\widehat{ABC}$의 길이는 원주의 $\frac{1}{4}$이다.

15 오른쪽 그림과 같이 $\overline{AB}=\overline{BD}=\overline{DC}=2$ cm인 직각삼각형
ABC에서 세 점 A, B, D를 지나는 원과 $\overline{AC}$의 교점을 E
라 하자. $\overline{AB}$∥$\overline{FC}$일 때, $\overline{AC}+\overline{DF}$의 길이를 구하시오.

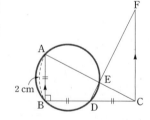

□ABDE가 원에 내접하므로
∠BAE=∠EDC(내대각)

다각형이 원에 내접하기 위한 조건

(1) 각

① 접선과 현이 이루는 각

$\angle BAC = \angle BCD$일 때, $\overline{BC}$는 세 점 A, C, D를 지나는 원의 접선이다.

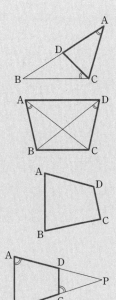

② 원주각

$\angle BAC = \angle BDC$일 때, $\square ABCD$는 원에 내접한다.

③ 대각

$\angle A + \angle C = 180°$ 또는 $\angle B + \angle D = 180°$일 때, $\square ABCD$는 원에 내접한다.

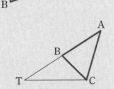

④ 내대각

$\angle PAB = \angle PCD$일 때, $\square ABCD$는 원에 내접한다.

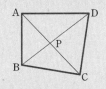

(2) 길이

① $\overline{TC}^2 = \overline{TB} \times \overline{TA}$일 때, $\overline{TC}$는 세 점 A, B, C를 지나는 원의 접선이다.

② $\overline{PA} \times \overline{PC} = \overline{PB} \times \overline{PD}$일 때, $\square ABCD$는 원에 내접한다.

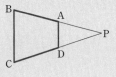

③ $\overline{PA} \times \overline{PB} = \overline{PD} \times \overline{PC}$일 때, $\square ABCD$는 원에 내접한다.

---

16 다음 중 $\square ABCD$가 원에 내접하지 <u>않는</u> 것은?

①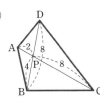

②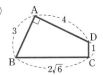

③

④

⑤

2 STEP 실력 높이기

1 오른쪽 그림과 같은 원에서 $\sin(\angle APB)=\dfrac{\sqrt{3}}{2}$, $\overparen{AB}=4\pi$일 때, $\overline{AB}$의 길이를 구하시오.

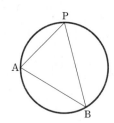

원의 중심을 O라 하고 $\overline{OA}$, $\overline{OB}$를 긋는다.

2 오른쪽 그림에서 $\overparen{ABD} : \overparen{AD} = 2 : 1$이고 $\overparen{AB}=\overparen{BC}=\overparen{CD}$일 때, $\angle x$의 크기를 구하시오.

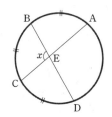

원에서 한 호에 대한 원주각의 크기는 그 호에 대한 중심각의 크기의 $\dfrac{1}{2}$이다.

3
서술형

오른쪽 그림과 같이 반지름의 길이가 6인 원 O에서 $\overparen{AB} : \overparen{BC} : \overparen{CA} = 3 : 4 : 2$일 때, 어두운 부분의 넓이를 구하시오.

풀이

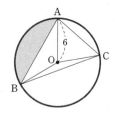

어두운 부분의 넓이는 부채꼴 OAB의 넓이에서 삼각형 OAB의 넓이를 빼서 구한다.

4 오른쪽 그림에서 ∠AQB=45°, ∠APD=30°일 때, ∠BAD의 크기를 구하시오.

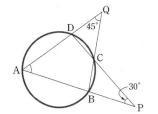

∠A+∠Q=∠PBC
　　　　=∠ADC
∠A+∠P=∠QDC
　　　　=∠ABC

5 오른쪽 그림에서 $\overset{\frown}{AB}$: $\overset{\frown}{CD}$=1 : 3이고, ∠CQD=72°일 때, ∠x의 크기를 구하시오.

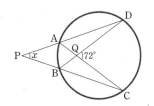

$\overset{\frown}{AB}$의 원주각의 크기를 θ라 놓는다.

6
서술형 오른쪽 그림에서 □ABCD가 원에 내접하고 $\overline{AB}$와 $\overline{CD}$의 연장선의 교점을 P, $\overline{AD}$와 $\overline{BC}$의 연장선의 교점을 Q라 하자. ∠APD=32°, ∠AQB=38°일 때, ∠x의 크기를 구하시오.

풀이

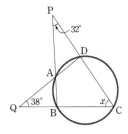

원에 내접하는 사각형의 성질
① 한 쌍의 대각의 크기의 합은 180°이다.
② 한 외각의 크기는 그 내대각의 크기와 같다.

7 오른쪽 그림에서 $\overset{\frown}{AP}$=$\overset{\frown}{AQ}$이고, ∠ACB=75°이다. 이때 ∠ARP의 크기를 구하시오.

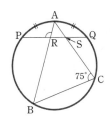

$\overline{AP}$, $\overline{AQ}$, $\overline{PC}$를 그은 후, ∠PAB=∠PCB, ∠APQ=∠AQP=∠ACP 임을 이용한다.

8 오른쪽 그림과 같이 반지름의 길이가 1인 원에 내접하는 삼각형 ABC에서 ∠A=60°, ∠B=45°일 때, $\overline{AB}$의 길이를 구하시오.

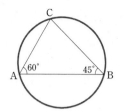

점 C에서 $\overline{AB}$에 수선을 긋는다.

9 오른쪽 그림과 같이 지름이 $\overline{AD}$인 원 O에서 두 현 AB, CD의 연장선의 교점을 P라 하자. $\overset{\frown}{ABC} : \overset{\frown}{CD}=2 : 1$이고, ∠AOB=80°일 때, ∠$x$의 크기를 구하시오.

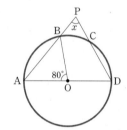

$\overline{AC}$, $\overline{OC}$를 긋는다.

10 오른쪽 그림과 같이 $\overline{PQ}$, $\overline{PR}$은 원의 접선이고, ∠QAB=40°, ∠BCR=30°일 때, ∠QPR의 크기를 구하시오.

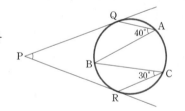

$\overline{OA} \perp l$

11 오른쪽 그림에서 $\overline{AB}$는 원의 접선이고, ∠B의 이등분선이 $\overline{AC}$, $\overline{AD}$와 만나는 점을 각각 F, E라 하자. ∠AFE=65° 일 때, ∠EAF의 크기를 구하시오.

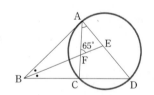

∠BAF+∠ABF=∠AFE, ∠EBD+∠EDB=∠AEF 임을 이용한다.

12 오른쪽 그림과 같이 $\overline{PB}$는 원 O의 접선이고 $\overline{BC}$는 지름이다. $\angle BPC=30°$, $\overline{AP}=4$ cm일 때, $\triangle ABC$의 넓이를 구하시오.

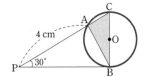

$\angle BAC=90°$
$\angle PBC=90°$

13 오른쪽 그림에서 $\overleftrightarrow{BP}$는 원 O의 접선이고 $\angle BAC=40°$, $\angle ABP=55°$일 때, $\angle ADC$의 크기를 구하시오.

서술형

풀이

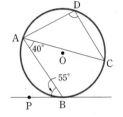

보조선 BC를 긋는다.

14 오른쪽 그림과 같이 원 O 위의 세 점 A, B, C에 대하여 $\overparen{AB}:\overparen{BC}:\overparen{CA}=5:3:4$이다. 원 O의 반지름의 길이가 $\sqrt{2}$ cm일 때, $\triangle ABC$의 넓이를 구하시오.

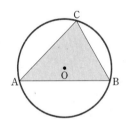

$\overline{OB}$, $\overline{OC}$를 그은 후, $\angle BOC$의 크기를 구해본다.

15 오른쪽 그림과 같이 $\overline{BC}=4$ cm인 예각삼각형 ABC에 외접하는 원 O에서 $\sin A=\dfrac{3}{4}$일 때, 원 O의 반지름의 길이를 구하시오.

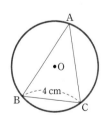

16 오른쪽 그림과 같이 $\overline{AC}$와 $\overline{BD}$는 점 E에서 수직으로 만나고, 점 E에서 $\overline{AB}$에 내린 수선의 발을 G, $\overline{GE}$의 연장선이 $\overline{CD}$와 만나는 점을 F라 하자. $\angle DFE=50°$일 때, $\angle ABE$의 크기를 구하시오.

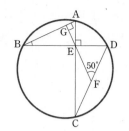

△AGE에서
∠AEG+∠GAE=90°
∠AEG+∠BEG=90°
∴ ∠GAE=∠BEG

17 오른쪽 그림과 같이 원 O에 내접하는 □ABCD가 있다. $\angle BCD=110°$, $\overline{AB}=\overline{AD}$, $\angle OBC=60°$일 때, $\angle ABO$의 크기를 구하시오.

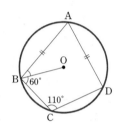

$\overline{AB}=\overline{AD}$이면 $\overparen{AB}=\overparen{AD}$이다.

18 오른쪽 그림과 같이 $\overline{AB}=\overline{AC}$인 이등변삼각형 ABC가 원에 내접한다. 점 C에서 $\angle BCD=100°$가 되도록 $\overline{CD}$를 긋고 그 연장선 위에 $\overline{BD}=\overline{CE}$가 되도록 점 E를 정할 때, $\angle CAE$의 크기를 구하시오.

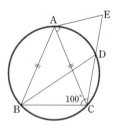

보조선 AD를 그으면
□ABCD는 원에 내접한다.

19
서술형

오른쪽 그림과 같이 두 점 P, Q에서 만나는 두 원 O, O'이
있다. 두 점 P, Q를 각각 지나는 두 선분이 두 원 O, O'과
만나는 점을 각각 A, B, C, D라 할 때, $\overline{AB} /\!/ \overline{CD}$임을 증
명하시오.

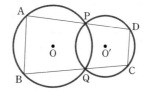

풀이

□ABCD에서 보조선 PQ를
긋고, 크기가 같은 각을 찾아본
다.

20

오른쪽 그림과 같이 두 원의 교점을 P, Q라 하고,
점 P를 지나는 직선이 두 원과 만나는 점을 각각 E,
D, 점 Q를 지나는 직선이 두 원과 만나는 점을 각
각 B, C라 하자. ∠PRB=120°, ∠PDC=80°,
∠DCS=110°일 때, ∠x의 크기를 구하시오.

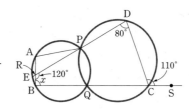

두 원이 두 점 P, Q에서 만나고
□ABQP와 □PQCD가 원에
내접할 때,

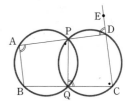

① ∠A=∠PQC=∠PDE,
  ∠C=∠APQ
② $\overline{AB} /\!/ \overline{CD}$

21

오른쪽 그림과 같이 두 점 C, F에서 만나는 두 원이 있다.
∠ACD=95°일 때, ∠APE의 크기를 구하시오.

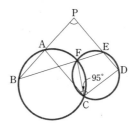

보조선 CF를 그은 후, 원주각
의 성질과 내대각을 이용하여
크기가 같은 각을 찾는다.

3 STEP 최고 실력 완성하기

1 오른쪽 그림과 같이 반지름의 길이가 2인 원에 내접하는 △ABC에서 ∠A＝60°, ∠C＝75°일 때, $\overline{\text{AB}}$의 길이를 구하시오.

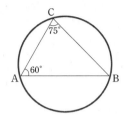

점 C에서 $\overline{\text{AB}}$에 수선을 긋는다.

2 오른쪽 그림과 같이 원 O에 내접하는 정오각형 ABCDE에 대하여 $\overline{\text{AF}} : \overline{\text{FC}}$를 구하시오.

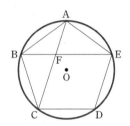

△ABC∽△AFB임을 이용한다.

3 오른쪽 그림과 같이 두 원의 교점을 A, B라 하고, 점 B를 지나는 두 직선이 두 원과 만나는 점을 각각 C, D와 E, F라 할 때, 다음 중 △ACE와 닮음인 것은?

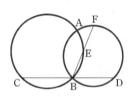

원에 내접하는 □ABDF를 만들고, 보조선 AD를 그어본다.

① △BEC　　　　② △ABF
③ △ADF　　　　④ △AEF　　　　⑤ △BFD

Challenge

4 오른쪽 그림에서 점 I는 △ABC의 내심이고, $\overline{\text{AI}}$＝4 cm, $\overline{\text{ID}}$＝6 cm일 때, $\overline{\text{BD}}$의 길이를 구하시오.

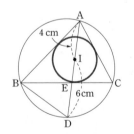

∠BAI＝∠CAI,
∠ABI＝∠CBI,
∠CAD＝∠CBD
임을 이용한다.

[5~6]

고대 시대의 유물과 유적에 관심이 많은 연수는 어느 날 옛날 옛적 적으로부터 백성들을 지켜주었던 원 모양의 성인 도여니산성을 방문하였다. 열심히 산성을 관찰하던 중 연수는 문득 이 산성의 둘레의 길이가 얼마나 되는지 궁금하였다. 하지만 타고 온 버스가 곧 출발할 예정이었기 때문에 산성의 둘레를 한 바퀴 다 돌아볼 시간이 없었던 연수는 그 순간 중3 수학 수업에서 배웠던 원의 성질이 생각나서 오른쪽 그림과 같이 자신이 서 있던 지면 위의 P 지점에서 도여니산성의 가장 바깥쪽 둘레에 있는 지면 위의 A 지점, B 지점까지의 두 거리를 걸음 보폭으로 측정한 후 버스를 타고 도여니산성을 떠났다. 그리고 그 조사 결과는 다음과 같다.

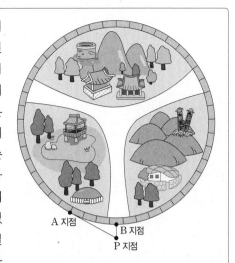

A 지점
B 지점
P 지점

⑦ 연수는 직선으로 걷고, 보폭은 80 cm로 일정하다.
④ 선분 PA는 A 지점을 접점으로 하는 원의 접선이고, P 지점에서 A 지점까지의 거리는 80보이다.
⓹ B 지점은 P 지점에서 가장 가까운 원의 둘레 위의 점이고, P 지점에서 B 지점까지의 거리는 20보이다.

5 원 모양의 도여니산성의 반지름의 길이는 몇 m인지 구하시오.

6 원 모양의 도여니산성의 둘레의 길이는 몇 m인지 구하시오.

(단, π의 값은 3.14로 계산한다.)

1

오른쪽 그림에서 $\overline{BC}$는 반원
O의 지름이고, $\overline{PA}$는 접선,
점 A는 접점이다.

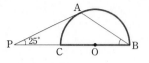

$\angle APB = 25°$일 때, $\angle ABP$의 크기를 구하시오.

2

오른쪽 그림에서 □ABCD는
원 O에 외접하고, 그 접점을 각
각 P, Q, R, S라 하자.

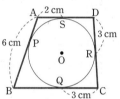

$\overline{AB} = 6\,cm$, $\overline{AS} = 2\,cm$,
$\overline{CQ} = \overline{DR} = 3\,cm$일 때, $\overline{BQ}$의 길이를 구하시오.

3

오른쪽 그림에서 $\overparen{AB}$는 원의
일부분이다. $\overline{CD}$가 $\overline{AB}$의 수
직이등분선이고, $\overline{AD} = 3\,cm$, $\overline{CD} = 1\,cm$일 때, 이 원의
반지름의 길이를 구하시오.

4

오른쪽 그림에서 두 원 O, O′
은 외접하고, 직선 l은 두 원
의 공통접선이다. 두 점 A, B
는 그 접점이고, $\overline{OA} = 9\,cm$,

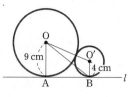

$\overline{O'B} = 4\,cm$일 때, $\overline{OB}$의 길이를 구하시오.

5

오른쪽 그림에서 $\overline{PA}$, $\overline{PB}$, $\overline{QR}$는 원 O
의 접선이고, $\overline{OP} = 13\,cm$, $\overline{OB} = 5\,cm$
일 때, △PQR의 둘레의 길이를 구하시
오.

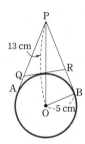

6

오른쪽 그림과 같이 직각삼각형
ABC에 내접하는 원 O의 반지
름의 길이는 1 cm이고, 세 점
P, Q, R는 접점이다.

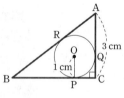

$\overline{AC} = 3\,cm$일 때, $\overline{AB}$의 길이를 구하시오.

7

오른쪽 그림에서 원 O는 사다
리꼴 ABCD의 내접원이다.
$\angle D = \angle C = 90°$,
$\angle ABC = 45°$이고 원 O의 반
지름의 길이가 10일 때, $\overline{AP}$의 길이를 구하시오.

(단, 네 점 P, Q, R, S는 접점이다.)

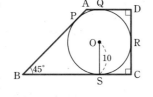

9

오른쪽 그림과 같이 반지름의 길이
가 9인 원 O의 두 현 AB, CD가
만나는 점을 P라 하고
$\angle BPD = 60°$일 때, $\overset{\frown}{AC} + \overset{\frown}{BD}$의
값을 구하시오.

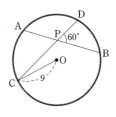

8

다음 중 사각형 ABCD가 원에 내접하는 것은?

①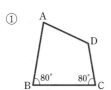

②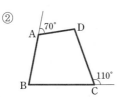

③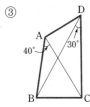

④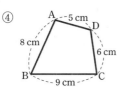

⑤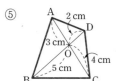

10

다음 그림과 같이 $\overline{AC}$와 $\overline{BD}$의 교점을 Q라 하고, $\overline{AB}$와
$\overline{CD}$의 연장선의 교점을 P라 하자. $\angle BAC = 20°$,
$\angle AQD = 50°$일 때, $\angle x$의 크기를 구하시오.

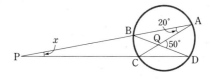

11

오른쪽 그림에서
$\overset{\frown}{BC} = \overset{\frown}{CD} = \overset{\frown}{DA}$이고
점 P는 $\overline{AD}$와 $\overline{BC}$의
연장선이 만나는 점이
다. $\angle P = 20°$일 때, $\angle PDB$의 크기를 구하시오.

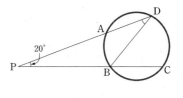

12

오른쪽 그림과 같이 반지름의 길이가 10인 원 O에 오각형 ABCDE가 내접하고 ∠B+∠D=210°일 때, $\overarc{AE}$의 길이를 구하시오.

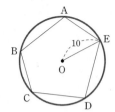

13

오른쪽 그림에서 $\overline{AB}$는 원 O의 지름이고, $\overrightarrow{PT}$는 원 O의 접선이다. ∠PBT=25°일 때, ∠x의 크기를 구하시오. (단, 점 T는 접점이다.)

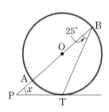

14

오른쪽 그림과 같이 △ABC의 세 꼭짓점에서 각각의 대변에 내린 수선이 만나는 점을 H라 할 때, 다음 중 원에 내접하는 사각형이 아닌 것은?

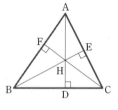

① □AFHE   ② □BCEF   ③ □HDCE
④ □DEAF   ⑤ □ABDE

15

오른쪽 그림과 같이 $\overline{AB}$=10 cm인 △ABC에서 $\overline{AH}\perp\overline{BC}$이고, ∠CAH=30°일 때, △ABC의 외접원의 넓이를 구하시오.

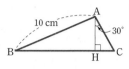

16

오른쪽 그림과 같이 직선 PA와 직선 QC는 각각 원 O의 접선이다. ∠PAB=45°, ∠BCQ=30°일 때, ∠ABC의 크기를 구하시오.
(단, 두 점 A, C는 접점이다.)

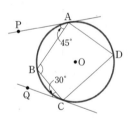

17

오른쪽 그림과 같이 두 원의 교점을 P, Q라 하고, 두 점 P, Q를 각각 지나는 두 직선이 두 원과 만나는 점을 각각 A, B, C, D라 하자. ∠ABR=75°일 때, ∠BCD의 크기를 구하시오.

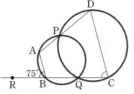

18

오른쪽 그림과 같이 반지름의 길이가 r인 원에 서로 직교하는 두 선분이 있다. 원이 두 선분과 만나서 생기는 호의 길이를 차례로 a, b, c, d라 할 때, 다음 중 그 값이 πr인 것은?

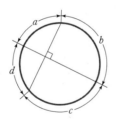

① $a+b$ ② $a+c$ ③ $b+c$

④ a^2+b^2 ⑤ b^2+d^2

19

오른쪽 그림과 같이 지름의 길이가 26 cm인 반원의 지름을 빗변으로 하는 직각삼각형 ABC의 내접원의 반지름의 길이는 4 cm이다. 이때 △ABC의 넓이를 구하시오.

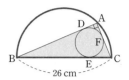

20

오른쪽 그림과 같이 두 원 O, O′이 서로 외접하고, 두 원의 반지름의 길이는 각각 16 cm, 4 cm이다. 두 원의 공통외접선이 큰 원과 만나는 점을 각각 P, Q라 할 때, $\overline{PQ}$의 길이를 구하시오.

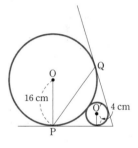

21

오른쪽 그림과 같이 반지름의 길이가 10 cm인 반원 O에 내접하는 정사각형 ABCD의 한 변의 길이를 구하시오.

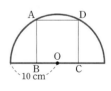

22

오른쪽 그림에서 원 O는 직각삼각형 ABC에 내접하고, $\overline{BD}=5$ cm, $\overline{CD}=3$ cm일 때, △ABC의 내접원의 반지름의 길이를 구하시오.

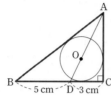

23

오른쪽 그림과 같이 $\overline{AD}=8$ cm, $\overline{DC}=6$ cm인 직사각형 ABCD의 두 변에 접하는 두 원 O, O′의 반지름의 길이의 비가 3 : 2이고, 두 원은 외접할 때, 원 O′의 반지름의 길이를 구하시오.

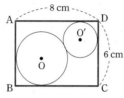

24

오른쪽 그림에서 ABCD는 원에 내접하고, 두 대각선 AC와 BD는 점 P에서 서로 수직으로 만난다. 또, 점 P에서 변 BC에 내린 수선의 발을 E라 하고, $\overline{PE}$의 연장선이 $\overline{AD}$와 만나는 점을 F라 할 때, 다음 중 옳지 <u>않은</u> 것은?

① ∠CBP=∠PAD
② ∠APF=∠PAF
③ ∠FPD=∠FDP
④ $\overline{AF}=\overline{FD}$
⑤ $\overline{AP}=\overline{AF}$

25

오른쪽 그림과 같이 원 O의 지름인 $\overline{AB}$의 연장선 위에 있는 점 P에서 이 원에 접선을 그어 그 접점을 T라 하자. ∠P의 이등분선이 $\overline{BT}$와 만나는 점을 C라 하고, ∠PBT=30°일 때, ∠PCT의 크기를 구하시오.

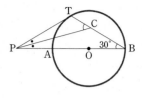

26

오른쪽 그림과 같이 반지름의 길이가 같은 두 원이 두 점 P, Q에서 만나고 점 Q를 지나는 직선이 두 원과 만나는 점을 각각 A, B, 한 원과 $\overline{PB}$가 만나는 점을 C라 하자. ∠APB=65°일 때, ∠PCQ의 크기를 구하시오.

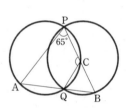

III 통계

1 대푯값과 산포도

1 대푯값

(1) **평균(mean)** : 전체 변량의 총합을 변량의 개수로 나눈 값

(2) **중앙값(median)** : 자료를 크기순으로 나열할 때 중앙에 있는 값

    예 크기순으로 나열된 7개의 자료 1, 3, 3, 5, 7, 8, 9의 중앙값은 4번째 값인 5이고, 크기순으로 나열된 8개의 자료 2, 3, 4, 4, 6, 6, 7, 9의 중앙값은 4번째 값 4와 5번째 값 6의 평균인 $\dfrac{4+6}{2}=5$이다.

(3) **최빈값(mode)** : 자료 중에서 가장 많이 나오는 값

    예 7개의 자료 2, 3, 3, 4, 6, 7, 8의 최빈값은 가장 많이 나오는 값인 3이다.

> ■대푯값 : 주어진 자료 전체의 특징을 하나의 수로 나타내어 전체 자료를 대표하도록 하는 값
> ■극단적으로 치우친 자료의 대푯값은 중앙값으로 정하는 것이 적당하다.

2 산포도

(1) **편차의 뜻과 성질**

    ① (편차)＝(변량)－(평균)

    ② 편차의 총합은 항상 0이다.

    ③ 평균보다 큰 변량의 편차는 양수이고, 평균보다 작은 변량의 편차는 음수이다.

    ④ 편차의 절댓값이 클수록 그 변량은 평균에서 멀리 떨어져 있고, 편차의 절댓값이 작을수록 그 변량은 평균에 가까이 있다.

(2) $(\text{분산})=\dfrac{\{(\text{변량})-(\text{평균})\}^2\text{의 총합}}{(\text{변량})\text{의 개수}}=\dfrac{(\text{편차})^2\text{의 총합}}{(\text{변량})\text{의 개수}}$

(3) $(\text{표준편차})=\sqrt{(\text{분산})}$

> ■산포도 : 자료들이 대푯값의 주위에 흩어져 있는 정도를 하나의 수로 나타낸 값으로 분산, 표준편차 등이 있다.

> ■주어진 자료의 평균, 편차, 표준편차의 단위는 원래 자료의 단위와 같다. 그러나 분산은 단위를 붙이지 않는다.

3 산포도의 활용

분산 또는 표준편차가 작을수록 변량들은 평균 가까이에 밀집되어 있다. 또, 분산 또는 표준편차가 작은 자료일수록 '자료의 분포상태가 고르다.'라고 표현한다.

> ■한 학급의 성적이 자료로 주어질 때, 평균 주위에 자료가 많이 모여 있을수록 분산이 작아지고, 학생들의 성적이 고르다. 즉, 분산이 작을수록 '분포가 고르다.'라고 표현한다.

4 도수분포표에서의 평균, 분산, 표준편차

(1) $(\text{평균})=\dfrac{\{(\text{계급값})\times(\text{도수})\}\text{의 총합}}{(\text{도수})\text{의 총합}}$

(2) $(\text{분산})=\dfrac{\{(\text{편차})^2\times(\text{도수})\}\text{의 총합}}{(\text{도수})\text{의 총합}}$

(3) $(\text{표준편차})=\sqrt{(\text{분산})}$

> ■분산은 '편차의 제곱'의 평균이다.

1 STEP 주제별 실력다지기

대푯값

(1) 평균(mean) : 전체 변량의 총합을 변량의 개수로 나눈 값
(2) 중앙값(median) : 각각의 자료를 크기순으로 나열할 때 중앙에 있는 값
　① 자료의 개수가 홀수인 경우
　　⇨ 자료를 크기순으로 나열할 때 중앙에 있는 값이 중앙값이 된다.
　② 자료의 개수가 짝수인 경우
　　⇨ 자료를 크기순으로 나열할 때 중앙에 있는 두 자료의 값의 평균이 중앙값이 된다.
(3) 최빈값(mode) : 자료 중에서 가장 많이 나오는 값

> (2) 대푯값으로는 평균을 가장 많이 사용하지만 극단적으로 치우친 값이 있는 경우 평균은 이 값에 영향을 많이 받게 되므로 이 경우에는 대푯값으로 중앙값을 주로 사용한다.
>
> (3) ① 최빈값은 자료에 따라서 두 개 이상인 경우도 있다.
> ② 자료의 값이 모두 다른 경우 최빈값은 없다고 한다.

1 다섯 개의 자료 a, b, c, d, e의 평균이 5일 때, $13-2a$, $13-2b$, $13-2c$, $13-2d$, $13-2e$의 평균을 구하시오.

2 다음 설명 중 대푯값의 사용이 적당하지 <u>않은</u> 것은?

① 사람의 염색체가 46개라는 것은 대푯값으로 평균을 사용한 것이다.

② 어떤 학급의 수학 실력을 나타내는 데는 보통 대푯값으로 평균을 사용한다.

③ 자료 3, 4, 6, 27의 중앙값은 5이다.

④ 자료 9, 8, 15, 9, 10, 12, 11, 15, 7의 최빈값은 9와 15이다.

⑤ 현정이네 반에서 학급 회장을 선출하기 위한 선거를 할 때, 대푯값으로 최빈값을 사용한다.

> 자료의 개수가 짝수인 경우에는 중앙에 있는 두 자료의 값의 평균이 중앙값이다.

3 다음 자료의 평균을 a, 중앙값을 b, 최빈값을 c라 할 때, a, b, c의 평균을 구하시오.

> 먼저 자료를 크기순으로 나열한다.

$$9, \quad 2, \quad 5, \quad 2, \quad 9, \quad 7, \quad 5, \quad 9$$

(1) (편차)=(변량)-(평균)

⇨ 편차의 총합은 항상 0이 된다.

(2) (분산)=$\dfrac{\{(변량)-(평균)\}^2의\ 총합}{(변량)의\ 개수}=\dfrac{(편차)^2의\ 총합}{(변량)의\ 개수}$

(3) (표준편차)=$\sqrt{(분산)}$

(4) 산포도의 활용

분산 또는 표준편차가 작을수록 자료들은 평균 가까이에 밀집되어 있게 된다. 따라서 각 자료들은 비슷비슷한 값을 갖게 되고, 이런 현상을 '자료의 분포상태가 고르다.'라고 표현한다.

최상위 **05** 풀이 47쪽
NOTE

편차의 총합은 항상 0이다.

분산을 구하는 방법
① 평균을 구한다.
② 편차를 구한다.
③ (편차)^{2}을 구한다.
④ (편차)^{2}의 총합을 구한다.
⑤ 편차의 제곱의 총합을 변량의 개수로 나눈다.

4 4개의 변량의 편차 중 3개는 -2, 1, 4이고, 네 변량의 평균은 16이다. 이때 나머지 한 개의 변량을 구하시오.

편차의 총합은 항상 0이다.

5 다음은 5회에 걸쳐 측정한 현정이의 1분간의 호흡수이다. 이때 현정이의 1분간의 호흡수의 평균과 분산을 각각 구하시오.

| 17회 | 17회 | 18회 | 20회 | 23회 |

주어진 자료의 평균, 편차, 표준편차의 단위는 원래 자료의 단위와 같다. 그러나 분산은 단위를 붙이지 않는다.

6 다음은 학생 5명의 학습 시간의 편차이다. 이때 5명의 학습 시간의 표준편차를 구하시오. (단, $\sqrt{2}$의 값은 1.4로 계산한다.)

| -2시간 | 4시간 | 0시간 | 2시간 | x시간 |

7 6개의 변량 2, 5, 7, 7, x, 11의 평균이 7일 때, 표준편차를 구하시오.

평균을 이용하여 먼저 x의 값을 구한다.

8 세 변량 a, b, c의 평균이 4이고 분산이 2일 때, 각 변량을 제곱한 수의 평균을 구하시오.

세 변량 a, b, c의 분산은
$$\frac{(a-4)^2+(b-4)^2+(c-4)^2}{3}$$

9 다음 표는 동진이의 5회에 걸친 턱걸이 횟수이다. 턱걸이 횟수의 평균이 5회, 표준편차가 2회일 때, xy의 값을 구하시오.

(분산)$=$(표준편차)^2

회	1	2	3	4	5
턱걸이 횟수(회)	4	x	6	y	5

Deep

평균, 분산, 표준편차의 성질

n개의 변량 x_1, x_2, x_3, $\cdots$, x_n의 평균이 m, 분산이 V, 표준편차가 s일 때, 변량 ax_1+b, ax_2+b, ax_3+b, $\cdots$, ax_n+b에 대하여

(1) (평균)$=am+b$ (2) (분산)$=a^2V$ (3) (표준편차)$=|a|s$

10 세 변량 a, b, c의 평균이 2, 분산이 4일 때, 세 변량 $2a-1$, $2b-1$, $2c-1$에 대하여 다음을 구하시오.

(1) 평균

(2) 분산

(3) 표준편차

$2a-1$, $2b-1$, $2c-1$의 평균을 구한 뒤 분산을 구한다.

도수분포표에서의 평균, 분산, 표준편차

(1) $(평균) = \dfrac{\{(계급값) \times (도수)\}의\ 총합}{(도수)의\ 총합}$

(2) $(분산) = \dfrac{\{(편차)^2 \times (도수)\}의\ 총합}{(도수)의\ 총합}$

(3) $(표준편차) = \sqrt{(분산)}$

도수분포표에서
$(계급값)$
$= \dfrac{(계급의\ 양\ 끝값의\ 합)}{2}$
도수 : 각 계급에 속하는 자료의
개수
편차 : $(계급값) - (평균)$

11 다음 도수분포표에서 빈칸을 채우고 평균, 분산, 표준편차를 각각 구하시오.

계급	도수	계급값	$(계급값) \times (도수)$	편차	$(편차)^2 \times (도수)$
$55^{이상} \sim 65^{미만}$	1				
$65 \sim 75$	3				
$75 \sim 85$	4				
$85 \sim 95$	2				
합계	10				

12 오른쪽 표는 현정이네 학급의 수학 성적을 조사하여 만든 도수분포표이다. 다음을 구하시오.

(1) 평균

(2) 표준편차

수학 성적(점)	도수(명)
$45^{이상} \sim 55^{미만}$	2
$55 \sim 65$	9
$65 \sim 75$	27
$75 \sim 85$	11
$85 \sim 95$	1
합계	50

다음과 같은 순서로 구한다.
① $(계급값) \times (도수)$의 총합
② 평균
③ $(편차)^2 \times (도수)$의 총합
④ 분산
⑤ 표준편차

STEP 2 실력 높이기

1 나연이가 3회에 걸쳐 본 시험 점수의 평균은 89점이었다. 한 번 더 시험을 치룬 후 4회까지의 시험 점수의 평균이 90점 이상이 되도록 하려고 할 때, 마지막 시험에서 나연이가 받아야 하는 최저 점수를 구하시오.

(점수의 총합)
=(평균)×(시험 횟수)

2 A, B, C 세 반의 학생 수는 각각 10명, 20명, 30명이다. A, B반의 평균 키가 152 cm, A, C반의 평균 키가 153 cm, B, C반의 평균 키가 153.6 cm일 때, 다음을 구하시오.

서술형

(1) 각 반의 평균 키
(2) 세 반의 평균 키

$(평균)=\dfrac{(변량)의 총합}{(변량)의 개수}$

풀이

3 현정이는 1학기 기말고사에서 전체 10과목의 평균 점수가 x점이었고, 그중 국어, 영어, 수학, 과학 4과목의 평균 점수는 y점이었다. 현정이의 나머지 6과목의 평균 점수를 x, y에 대한 식으로 나타내시오.

(점수의 총합)
=(평균)×(과목 수)

4 오른쪽 표는 최상위 독서 동아리 회원 20명이 여름 방학 동안 읽은 책의 권수를 조사하여 만든 상대도수의 분포표이다. 이때 이 동아리 회원들이 여름 방학 동안 읽은 책의 평균 권수를 구하시오.

(계급의 도수)
=(상대도수)×(총인원)

읽은 책의 권수(권)	상대도수
1^{이상} ~ 3^{미만}	0.1
3 ~ 5	0.3
5 ~ 7	0.2
7 ~ 9	0.25
9 ~ 11	0.15
합계	1

5
서술형 지난 중간고사에서 A반의 평균 점수는 63점, B반의 평균 점수는 70점이었고, A, B 두 반의 평균 점수는 67점이었다. 이때 A, B 두 반의 학생 수의 비를 가장 간단한 자연수로 나타내시오.

> A, B 두 반의 학생 수를 각각 a 명, b명으로 놓고 식을 세운다.

풀이

---

6 다음 중 옳지 <u>않은</u> 것을 모두 고르면? (정답 2개)

① 편차의 절댓값의 총합이 클수록 표준편차도 커진다.
② 분산과 표준편차는 산포도이며, 평균을 대푯값으로 이용한다.
③ 각 변량의 편차의 절댓값이 클수록 그 변량은 평균에서 멀리 떨어져 있다.
④ 표준편차가 작을수록 분포가 고르다.
⑤ 편차의 총합이 음수이면 평균도 음수이다.

> ① 두 자료를
> A : 1, 2, 3, 4, 5
> B : 0.5, 3, 3, 3, 5.5
> 로 하여 각각의 편차의 절댓값의 총합과 표준편차를 구해 본다.

---

7 다음 세 자료의 분산을 순서대로 a, b, c라 할 때, a, b, c의 대소 관계를 바르게 나타낸 것은?

> 자료의 개수가 같고 분포 상태가 같은 두 자료의 분산은 같다.

A : 1부터 50까지의 자연수   B : 51부터 100까지의 자연수
C : 1부터 100까지의 자연수

① $a=b=c$ ② $a=b<c$ ③ $a<b=c$
④ $a<b<c$ ⑤ $a<c<b$

8
서술형 다음 자료의 표준편차를 구하시오.

2, 3, 4, 5, 6, 6, 9, 13

풀이

9 다음 표는 수정이네 가족의 몸무게의 편차를 나타낸 것이다. 6명의 몸무게의 평균이 50 kg일 때, 수정이의 몸무게와 전체 가족의 몸무게의 표준편차의 합을 구하시오.

편차의 총합은 항상 0이다.

가족	아버지	어머니	오빠	언니	수정	동생
편차(kg)	4	0	3	0		−5

10 다음 표는 10명의 쪽지시험 점수를 조사하여 나타낸 것이다. 이때 이 점수의 분산을 구하시오.

한 자료에 대한 평균, 편차, 표준편차의 단위는 주어진 자료의 단위와 같으므로 꼭 써야 하지만 분산은 단위를 붙이지 않는다.

점수(점)	7	8	9	10	합계
학생 수(명)	2	2	4	2	10

11 세 수 a, b, c의 평균이 4, 표준편차가 $\sqrt{2}$일 때, 세 수 ab, bc, ca의 평균을 구하시오.

(분산)=(표준편차)^2

12 10개의 변량의 합이 10, 제곱의 합이 170일 때, 이 변량들의 표준편차를 구하시오.

13 네 변량 a, b, c, d의 평균이 2이고 표준편차가 2일 때, 네 변량 $5-2a$, $5-2b$, $5-2c$, $5-2d$의 표준편차를 구하시오.

14 오른쪽 표는 어느 학급의 남학생 20명의 키를 조사하여 만든 도수분포표이다. 이 학급 남학생 키의 평균과 표준편차를 각각 구하시오.

키(cm)	도수(명)
$160^{이상} \sim 165^{미만}$	2
165 ~170	5
170 ~175	9
175 ~180	3
180 ~185	1
합계	20

표준편차가 무리수일 때, 무리수의 값이 주어지지 않아 유리수로 나타낼 수 없으면 그냥 근호를 사용하여 나타낸다.

15 다음 표는 은정, 나연, 현정 세 사람이 3일 동안 음악을 감상한 시간을 조사한 것이다. 이때 세 사람을 음악 감상 시간이 고른 순서대로 나열하시오.

	은정	나연	현정
1일	3시간	4시간	1시간
2일	2시간	2시간	4시간
3일	4시간	6시간	1시간

분산이 작을수록 자료의 분포 상태가 고르다.

16
서술형 6개의 변량 x_1, x_2, x_3, $\cdots$, x_6의 평균은 3, 분산은 5이다. 이때 $x_7=8$, $x_8=6$을 합한 8개의 변량 x_1, x_2, x_3, $\cdots$, x_8에 대하여 다음을 구하시오.

(1) 6개의 변량 x_1, x_2, x_3, $\cdots$, x_6의 합 및 제곱의 합

(2) 8개의 변량 x_1, x_2, x_3, $\cdots$, x_8의 평균

(3) 8개의 변량 x_1, x_2, x_3, $\cdots$, x_8의 분산

$$(평균)=\frac{(변량)의 총합}{(변량)의 개수}$$

$$(분산)=\frac{(편차)^2의 총합}{(변량)의 개수}$$

풀이

17 10개의 변량 x_1, x_2, $\cdots$, x_{10}의 평균은 10, 표준편차는 5이고, 20개의 변량 y_1, y_2, $\cdots$, y_{20}의 평균은 10, 표준편차는 7이다. 이때 30개의 변량 x_1, x_2, $\cdots$, x_{10}, y_1, y_2, $\cdots$, y_{20}의 표준편차를 구하시오.

두 자료의 평균이 10으로 같으므로 두 자료를 합한 전체의 평균도 10이다.

STEP 3 최고 실력 완성하기

정답과 풀이 53쪽

1 연속하는 4개의 홀수의 분산을 구하시오.

연속하는 4개의 홀수를 $2n-3$, $2n-1$, $2n+1$, $2n+3$으로 놓고 푼다.

2 다음은 우리나라가 아시안컵 4강에 오르는 동안 치른 경기에서 두 선수 A, B의 패스 성공 횟수를 표로 나타낸 것이다. 다음 중 표를 보고 알 수 있는 사실을 모두 고르면?

(정답 2개)

$$(\text{패스 성공률}) = \frac{(\text{성공한 패스의 개수})}{(\text{전체 패스의 개수})}$$

	조별 예선 1차	조별 예선 2차	조별 예선 3차	16강전	8강전
A	2회	13회	10회	4회	11회
B	4회	8회	6회	6회	11회

① B 선수가 A 선수보다 패스 성공 횟수의 평균이 높다.
② A 선수의 패스 성공 횟수의 분산은 10이다.
③ B 선수의 패스 성공 횟수의 분산은 5.6이다.
④ A 선수가 B 선수보다 패스 성공률이 높다.
⑤ B 선수가 A 선수보다 고른 패스 성공 횟수를 보이고 있다.

3 10개의 변량 x_1, x_2, x_3, $\cdots$, x_{10}의 합은 20, 제곱의 합은 130이다. 이때 $2x_1+1$, $2x_2+1$, $2x_3+1$, $\cdots$, $2x_{10}+1$의 표준편차를 구하시오.

$2x_1+1$, $2x_2+1$, $2x_3+1$, $\cdots$, $2x_{10}+1$의 평균부터 구해 본다.

Challenge

4 오른쪽 표는 두 자료 A, B의 평균과 분산을 나타낸 것이다. A, B 두 자료를 합한 자료의 분산을 소수 셋째 자리에서 반올림하여 소수 둘째 자리까지 구하시오.

	변량의 개수	평균	분산
A	10개	7	11
B	20개	4	9

자료 A를 x_1, x_2, $\cdots$, x_{10}으로, 자료 B를 y_1, y_2, $\cdots$, y_{20}으로 놓고, 두 자료를 합한 자료의 분산을 구한다.

[5~8]

우리가 배우는 중, 고등학교 수학 과정 중 중3 통계 단원에서 처음 나오며, 실제로 사회 생활을 할 때에도 언론 기사나 각종 통계 정보 등에서 자주 등장하는 것이 바로 표준편차이다. 그런데 대체 이 표준편차란 것이 무엇일까? 교과서에는 '변량들이 대푯값 주위에 흩어져 있는 정도를 하나의 수로 나타낸 값을 산포도라고 하는데 이 중 하나가 표준편차이다.'라고 표현하고 있다. 그렇다면 표준편차는 어떻게 구한 값이기에 산포도가 되는 것일까?

표준편차를 구하려면 먼저 '편차'라는 것을 구해야 하는데 편차는 ㈎ ☐ 에서 ☐ 을 뺀 값, 즉 변량이 평균에서 떨어진 정도를 나타낸다. 이때 주어진 변량의 크기가 평균보다 크면 그 값은 양수이고, 작으면 음수이다. 편차를 구한 후에 제곱을 하는데 이것은 양수 또는 음수인 편차를 모두 양수로 통일하기 위한 과정이다. 물론 제곱하면 원래의 편차의 값보다 커지게 된다. 그 다음으로 편차를 제곱한 값을 모두 더하여 총 도수로 나누는데 이것을 ㈏ 이라 하고, 이것은 '변량이 평균에서 떨어진 정도를 제곱한 값들의 평균'을 의미한다. 그런데 ㈏ 은 제곱으로 인해 그 값이 커서 수치로 사용하기 불편하여 기본적인 의미는 유지하면서 그 값을 작게 만드는 방법으로 제곱근을 사용하기로 했다. 이것이 바로 ㈐ 인 것이다. 따라서 ㈏ 과 ㈐ 는 '변량들이 대푯값 주위에 흩어져 있는 정도를 하나의 수로 나타낸 값'인 산포도에 해당하게 된다. 또한, ㈏ 과 ㈐ 의 값이 작을수록 변량이 평균에서 떨어진 정도가 작아서 자료가 평균 가까이에 몰려 있으므로 이를 '자료의 분포 상태가 ㈑ .'라고 표현한다.

5 ㈎의 ☐ 안에 알맞은 것을 차례로 써넣으시오.

6 ㈏에 해당하는 것을 쓰고, 그것을 식으로 나타내시오.

7 ㈐에 해당하는 것을 쓰고, 그것을 식으로 나타내시오.

8 ㈑에 알맞은 것을 써넣으시오.

2 상관관계

1 산점도

두 변량 x, y의 순서쌍 (x, y)를 좌표로 하는 점을 좌표평면 위에 나타낸 그림을 두 변량 x, y의 산점도라 한다.

2 상관관계

두 변량 x, y에 어떤 관계가 있을 때, 이 관계를 상관관계라 한다.

(1) **양의 상관관계** : x의 값이 커짐에 따라 y의 값도 대체로 커지는 관계가 있을 때, x, y 사이에는 양의 상관관계가 있다고 한다.

■ 기울기가 양수인 직선 주위에 분포한다.

(2) **음의 상관관계** : x의 값이 커짐에 따라 y의 값이 대체로 작아지는 관계가 있을 때, x, y 사이에는 음의 상관관계가 있다고 한다.

■ 기울기가 음수인 직선 주위에 분포한다.

(3) 산점도에서 점들이 한 직선 주위에 몰려 있을수록 상관관계는 강하고, 흩어져 있을수록 상관관계는 약하다고 한다.

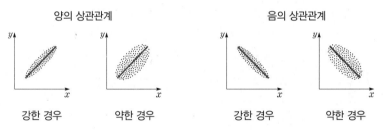

(4) 양의 상관관계 또는 음의 상관관계가 아닌 경우 상관관계가 없다고 한다.

■ 점들이 원형으로 고르게 분포된 경우나 x축, y축에 평행한 직선 주위에 분포된 경우는 상관관계가 없다.

3 상관표

(1) 두 변량의 도수분포표를 함께 나타낸 표를 상관표라 한다.
(2) 상관표를 만들 때, 가로로 나타내는 계급은 오른쪽으로 갈수록 계급값이 커지도록 정하고, 세로로 나타내는 계급은 위로 갈수록 계급값이 커지도록 한다.

■ 상관표는 산점도와 유사하므로 상관표를 통해서도 상관관계를 알 수 있다.

1 STEP 주제별 실력다지기

산점도

두 변량 x, y의 순서쌍 (x, y)를 좌표로 하는 점을 좌표평면 위에 나타낸 그래프를 산점도라 한다.

두 변량 x, y 사이의 관계를 알아보기 위하여 산점도를 그린다.

---

1 오른쪽 그림은 어느 중학교 학생 40명의 여가 시간과 학교 성적에 대한 산점도이다. 다음 설명 중 옳은 것을 모두 고르면? (정답 2개)

① B는 A에 비하여 학교 성적이 높다.

② B는 학교 성적에 비하여 여가 시간이 많다.

③ A는 학교 성적에 비하여 여가 시간이 많다.

④ A는 B에 비하여 여가 시간이 많다.

⑤ 여가 시간이 많을수록 학교 성적은 떨어지는 경향이 있다.

A, B의 위치를 비교한다.

---

2 오른쪽 그림은 어느 중학교 3학년 학생 30명의 과학 성적과 사회 성적에 대한 산점도이다. 다음 설명 중 옳은 것을 모두 고르면? (정답 2개)

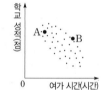

① A는 C보다 과학, 사회 성적의 평균이 높다.

② D는 C보다 사회 성적이 높다.

③ C는 사회 성적보다 과학 성적이 높다.

④ D는 과학 성적보다 사회 성적이 높다.

⑤ B는 A, B, C, D 네 사람 중 두 과목의 평균이 가장 높다.

---

3 오른쪽 그림은 어느 학급 학생 15명의 중간 고사와 기말 고사 수학 성적을 나타낸 산점도이다. 중간 고사 성적보다 기말 고사 성적이 향상된 학생들의 기말 고사 성적의 평균을 구하시오.

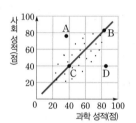

기말 고사 성적이 중간 고사 성적보다 좋은 학생은 직선 $y = x$ 보다 위쪽에 분포되어 있다.

---

4 오른쪽 그림은 어느 학급 학생 20명의 넓이뛰기 기록과 100 m 달리기 기록에 대한 산점도이다. 넓이뛰기는 5 m 이상이고, 100 m 달리기는 14초 이하인 학생은 전체의 몇 %인지 구하시오.

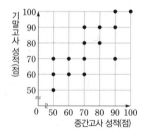

상관관계

(1) 양의 상관관계 : x의 값이 커짐에 따라 y의 값도 대체로 커지는 관계

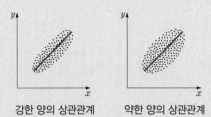

강한 양의 상관관계   약한 양의 상관관계

(2) 음의 상관관계 : x의 값이 커짐에 따라 y의 값이 대체로 작아지는 관계

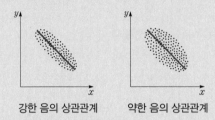

강한 음의 상관관계   약한 음의 상관관계

(3) x의 값이 커짐에 따라 y의 값이 커지는 경향이 있는지 작아지는 경향이 있는지 분명하지 않을 때는 x, y 사이의 상관관계가 없다고 한다.

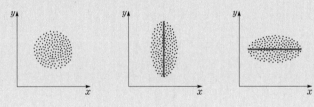

점들이 한 직선을 중심으로 가까이 모여 있을수록 상관관계가 강하다.

5 다음 중 두 변량 사이에 양의 상관관계가 있는 것을 모두 고르면? (정답 2개)

① 키와 시력   ② 기온과 음료수 판매량

③ 물건값과 소비량   ④ 기온과 난방비

⑤ 수요와 공급

6 오른쪽 그림은 우리 나라 도시의 넓이와 그 도시의 인구에 대한 산점도이다. 다음 설명 중 옳지 <u>않은</u> 것은?

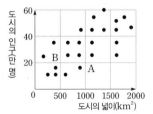

① 도시가 넓으면 인구도 많다고 할 수 있다.

② A는 넓이에 비하여 인구가 적은 편이다.

③ B는 인구에 비하여 넓이가 작은 편이다.

④ B는 A보다 과밀한 편이다.

⑤ 두 변량 사이에 상관관계가 없다.

7 오른쪽 그림은 어느 중학교 3학년 학생 20명의 수학 성적과 과학 성적에 대한 산점도이다. 다음 물음에 답하시오.

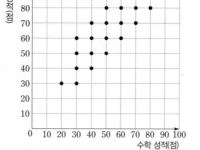

(1) 수학 성적과 과학 성적 사이의 상관관계를 말하시오.

(2) 수학 성적이 60점 이상이고, 과학 성적이 70점 이상인 학생은 전체의 몇 %인지 구하시오.

(3) 과학 성적이 50점 미만인 학생들의 수학 성적의 평균을 구하시오.

8 다음 표는 학생 20명의 수학과 영어의 수행 평가 점수를 나타낸 것이다. 산점도를 그리고, 두 과목의 상관관계를 말하시오.

번호	수행 평가 점수(점)		번호	수행 평가 점수(점)	
	수학	영어		수학	영어
1	8	8	11	10	9
2	13	12	12	8	9
3	8	7	13	7	10
4	12	11	14	12	13
5	9	14	15	12	12
6	7	6	16	2	7
7	11	10	17	13	11
8	13	6	18	12	3
9	11	8	19	14	15
10	9	10	20	8	5

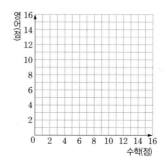

9 다음 표는 학생 8명의 음악 실기 성적과 이론 성적의 도수분포표이다. 두 성적의 상관관계를 설명한 것 중 가장 옳은 것은?

과목 \ 번호	1	2	3	4	5	6	7	8
실기 성적(점)	70	40	85	60	40	65	35	70
이론 성적(점)	75	80	80	55	20	55	40	60

① 강한 양의 상관관계   ② 약한 양의 상관관계   ③ 강한 음의 상관관계
④ 약한 음의 상관관계   ⑤ 상관관계가 없다.

상관표

(1) 정의

두 변량의 도수분포표를 함께 나타낸 표

(2) 상관표를 만드는 방법

① 계급의 크기를 정한다.

② 두 변량 중 하나의 변량은 가로로 왼쪽에서 오른쪽으로 크게 되도록 구간을 잡고, 다른 변량은 세로로 아래에서 위로 크게 되도록 구간을 잡는다.

③ 각각의 구간에 속하는 자료의 개수를 해당되는 칸에 써넣는다.

④ 가로와 세로의 합을 계산하여 오른쪽 끝과 맨 아래에 각각 써넣는다.

최상위 **06** 풀이 55쪽
NOTE

상관표의 분포 상태를 보고 상관관계의 경향을 알 수 있다.

[10~12] 다음 표는 어느 학급의 국어와 영어 성적을 나타낸 상관표이다. 다음 물음에 답하시오.

국어(점) 영어(점)	$40^{이상}$ ~$50^{미만}$	50~60	60~70	70~80	80~90	90~100	합계
$90^{이상}$~$100^{미만}$					1	1	2
80 ~ 90			1	1	6	1	9
70 ~ 80		A	3	5	B		11
60 ~ 70	1	2	2	1			6
50 ~ 60		1					1
40 ~ 50	1						1
합계	2	4	6	7	C	2	30

10 $A+B+C$의 값을 구하시오.

가로와 세로의 각 칸에 있는 수의 합을 비교한다.

11 국어 성적이 70점 이상 80점 미만인 학생들의 영어 성적의 평균을 구하시오.

주어진 조건에 맞는 자료의 도수분포표를 그려 본다.

12 국어와 영어 성적의 합이 130점 미만인 학생은 최소한 몇 명인지 구하시오.

1 오른쪽 그림은 동영이네 반 학생들의 키와 몸무게에 대한 산점도이다. A, B, C, D, E 5명의 학생 중 가장 마른 편인 학생은 누구인가? (단, 변량은 화살표 방향으로 커진다.)

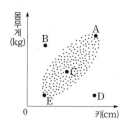

① A   ② B   ③ C
④ D   ⑤ E

2 오른쪽 그림은 학생 20명의 음악 실기 점수와 필기 점수를 나타낸 산점도이다. 다음 설명 중 옳지 <u>않은</u> 것은?

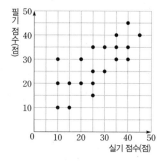

① 실기 점수와 필기 점수가 같은 학생은 4명이다.
② 실기 점수보다 필기 점수가 높은 학생은 8명이다.
③ 실기 점수보다 필기 점수가 낮은 학생은 8명이다.
④ 실기 점수와 필기 점수의 합이 70점 이상인 학생은 5명이다.
⑤ 실기 점수가 25점 이상 또는 필기 점수가 30점 이상인 학생은 15명이다.

3 오른쪽 그림은 어느 반 학생 20명의 쪽지 시험에 대한 수학 성적과 영어 성적의 산점도이다. 다음 물음에 답하시오.
서술형

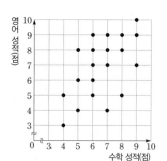

(1) 두 과목의 성적의 차가 2점 이상인 학생은 전체의 몇 %인지 구하시오.

(2) 영어 성적보다 수학 성적이 우수한 학생들의 수학 성적의 평균을 구하시오.

풀이

4 다음은 어느 학급 40명의 미술 이론 성적과 실기 성적에 대한 상관표이다. 물음에 답하시오.

상관표는 오른쪽으로 갈수록, 위로 올라갈수록 계급값이 커지게 작성한다.

이론 성적(점) \ 실기 성적(점)	50	60	70	80	90	100	합계
60	1						1
70		3	2	3			8
80	1		7	10			18
90			1	2	6		9
100					1	3	4
합계	2	3	10	15	7	3	40

(1) 위의 상관표는 잘못된 점이 있다. 잘못된 점을 말하고, 올바른 상관표를 작성하시오.

(2) 이론 성적보다 실기 성적이 우수한 학생의 실기 성적의 평균을 구하기 위한 도수분포표를 만들고, 실기 성적의 평균을 구하시오.

5 다음은 어느 반 학생 30명의 영어 성적과 수학 성적에 대한 상관표이다. 물음에 답하시오.

영어 성적(점) \ 수학 성적(점)	60이상~70미만	70~80	80~90	90~100	합계
80이상~90미만			1	2	3
70 ~80	3	4	3	1	11
60 ~70	2	3	2		7
50 ~60	6	3			9
합계	11	10	6	3	30

(1) 영어 성적과 수학 성적이 모두 60점 이상 80점 미만인 학생 수를 구하시오.

(2) 영어 성적이 70점 이상 80점 미만인 학생들의 수학 성적의 평균을 구하시오.

6 다음 자료를 이용하여 시력과 청력에 대한 상관표를 만들고, 다음 물음에 답하시오.

(단, 시력과 청력의 계급의 크기는 각각 0.10과 10 db로 한다.)

시력	1.28	1.38	1.39	1.23	1.49	1.44	1.43	1.35	1.30	1.53
청력(db)	57	43	49	36	57	54	49	41	47	62

(1) 시력이 1.40 이상 1.50 미만이고, 청력이 50 db 이상 60 db 미만인 학생 수를 구하시오.

(2) 청력이 40 db 이상 50 db 미만인 학생들의 시력의 평균을 구하시오.

시력은 1.20부터 계급의 크기를 0.10으로 하고, 청력은 30 db 부터 계급의 크기를 10 db로 한다.

7
서술형 다음은 어느 반 학생 40명의 수행평가 수학 성적과 과학 성적에 대한 상관표이다. 물음에 답하시오.

수학(점) / 과학(점)	4	5	6	7	8	9	10	합계
10						2	2	4
9					2	A		C
8				3	D	B	1	9
7		2	2		2	1	1	8
6			2	3	1			6
5	1	1		1	1			4
4		1	1					2
합계	1	4	5	7	9	E	4	40

(1) B에 알맞은 수를 구하시오.

(2) 과학 성적이 8점 이상인 학생들의 수학 성적의 평균을 구하시오.

(3) 수학 성적과 과학 성적 중 적어도 어느 한 과목의 점수가 6점 미만인 학생 수를 구하시오.

(4) 수학 성적과 과학 성적의 차가 1점 이하인 학생 수를 구하시오.

풀이

8 오른쪽 그림은 어느 학급 학생 20명의 국어 성적과 수학 성적에 대한 산점도이다. 다음 물음에 답하시오.

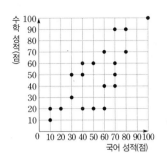

(1) 국어 성적이 60점 이상인 학생들의 수학 성적의 평균을 구하시오.

(2) 국어와 수학 성적이 모두 70점 이상인 학생 수를 구하시오.

(3) 다음 설명 중 옳은 것을 고르시오.

> ㄱ. 이 학급은 대체적으로 국어 성적보다 수학 성적이 좋은 학생이 더 많다.
> ㄴ. 이 학급에서 수학 성적이 좋은 학생이 대체로 국어 성적도 좋다.
> ㄷ. 이 산점도만으로는 이 학급의 학생들이 국어와 수학 중에서 어느 과목을 더 잘 하는지 알 수 없다.

국어와 수학 중 어느 과목을 더 잘하는지를 알려면 평균을 비교해 보면 된다.

9
서술형
오른쪽 그림은 어느 반 학생 15명의 중간고사와 기말고사의 수학 성적을 산점도로 나타낸 것이다. 중간고사 성적보다 기말고사 성적이 향상된 학생들의 기말고사 성적의 평균을 구하시오.

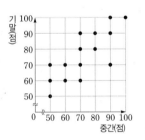

풀이

산점도에서 중간고사와 기말고사의 성적 비교는 대각선을 기준으로 생각해 본다.

10 다음 표는 어느 학급의 과학 성적과 수학 성적에 대한 상관표이다. 물음에 답하시오.

과학 성적(점) 〵 수학 성적(점)	$40^{이상}$ $\sim50^{미만}$	$50\sim60$	$60\sim70$	$70\sim80$	$80\sim90$	$90\sim100$	합계
$90^{이상}\sim100^{미만}$						2	2
80 ～ 90			1	2	B	3	11
70 ～ 80	1		C	1	A	1	E
60 ～ 70		1	1	2			4
50 ～ 60	1	2					3
40 ～ 50	2	1					3
합계	4	4	A	5	D	6	30

(1) 과학 성적과 수학 성적 사이의 상관관계를 말하시오.

(2) $A+B+C+D+E$의 값을 구하시오.

(3) 과학 성적이 80점 이상인 학생들의 수학 성적의 평균을 소수 둘째 자리에서 반올림하여 소수 첫째 자리까지 구하시오.

11 다음 표는 학생 수가 20명씩인 두 학급 A반, B반의 수학 성적과 영어 성적에 대한 상관표이다. 두 과목의 상관관계가 더 강한 학급은 어느 반인지 구하시오.

수학 성적(점) 〵 영어 성적(점)	$50^{이상}$ $\sim60^{미만}$	$60\sim70$	$70\sim80$	$80\sim90$	$90\sim100$	합계
$90^{이상}\sim100^{미만}$				1		1
80 ～ 90		1	1	4	1	7
70 ～ 80	1	1	2	1		5
60 ～ 70	1		2	2		5
50 ～ 60	2					2
합계	4	2	5	8	1	20

[A반]

영어 성적(점) 〵 수학 성적(점)	$40^{이상}$ $\sim50^{미만}$	$50\sim60$	$60\sim70$	$70\sim80$	$80\sim90$	$90\sim100$	합계
$90^{이상}\sim100^{미만}$					1	1	2
80 ～ 90				1		2	3
70 ～ 80		1	1	2	2		6
60 ～ 70		1	2	2			5
50 ～ 60	1	2					3
40 ～ 50	1						1
합계	2	4	3	5	3	3	20

[B반]

3 STEP 최고 실력 완성하기

1 다음 표는 어느 학급 학생 30명의 중간 고사와 기말 고사의 수학 성적에 대한 상관표이다. 물음에 답하시오.

중간 고사 성적(점) / 기말 고사 성적(점)	60	70	80	90	100	합계
100					2	2
90			1	2	1	4
80	1	$x-2$	$(x-1)^2$	1		A
70	2	x	$x-1$	1		B
60		1				1
합계	3	C	$3x+1$	4	3	30

(1) x의 값과 $A+B+C$의 값을 차례대로 구하시오.
(2) 중간 고사 성적보다 기말 고사 성적이 향상된 학생 수를 구하시오.

2 다음 표는 어떤 학급 학생들의 턱걸이 개수와 팔굽혀펴기 개수에 대한 상관표이다. 턱걸이를 7개 한 학생들의 팔굽혀펴기 개수의 평균이 8.1개일 때, 턱걸이보다 팔굽혀펴기를 많이 한 학생들의 팔굽혀펴기 개수의 평균을 구하시오.

턱걸이 개수(개) / 팔굽혀펴기 개수(개)	5	6	7	8	9	10	합계
10					1	3	4
9			d	a	6		b
8	1		7	10			18
7		3	1	3		1	8
6	1						1
합계	2	3	e	c	7	4	40

Challenge

3 오른쪽 그림은 학생 20명의 올해 수학 성적과 지난해 수학 성적에 대한 산점도의 일부분이 찢겨진 것이다. 지난해 수학 성적보다 올해 수학 성적이 좋은 학생들의 올해 수학 성적의 평균이 50점이고, 지난해 수학 성적의 평균이 30점일 때, 찢겨진 부분의 자료를 구하시오.

(단, 점수는 10점 단위이다.)

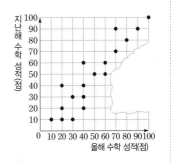

산점도에 나타나지 않은 두 명의 올해 수학 성적을 각각 x점, y점, 지난해 수학 성적을 각각 a점, b점라 놓고 평균을 구한다.

1

다음은 지석이네 반 학생 8명의 앉은키이다. 이 자료의 평균, 중앙값, 최빈값을 각각 구하시오.

> 90 cm, 100 cm, 95 cm, 94 cm
>
> 92 cm, 91 cm, 95 cm, 105 cm

2

세 학생 A, B, C의 시험 점수에 대하여 A와 B의 시험 점수의 평균이 92점, B와 C의 시험 점수의 평균이 87점, A와 C의 시험 점수의 평균이 97점일 때, A, B, C의 시험 점수의 평균을 구하시오.

3

다음 자료의 최빈값이 6이고 평균이 5일 때, 중앙값을 구하시오. (단, x, y는 정수이다.)

> 9, x, 3, 6, 10, y, 0

4

변량 x_1, x_2, x_3, $\cdots$, x_n의 평균이 m일 때, 변량

$$\frac{x_1-a}{b}, \frac{x_2-a}{b}, \frac{x_3-a}{b}, \cdots, \frac{x_n-a}{b}$$

의 평균은? (단, a, b는 상수)

① $a+b$　　　　② abm　　　　③ $am-b$

④ $\dfrac{m-a}{b}$　　　　⑤ $\dfrac{a-bm}{a}$

5

어떤 중학교의 3학년 여학생 수는 남학생 수의 2배이다. 또, 이 학교의 2학기 중간고사에서 국어, 영어, 수학, 과학 네 과목의 총합에 대한 여학생 평균 점수는 400점 만점에 225점, 남학생 평균 점수는 234점이다. 이때 3학년 전체 학생의 네 과목의 총합에 대한 평균 점수를 구하시오.

6

다음 자료들 중 분포가 가장 고르지 않은 것은?

① 1, 5, 1, 5, 1, 5, 1, 5, 1, 5

② 1, 5, 1, 5, 1, 5, 3, 3, 3, 3

③ 2, 4, 2, 4, 2, 4, 2, 4, 2, 4

④ 2, 4, 2, 4, 2, 4, 3, 3, 3, 3

⑤ 4, 4, 4, 4, 4, 4, 4, 4, 4, 4

7

아래 그림과 같이 1점부터 9점까지의 점수가 쓰인 표적에 4명의 사격 선수 A, B, C, D가 10발씩 사격하여 맞힌 점수의 평균이 모두 5점이었다. 다음 물음에 답하시오.

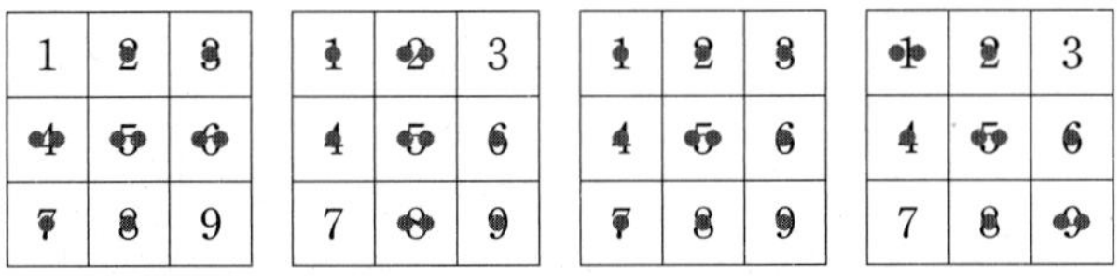

1	2	3		1	2	3		1	2	3		1	2	3
4	5	6		4	5	6		4	5	6		4	5	6
7	8	9		7	8	9		7	8	9		7	8	9

A · · · · · · · · · · · B · · · · · · · · · · · C · · · · · · · · · · · D

⑴ 4명의 점수의 중앙값을 각각 구하시오.

⑵ 4명의 점수의 표준편차를 각각 구하시오.

⑶ 사격하여 얻은 점수가 고른 사람부터 차례로 나열하고, 그 이유를 말하시오.

8

다음은 도수분포표에서 표준편차를 구하는 과정이다. 필요한 과정만 선택하여 올바른 순서대로 나열하시오.

> ㄱ. 편차의 제곱을 도수의 총합으로 나눈다.
> ㄴ. 편차의 합을 구한다.
> ㄷ. 분산의 양의 제곱근을 구한다.
> ㄹ. 평균을 구한다.
> ㅁ. 편차의 제곱의 평균을 구한다.
> ㅂ. 각 계급의 편차를 구한다.
> ㅅ. 각 계급의 계급값을 구한다.

9

다음 표는 11일부터 15일까지 5일간 은정이의 컴퓨터 이용 시간에 대한 편차이다. 11일의 컴퓨터 이용 시간이 3시간일 때, 5일간 은정이의 컴퓨터 이용 시간의 평균과 표준편차를 차례로 구한 것은?

날짜	11일	12일	13일	14일	15일
편차(시간)	-1	3	-4		2

① 2시간, $\sqrt{3}$시간   ② 2시간, $\sqrt{6}$시간

③ 4시간, 2시간   ④ 4시간, $\sqrt{6}$시간

⑤ 4시간, 3시간

10

연속하는 5개의 정수의 표준편차는?

① $\sqrt{2}$ ② $\sqrt{3}$ ③ 2

④ $\sqrt{5}$ ⑤ $2\sqrt{2}$

11

다음 표는 어느 학급의 남학생 40명의 1분간의 윗몸일으키기 횟수를 조사하여 만든 도수분포표이다. 윗몸일으키기 횟수의 평균과 표준편차를 각각 구하시오.

(단, $\sqrt{1.89}$의 값은 1.37로 계산한다.)

윗몸일으키기 횟수(회)	도수(명)
$10^{\text{이상}} \sim 20^{\text{미만}}$	8
$20 \quad \sim 30$	12
$30 \quad \sim 40$	0
$40 \quad \sim 50$	16
$50 \quad \sim 60$	4
합계	40

12

6개의 변량 a, b, c, d, e, f의 평균은 25이고, 표준편차는 7이다. 이때 $a-2$, $b-2$, $c-2$, $d-2$, $e-2$, $f-2$의 표준편차를 구하시오.

13

세 수 x_1, x_2, x_3의 평균이 8이고 표준편차가 $\sqrt{6}$일 때, 세 수 $x_1{}^2$, $x_2{}^2$, $x_3{}^2$의 평균을 구하시오.

14

다음은 현정이의 3학년 2학기 중간고사 성적표의 일부이다. 이때 현정이가 다른 과목에 비해 성적이 우수하다고 할 수 있는 과목은 ㈎이고, 이 학급에서 성적이 가장 고른 과목은 ㈏라고 할 수 있다. ㈎, ㈏에 알맞은 과목을 차례대로 쓴 것은?

(단위 : 점)

과목	국어	수학	영어
현정이의 성적	76	74	78
학급 평균	70	56	64
학급 표준편차	15	18	16

① 국어, 수학

② 수학, 국어

③ 수학, 수학

④ 수학, 영어

⑤ 영어, 영어

15

5개의 변량 16, 14, x, 10, y의 평균이 11이고 분산이 12일 때, x, y의 값을 각각 구하시오. (단, $x > y$)

16

어떤 학급 학생들의 통학 거리와 버스를 타는 시간을 조사하였다. 통학 거리를 x, 버스를 타는 시간을 y라 할 때, 다음 중 x와 y의 산점도로 적당한 것은?

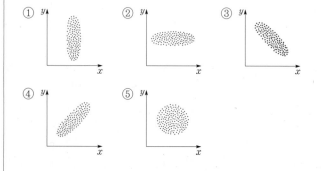

17

다음 중 두 변량 사이에 음의 상관관계가 있는 것은?

① 키와 몸무게
② 자동차의 주행 거리와 소모된 연료의 양
③ 몸무게와 지능 지수
④ 수학 성적과 체육 성적
⑤ 소비와 저축

18

다음 중 상관관계가 없다고 판단되는 것은?

① 가족의 수와 생활비
② 충치의 개수와 치과 치료비
③ 주행 거리와 남은 연료의 양
④ I.Q와 음악 실기 성적
⑤ 야구 선수의 연습 시간과 타율

19

오른쪽 그림은 어느 반 학생들의 일주일 학습 시간과 수학 성적의 산점도이다. 공부한 시간에 비하여 성적이 좋게 나온 학생은?

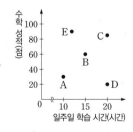

① A   ② B
③ C   ④ D
⑤ E

20

다음 그림은 어느 반 학생 30명의 국어 성적과 영어 성적의 산점도이다. 다음 물음에 답하시오.

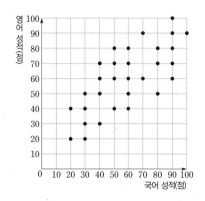

(1) 영어 성적보다 국어 성적이 더 좋은 학생은 전체의 몇 %인지 구하시오.
(2) 두 과목의 총점이 140점 이상인 학생들의 영어 성적의 평균을 구하시오.

21

다음 표는 어느 야구팀 선수 30명의 하루 평균 연습 시간과 시합 때 타율에 대한 상관표이다. 다음 물음에 답하시오.

타율(할) 연습 시간(시간)	0.5이상 ~1미만	1 ~1.5	1.5 ~2	2 ~2.5	2.5 ~3	합계
5이상~6미만					3	3
4 ~5		1	2	5		8
3 ~4	3	4	3	2	2	14
2 ~3	2	1				3
1 ~2	1		1			2
합계	6	6	6	7	5	30

(1) 두 변량 사이의 상관관계를 말하시오.
(2) 타율이 1할 미만이거나 연습 시간이 4시간 미만인 선수는 몇 명인지 구하시오.

22

$a>0$일 때, 두 변량 x와 y의 상관관계를 구하시오.

x	a	$2a$	$2a+1$	$3a+2$	$5a+3$
y	0	$\frac{1}{2}a$	a	$2a$	$3a$

23

오른쪽 그림은 학생 20명의 2학년 때 성적과 3학년 때 성적의 산점도이다. 다음 물음에 답하시오.

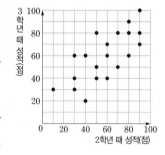

(1) 3학년 때 성적이 향상된 학생은 전체의 몇 %인지 구하시오.

(2) 2학년 때 성적이 전체의 상위 30 % 안에 들었던 학생이 3학년 때 성적도 전체의 상위 30 % 안에 든 학생은 몇 명인지 구하시오.

24

다음 표는 학생 15명의 음악과 미술의 수행 평가 점수이다. 산점도 또는 상관표를 작성하여 상관관계를 조사하시오.

음악(점)	미술(점)	음악(점)	미술(점)	음악(점)	미술(점)
5	5	6	7	6	6
8	9	8	9	7	9
9	8	8	7	7	7
7	8	9	9	6	6
7	7	7	7	8	7

25

다음 상관표는 어떤 자동차 회사에서 40대의 차량을 대상으로 휘발유 1 l로 갈 수 있는 거리인 연비를 2차에 걸쳐 측정한 것이다. 물음에 답하시오.

1차(km/l) 〳 2차(km/l)	5	6	7	8	9	합계
9					1	1
8		5	5	3	2	15
7		4	a	b	c	d
6	2	1	4	e		8
5	1	2				3
합계	3	12	15	f	4	40

(1) $a+b+c+d+e+f$의 값을 구하시오.

(2) 1차와 2차의 연비 사이에는 어떤 상관관계가 있는지 구하시오.

(3) 1차보다 2차에 연비가 더 높은 차량의 대수를 구하시오.

(4) 1차와 2차의 평균 연비가 7 km인 차량의 대수를 구하시오.

(5) 1차의 연비가 6 km 이상 8 km 이하인 차량들의 2차 평균 연비를 구하시오. (단, 소수 둘째 자리에서 반올림하여 소수 첫째 자리까지 구한다.)

경시와 수능에 필수적인 도형

직각삼각형 ABC의 한 꼭짓점 A에서 $\overline{BC}$에 내린 수선의 발을 D라 할 때,

$$\triangle ABC \backsim \triangle DBA \backsim \triangle DAC$$

이므로 다음이 성립한다.

(1) $\overline{AB}^2 = \overline{BD} \times \overline{BC}$

(2) $\overline{AC}^2 = \overline{CD} \times \overline{CB}$

(3) $\overline{AD}^2 = \overline{BD} \times \overline{CD}$

(4) $\overline{AB} \times \overline{AC} = \overline{AD} \times \overline{BC}$

(5) $\overline{AB}^2 : \overline{AC}^2 = \overline{BD} : \overline{CD}$

(6) $(\triangle ABC의 둘레의 길이)^2 = (\triangle ABD의 둘레의 길이)^2 + (\triangle ADC의 둘레의 길이)^2$

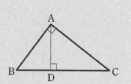

(1)과 (2)에서
$\overline{AB}^2 : \overline{AC}^2$
$= \overline{BD} \times \overline{BC} : \overline{CD} \times \overline{BC}$
$= \overline{BD} : \overline{CD}$

1 오른쪽 그림과 같이 $\angle C = 90°$, $\overline{AC} = 6$ cm, $\overline{BC} = 8$ cm인 직각삼각형 ABC에서 $\overline{AB} \perp \overline{CH}$ 이고 점 M은 $\triangle$ABC의 외심이다. 다음을 구하시오.

(1) $\overline{MH}$의 길이

(2) $\triangle$CHM의 넓이

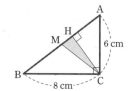

직각삼각형의 외심은 빗변의 중점이다.

2 오른쪽 그림과 같은 직각삼각형 ABC에서 점 M은 $\overline{BC}$의 중점이다. $\overline{AB} = 3$ cm, $\overline{AC} = 4$ cm일 때, $\overline{DE}$의 길이를 구하시오.

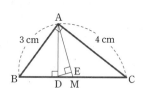

3 오른쪽 그림과 같이 ∠A=90°인 직각삼각형 ABC에서 △ABD의 둘레의 길이가 5 cm, △ADC의 둘레의 길이가 10 cm일 때, △ABC의 둘레의 길이를 구하시오.

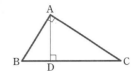

$$(\triangle ABC\text{의 둘레의 길이})^2$$
$$=(\triangle ABD\text{의 둘레의 길이})^2$$
$$\quad+(\triangle ADC\text{의 둘레의 길이})^2$$

피타고라스 정리와 평면도형 (1)

(1) 사각형의 두 대각선이 서로 수직일 때

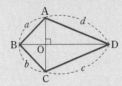

$$a^2+c^2=b^2+d^2$$

(2) 직사각형의 내부에 임의의 점을 정할 때

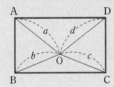

$$a^2+c^2=b^2+d^2$$

(3) 직각삼각형의 빗변이 아닌 두 변에 각각 임의의 점을 정할 때

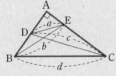

$$a^2+d^2=b^2+c^2$$

$$a^2+c^2$$
$$=(\overline{OA}^2+\overline{OB}^2)$$
$$\quad+(\overline{OC}^2+\overline{OD}^2)$$
$$=(\overline{OB}^2+\overline{OC}^2)$$
$$\quad+(\overline{OA}^2+\overline{OD}^2)$$
$$=b^2+d^2$$

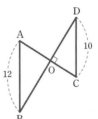

△ABO를 △DCO′으로 평행이동하면 □DOCO′의 두 대각선은 서로 수직이 된다.

△ADE와 △ABC에서
$$a^2+d^2$$
$$=(\overline{AD}^2+\overline{AE}^2)$$
$$\quad+(\overline{AB}^2+\overline{AC}^2)$$
$$=(\overline{AE}^2+\overline{AB}^2)$$
$$\quad+(\overline{AC}^2+\overline{AD}^2)$$
$$=b^2+c^2$$

4 오른쪽 그림에서 $\overline{AB}=12$, $\overline{CD}=10$일 때, $\overline{AD}^2+\overline{BC}^2$의 값을 구하시오.

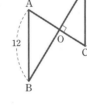

$\overline{AD}$, $\overline{BC}$를 각각 긋는다.

5 오른쪽 그림과 같은 직사각형 ABCD에서 $\overline{OA}=6$ cm, $\overline{OB}=5$ cm, $\overline{OD}=4$ cm일 때, $\overline{OC}$의 길이를 구하시오.

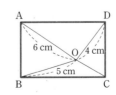

6 오른쪽 그림과 같이 직사각형 모양으로 위치하고 있는 네 개의 도시 A, B, C, D가 있다. 네 도시에 도시가스를 공급하려고 내부에 있는 O의 위치에 도시가스 공급원을 세우려고 한다. 각 도시를 연결하는 데 드는 공사비는 거리에 비례한다고 할 때, A, B, C 도시를 연결하는 데 드는 공사비가 각각 3억 원, 4억 원, 5억 원이라면 D도시를 연결하는 데 드는 공사비는 얼마인지 구하시오. (단, $\sqrt{2}$의 값은 1.4로 계산한다.)

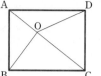

$\overline{OA}^2+\overline{OC}^2=\overline{OB}^2+\overline{OD}^2$

7 오른쪽 그림과 같은 직사각형 ABCD의 꼭짓점 A에서 대각선 BD에 내린 수선의 발을 E라 하자. $\overline{AB}=2$ cm, $\overline{BC}=2\sqrt{3}$ cm 라 할 때, $\overline{CE}$의 길이를 구하시오.

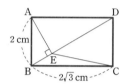

8 오른쪽 그림과 같은 직사각형 ABCD에서 $\overline{AD}\,/\!/\,\overline{PQ}\,/\!/\,\overline{BC}$이고 $\overline{AP}=6$, $\overline{BP}=5$일 때, $\overline{DQ}^2-\overline{CQ}^2$의 값을 구하시오.

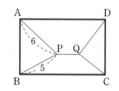

다음 그림과 같이 △ABP를 △DCP′으로 평행이동하면 □DQCP′의 두 대각선은 서로 수직이다.

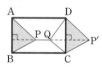

9 오른쪽 그림과 같은 직각삼각형 ABC에서 $\overline{BE}=8$ cm, $\overline{CD}=9$ cm, $\overline{DE}=4$ cm일 때, $\overline{BC}$의 길이를 구하시오.

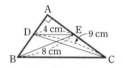

10 오른쪽 그림과 같이 $\overline{DE} /\!/ \overline{BC}$ 이고, $\angle A = 90°$,
$\overline{AD} : \overline{DB} = 1 : 2$인 $\triangle ABC$에서 $\overline{DE} = 3$일 때, $\overline{CD}^2 + \overline{BE}^2$
의 값을 구하시오.

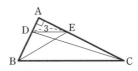

중선 정리 (또는 Pappus의 정리)

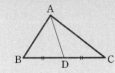

$\overline{BD} = \overline{CD}$일 때,
$$\overline{AB}^2 + \overline{AC}^2 = 2(\overline{AD}^2 + \overline{BD}^2)$$

11 오른쪽 그림과 같은 $\triangle ABC$에서 $\overline{BD} = \overline{CD}$이면
$\overline{AB}^2 + \overline{AC}^2 = 2(\overline{AD}^2 + \overline{BD}^2)$임을 증명하시오.

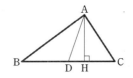

중선 정리의 증명
$\overline{AB}^2 = \overline{AH}^2 + \overline{BH}^2$
$\qquad = \overline{AH}^2 + (\overline{BD} + \overline{DH})^2$
$\overline{AC}^2 = \overline{AH}^2 + \overline{CH}^2$
$\qquad = \overline{AH}^2 + (\overline{CD} - \overline{DH})^2$
임을 이용한다.

12 오른쪽 그림과 같이 $\overline{AB} = 5$ cm, $\overline{AC} = 4$ cm, $\overline{BC} = 6$ cm이
고 $\overline{BD} = \overline{CD}$일 때, $\overline{AD}$의 길이를 구하시오.

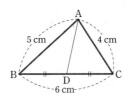

13 오른쪽 그림과 같은 $\triangle ABC$에서 $\overline{AB}=12$, $\overline{AC}=9$이고, $\overline{BD}=\overline{DE}=\overline{EC}=6$일 때, $\overline{AD}^2+\overline{AE}^2$의 값을 구하시오.

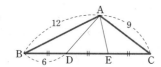

△ABE와 △ADC에서 각각 중선 정리를 이용한다.

헤론의 공식

세 변의 길이가 a, b, c인 삼각형의 넓이를 S라 하면

$$S=\sqrt{s(s-a)(s-b)(s-c)}\ \left(\text{단},\ s=\frac{a+b+c}{2}\right)$$

---

14 세 변의 길이가 13, 13, 24인 삼각형의 넓이를 구하시오.

---

15 오른쪽 그림과 같이 $\overline{AB}=4$ cm, $\overline{BC}=6$ cm, $\overline{CA}=5$ cm인 $\triangle ABC$의 넓이를 구하시오.

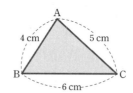

점 A에서 $\overline{BC}$에 내린 수선의 발을 H라 하면
$$\overline{AB}^2-\overline{BH}^2=\overline{AC}^2-\overline{CH}^2$$

사다리꼴

(1)

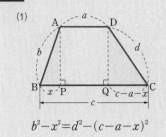

$$b^2-x^2=d^2-(c-a-x)^2$$

(2)

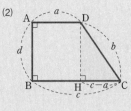

$$b^2=(c-a)^2+d^2$$

16 오른쪽 그림과 같은 사다리꼴 ABCD에서 $\overline{AB}=6\ cm$, $\overline{AD}=2\ cm$, $\overline{CD}=10\ cm$일 때, $\overline{AC}$의 길이를 구하시오.

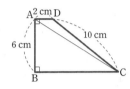

17 오른쪽 그림과 같은 사다리꼴 ABCD에서 $\overline{AB}=\overline{AD}=5\ cm$, $\overline{BD}=3\sqrt{10}\ cm$일 때, □ABCD의 넓이를 구하시오.

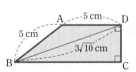

18 오른쪽 그림과 같은 사다리꼴 ABCD에서 $\overline{AD}=2$ cm, $\overline{BC}=5$ cm, $\overline{CD}=5$ cm일 때, 다음을 구하시오.

(1) 어두운 부분의 넓이

(2) 점 C에서 $\overline{BD}$에 내린 수선의 길이

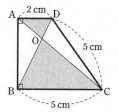

△OAD∽△OCB임을 이용한다.

19 오른쪽 그림과 같이 $\overline{AD}\,/\!/\,\overline{BC}$인 사다리꼴 ABCD에서 ∠B는 예각이고 $\overline{AD}=2$ cm, $\overline{AB}=3$ cm, $\overline{BC}=5$ cm, $\overline{CD}=4$ cm일 때, □ABCD의 넓이를 구하시오.

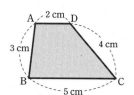

점 A, D에서 각각 $\overline{BC}$에 수선을 긋는다.

20 오른쪽 그림과 같이 $\overline{AD}\,/\!/\,\overline{BC}$인 사다리꼴 ABCD에서 $\overline{AD}=\overline{AB}=3$ cm, $\overline{BC}=5$ cm, $\overline{CD}=4$ cm일 때, □ABCD의 넓이를 구하시오.

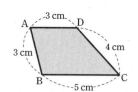

접은 도형

(1) '같은 각'임을 이용하는 경우
    접히는 부분의 꼭짓점이 선분을 벗어나게 접었을 때
(2) '같은 길이'임을 이용하는 경우
    접히는 부분의 꼭짓점이 선분 위에 위치할 때

21 오른쪽 그림과 같이 $\overline{AB}=6$ cm, $\overline{BC}=8$ cm인 직사각형 ABCD를 $\overline{BD}$ 를 접는 선으로 하여 점 C가 점 C′에 오도록 접었을 때, 다음을 구하시오.

(1) $\overline{AE}$의 길이
(2) △EBD의 넓이

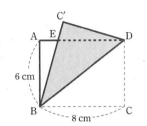

∠EBD=∠CBD=∠EDB 이므로 △EBD 는 이등변삼각형이다.

22 오른쪽 그림과 같이 한 변의 길이가 18 cm인 정사각형 ABCD에서 점 B가 $\overline{AD}$ 위에 오도록 접었을 때, $\overline{AE}=8$ cm이다. 이때 $\overline{EF}$의 길이를 구하시오.

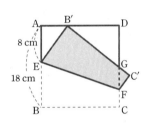

$\overline{EB}=\overline{EB'}$
△EAB′∽△B′DG
∽△FC′G

23 오른쪽 그림은 직사각형 ABCD를 $\overline{BE}$를 접는 선으로 하여 점 C가 $\overline{AD}$ 위의 점 C′에 오도록 접은 것이다. 점 C′에서 $\overline{BE}$에 내린 수선의 발을 H라 할 때, $\overline{C'H}$의 길이를 구하시오.

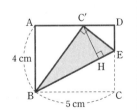

△C′BE 에서
$\overline{C'B}\times\overline{C'E}=\overline{C'H}\times\overline{BE}$

24 오른쪽 그림과 같이 직사각형 ABCD의 꼭짓점 C가 $\overline{AD}$ 위의 점 P에 오도록 접은 다음 $\overline{BP}$를 접는 선으로 하여 접었더니 점 A가 $\overline{BQ}$ 위의 점 R에 오게 되었다. □ABCD의 넓이가 $8\sqrt{3}\,cm^2$일 때, $\overline{BC}$의 길이를 구하시오.

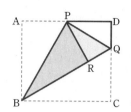

△CBQ≡△PBQ
△ABP≡△RBP

직육면체와 정육면체의 여러 가지 공식

(1) **직육면체**
세 모서리의 길이가 각각 a, b, c인 직육면체에서
① 부피 : $V = abc$
② 겉넓이 : $S = 2(ab+bc+ca)$
③ 대각선의 길이 : $l = \sqrt{a^2+b^2+c^2}$

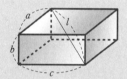

(2) **정육면체**
한 모서리의 길이가 a인 정육면체에서
① 부피 : $V = a^3$
② 겉넓이 : $S = 6a^2$
③ 대각선의 길이 : $l = \sqrt{3}\,a$

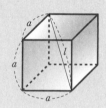

---

25 오른쪽 그림과 같이 직육면체의 꼭짓점 E에서 $\overline{AG}$에 내린 수선의 발을 I라 할 때, $\overline{EI}$의 길이를 구하시오.

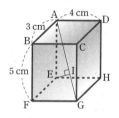

26 오른쪽 그림과 같은 직육면체에서 $\overline{HI} \perp \overline{EG}$, $\overline{AB} = \overline{AE} = 4$ cm, $\overline{AD} = 2$ cm일 때, 점 D에서 $\overline{EG}$에 그은 수선 $\overline{DI}$의 길이를 구하시오.

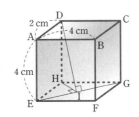

27 오른쪽 그림과 같이 한 모서리의 길이가 10 cm인 정육면체에 대하여 다음을 구하시오.

(1) △BDG의 넓이

(2) 점 C에서 △BDG에 내린 수선 $\overline{CI}$의 길이

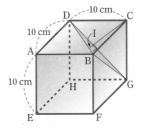

사면체 C−BDG의 부피는

① $\dfrac{1}{3} \times \triangle BCD \times \overline{CG}$

② $\dfrac{1}{3} \times \triangle BDG \times \overline{CI}$

28 오른쪽 그림과 같이 $\overline{BC} = \overline{CD} = 12$ cm, $\overline{AE} = 6$ cm인 직육면체에서 $\overline{EF}$, $\overline{EH}$의 중점을 각각 P, Q라 할 때, 점 A에서 □BDQP에 내린 수선의 길이를 구하시오.

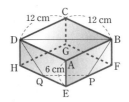

29 오른쪽 그림과 같이 한 모서리의 길이가 2 cm인 정육면체에서 점 P가 $\overline{CD}$의 중점일 때, △PAG의 넓이를 구하시오.

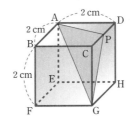

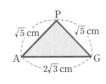

30 오른쪽 그림과 같이 밑면은 한 변의 길이가 $\sqrt{2}$ cm인 정사각형
이고 높이가 $\sqrt{7}$ cm인 직육면체가 있다. 다음을 구하시오.

(1) △BGD의 넓이

(2) 점 C에서 △BGD에 내린 수선의 길이

(3) 사면체 E−BGD의 부피

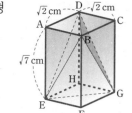

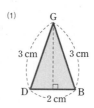

(1)

31 오른쪽 그림과 같이 한 모서리의 길이가 10 cm인 정육면체
에서 두 점 M, N이 각각 $\overline{BF}$, $\overline{DH}$의 중점일 때,
□AMGN의 넓이를 구하시오.

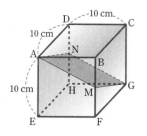

□AMGN은 마름모이므로 넓
이 S는

$S = \dfrac{1}{2} \times \overline{AG} \times \overline{MN}$

32 오른쪽 그림과 같은 정육면체 ABCD−EFGH와 정사면체
B−DEG의 겉넓이의 비를 구하시오.

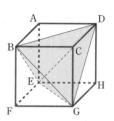

정다면체의 여러 가지 공식

(1) 정사면체

한 모서리의 길이가 a인 정사면체에서

① 높이 : $h = \dfrac{\sqrt{6}}{3}a$

② 부피 : $V = \dfrac{\sqrt{2}}{12}a^3$

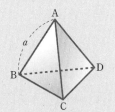

(2) 정팔면체

한 모서리의 길이가 a인 정팔면체에서

① $\overline{AF} = \overline{BD} = \overline{CE} = \sqrt{2}a$

② 부피 : $V = \dfrac{\sqrt{2}}{3}a^3$

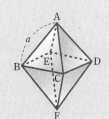

(3) 뿔대 : 뿔로 복원시켜서 닮음을 이용하여 푼다.

정사면체의 전개도

정팔면체의 전개도

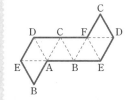

33 한 모서리의 길이가 a인 정사면체의 높이와 부피 구하는 공식을 유도하시오.

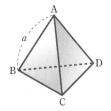

34 오른쪽 그림과 같이 한 모서리의 길이가 10 cm인 정사면체에서 $\overline{BC}$, $\overline{AD}$의 중점을 각각 M, N이라 할 때, $\overline{MN}$의 길이를 구하시오.

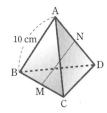

35 오른쪽 그림과 같이 한 모서리의 길이가 10 cm인 정사면체가 있다. $\overline{AB}$, $\overline{AD}$의 중점을 각각 M, N이라 할 때, 다음을 구하시오.

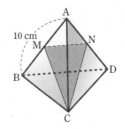

(1) △CMN의 넓이

(2) 사각뿔 C-MBDN의 부피

(2) 점 C에서 △ABD에 내린 수선의 길이는 정사면체의 높이와 같다.

36 오른쪽 그림과 같이 한 모서리의 길이가 9 cm인 정사면체에 외접하는 구의 반지름의 길이는?

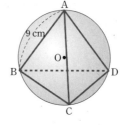

① $\dfrac{4\sqrt{6}}{3}$ cm

② $\dfrac{9\sqrt{6}}{4}$ cm

③ 3 cm

④ $2\sqrt{3}$ cm

⑤ $3\sqrt{2}$ cm

37 오른쪽 그림은 한 모서리의 길이가 4 cm인 정사면체이고, 두 점 E, F는 각각 변 AB, AC의 중점이다. $\overline{CG}:\overline{GD}=1:3$일 때, 정사면체를 세 점 E, F, G를 지나는 평면으로 자른 단면의 넓이를 구하시오.

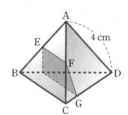

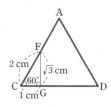

38 오른쪽 그림과 같이 원기둥 모양의 그릇에 반지름의 길이가 6 cm 인 4개의 구가 서로 외부 한 점에서 만나고 있다. 이것을 완전히 덮 을 수 있도록 물을 넣는다고 할 때, 필요한 최소의 물의 부피를 구 하시오.

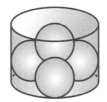

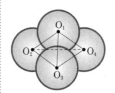

사면체 $O_1-O_2O_3O_4$는 한 모서 리의 길이가 12 cm인 정사면 체이다.

39 오른쪽 그림과 같이 $\overline{BC}=6$ cm, $\overline{AB}=\overline{AC}=\overline{AD}=10$ cm인 정 삼각뿔 A−BCD의 부피를 구하시오.

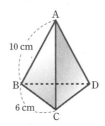

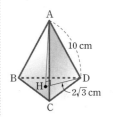

점 H는 △BCD의 무게중심이 다.

40 오른쪽 그림은 밑면이 △ABC, 옆면이 모두 이등변삼각형인 사면체의 전개도이다. 이 사면체의 부피를 구하시오.

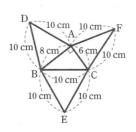

41 오른쪽 그림과 같이 한 모서리의 길이가 6 cm인 정사각뿔의 부피를 구하시오.

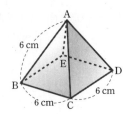

42 오른쪽 그림과 같이 밑면이 한 변의 길이가 6 cm인 정사각형이고, 옆면의 모서리의 길이가 6 cm인 정사각뿔이 있다. $\overline{AE}$, $\overline{AD}$의 중점을 각각 P, Q라 할 때, □PBCQ의 넓이를 구하시오.

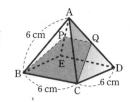

□PBCQ는 등변사다리꼴이다.

43 오른쪽 그림은 밑면이 한 변의 길이가 8 cm인 정삼각형이고, 높이가 6 cm인 삼각기둥이다. 꼭짓점 C, D, E를 지나는 평면으로 이 입체도형을 자를 때, 꼭짓점 F에서 △CDE에 내린 수선의 길이를 구하시오.

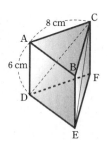

사면체 C-DEF의 부피를 구한다.

44 오른쪽 그림과 같이 $\overline{AE}=\overline{EF}=10$ cm, $\angle EAB=60°$인 합동인 네 등변사다리꼴을 옆면으로 하고, 윗면과 아랫면이 정사각형인 사각뿔대의 부피를 구하시오.

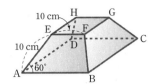

뿔로 복원시킨다.

45 오른쪽 그림의 입체도형에서 면 ABDE와 면 BCD는 수직이고, △ACE는 정삼각형이다.
$\angle ABD=\angle EDB=\angle BCD=\angle ABC=\angle EDC=90°$,
$\overline{AB}=4$ cm, $\overline{DE}=6$ cm일 때, 정삼각형 ACE의 한 변의 길이를 구하시오.

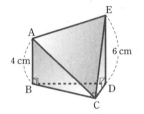

$\overline{AC}=\overline{CE}=\overline{EA}=x$ cm로 놓고, $\overline{BC}$, $\overline{CD}$, $\overline{BD}$의 길이를 x를 사용하여 나타낸다.

원뿔

밑면의 반지름의 길이가 r, 모선의 길이가 l인 원뿔에서
(1) 높이 : $h=\sqrt{l^2-r^2}$
(2) 부피 : $V=\dfrac{1}{3}\pi r^2 h$

(3) 전개도
① 중심각 : $\angle x=\dfrac{r}{l}\times360°$
② 부채꼴의 넓이 (원뿔의 옆넓이) : $S=\pi r l$

46 오른쪽 그림과 같이 모선의 길이가 26 cm, 밑면의 반지름의 길이가 10 cm인 원뿔의 높이와 부피를 각각 구하시오.

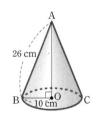

47 오른쪽 그림은 어떤 원뿔의 옆면의 전개도이다. 이 원뿔의 부피를 구하시오.

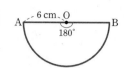

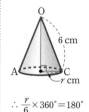

$$\therefore \frac{r}{6} \times 360° = 180°$$

48 오른쪽 그림과 같이 반지름의 길이가 15 cm인 원을 중심각의 크기가 240°, 120°가 되도록 잘라 내어 두 개의 고깔 모양의 모자를 만들었다. A, B로 만든 두 고깔 모양의 모자의 높이를 각각 x cm, y cm라 할 때, $\frac{y}{x}$의 값을 구하시오.

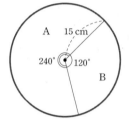

49 오른쪽 그림의 원뿔대는 밑면인 원의 반지름의 길이가 6 cm인 원뿔에서 높이의 $\frac{1}{2}$인 점을 지나도록 자른 것이다. 잘린 모선의 길이가 8 cm일 때, 원뿔대의 높이를 구하시오.

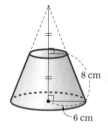

50 오른쪽 그림과 같이 모선의 길이가 5 cm, 밑면의 반지름의 길이가 3 cm인 원뿔에 구가 내접해 있을 때, 구의 반지름의 길이를 구하시오.

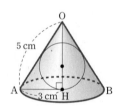

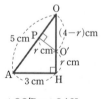

$$\triangle OO'P \backsim \triangle OAH$$

평면도형에서의 최단 거리

점 A에서 직선 l 위에 있는 점 O를 거쳐 점 B까지의 최단 거리를 구할 때,
점 A를 직선 l에 대하여 대칭이동한 점 A′과 점 B 사이의 거리를 구한다.

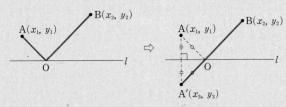

즉, 세 점 A′, O, B가 일직선 위에 있을 때, $\overline{AO}+\overline{OB}$는 최소가 되고, 그 길이는
$$\overline{A'B}=\sqrt{(x_2-x_3)^2+(y_2-y_3)^2}$$

두 점이 좌표로 주어진 경우는
두 점 사이의 거리 공식을 이용
한다. 즉, $A(x_1, y_1)$, $B(x_2, y_2)$
일 때,
$$\overline{AB}=\sqrt{(x_2-x_1)^2+(y_2-y_1)^2}$$

$\overline{AO}+\overline{OB}=\overline{A'O}+\overline{OB}$
$\geq \overline{A'B}$

51 오른쪽 그림과 같이 $\overline{AC}=4$ cm, $\overline{CD}=12$ cm,
$\overline{BD}=5$ cm이고, 선분 CD 위에 임의의 점 P를 잡아
$\overline{AP}+\overline{BP}$를 최소가 되도록 할 때, 그 길이를 구하시오.

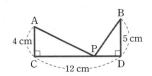

점 A를 $\overline{CD}$에 대하여 대칭이동
한다.

52 오른쪽 그림과 같이 점 P가 $\overline{BD}$ 위를 움직일 때, $\overline{AP}+\overline{PC}$
의 값이 최소가 되는 $\angle APB$의 크기를 구하시오.

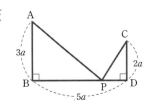

점 A를 $\overline{BD}$에 대하여 대칭이동
한다.

53 오른쪽 그림과 같이 두 점 $A(-1, 2)$, $B(3, 5)$와 x축 위의
점 P가 있다. 이때 $\overline{PA}+\overline{PB}$의 최솟값을 구하시오.

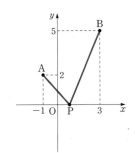

54 오른쪽 그림과 같이 가로와 세로의 길이가 각각 16 cm, 7 cm인 직사각형 ABCD의 각 변에 네 점 P, Q, R, S 를 잡아 $\overline{AP}$=2 cm, $\overline{CS}$=3 cm가 되도록 하였다. 이때 $\overline{PQ}+\overline{QR}+\overline{RS}$의 최솟값을 구하시오.

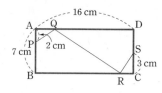

점 P와 S를 각각 $\overline{AD}$, $\overline{BC}$에 대하여 대칭이동한다.

55 오른쪽 그림과 같이 $\overline{AB}$=8 cm, $\overline{AD}$=6 cm인 직사각형 ABCD에서 $\overline{AB}$ 위에 점 P, $\overline{CD}$ 위에 점 Q를 잡아 $\overline{DP}+\overline{PQ}+\overline{QB}$가 최소가 되도록 할 때, 그 길이를 구하시오.

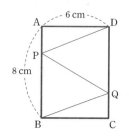

점 D와 점 B를 각각 $\overline{AB}$, $\overline{CD}$ 에 대하여 대칭이동한다.

56 오른쪽 그림과 같이 $\overline{AB}$=3 cm, $\overline{AD}$=4 cm인 직사각형 ABCD의 각 변 위에 임의의 점 P, Q, R, S를 잡을 때, □PQRS의 둘레의 길이의 최솟값을 구하시오.

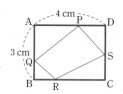

점 P를 ①, ②와 같이 대칭이동 한 후 점 P_1을 ③과 같이 대칭 이동하면 구하는 길이는 $\overline{P_2P_3}$ 이다.

57 오른쪽 그림과 같이 점 O를 시점으로 하고 그 사이각의 크기가 45°인 두 반직선 사이에 $\overline{OA}$=8 cm가 되도록 한 점 A를 잡고, 두 반직선 OX, OY 위에 임의의 점 P, Q를 각각 잡았을 때, △APQ의 둘레의 길이의 최솟값을 구하시오.

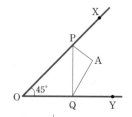

점 A를 $\overrightarrow{OX}$와 $\overrightarrow{OY}$에 대하여 대칭이동한 점을 각각 A′, A″ 이라 한다.

58 오른쪽 그림과 같이 중심각의 크기가 72°, 반지름의 길이가 10 cm인 부채꼴의 호 XY 위에 삼등분점 A와 D를 잡고, 반지름 $\overline{OX}$, $\overline{OY}$ 위에 임의의 점 B, C를 각각 잡을 때, $\overline{AB}+\overline{BC}+\overline{CD}$의 최솟값을 구하시오.

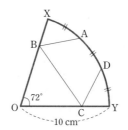

입체도형에서의 최단 거리

전개도를 이용하여 꺾인 선을 편 후 길이를 구한다.

(1) 원뿔의 전개도

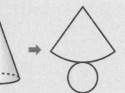

(2) 원기둥의 전개도

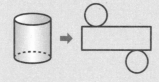

(3) 정육면체의 전개도

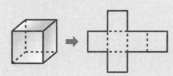

(4) 각뿔의 전개도

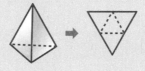

59 오른쪽 그림과 같은 직육면체의 꼭짓점 E에서 출발하여 겉면을 따라 $\overline{AD}$, $\overline{BC}$를 지나 점 G에 이르는 최단 거리를 구하시오.

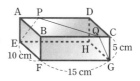

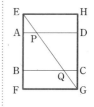

60 오른쪽 그림과 같이 $\overline{AB}=5$ cm, $\overline{AD}=15$ cm, $\overline{AE}=10$ cm인 직육면체에서 $\overline{BC}$, $\overline{AD}$, $\overline{EH}$ 위의 임의의 점을 각각 M, N, L이라 할 때, 다음을 구하시오.

(1) $\overline{FM}+\overline{MN}+\overline{NL}+\overline{LG}$의 최솟값

(2) (1)에서 $\overline{BM}$의 길이

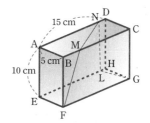

61 오른쪽 그림과 같이 $\overline{AB}=\overline{AD}=3$ cm, $\overline{BF}=4$ cm인 직육면체의 한 꼭짓점 A에서 출발하여 겉면을 따라 점 G에 이르는 최단 거리를 구하시오.

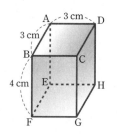

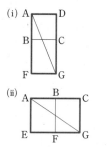

의 두 가지 중 최단 거리를 찾는다.

62 오른쪽 그림과 같이 밑면인 원의 반지름의 길이가 3 cm이고, 높이가 12π cm인 원기둥이 있다. 밑면의 둘레 위에 $\angle POQ=60°$가 되도록 점 Q를 잡고 점 Q에서 출발하여 점 R까지 먼 쪽의 옆면을 따라 실을 감았을 때, 실의 최단 길이를 구하시오.

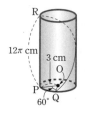

63 오른쪽 그림과 같이 밑면이 반지름의 길이가 $\dfrac{10}{\pi}$ cm인 원이고, 높이가 30 cm인 원기둥의 점 A에서 출발하여 겉면을 따라 점 B까지 두 바퀴 감은 실의 최단 길이를 구하시오.

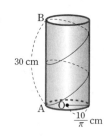

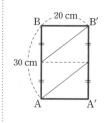

64 오른쪽 그림과 같이 밑면의 반지름의 길이가 3 cm이고, 모선의 길이가 12 cm인 원뿔에서 모선 AB의 중점을 M이라 할 때, 점 B에서 출발하여 옆면을 따라 점 M까지 돌려 감은 실의 최단 길이를 구하시오.

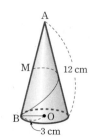

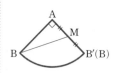

65 오른쪽 그림과 같이 점 O를 꼭짓점, $\overline{OA}$를 모선으로 하는 원뿔을 밑면에 평행한 평면으로 잘라서 만든 원뿔대가 있다. 이 원뿔대의 윗면과 모선 OA의 교점을 B라 할 때, 다음을 구하시오.
(단, $\overline{AB}=10$ cm, 원뿔대의 윗면의 반지름의 길이는 2.5 cm, 아랫면의 반지름의 길이는 5 cm이다.)

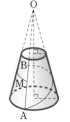
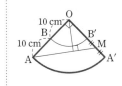

(1) 점 A에서 출발하여 겉면을 따라 $\overline{AB}$의 중점 M까지 실을 한 바퀴 감았을 때, 실의 최단 길이

(2) (1)에서 실의 길이가 가장 짧을 때, 윗면의 원둘레 위의 점과 실 위의 점 사이의 거리 중 최단 거리

66 오른쪽 그림과 같이 한 모서리의 길이가 10 cm인 정사면체 A−BCD에서 $\overline{BD}$의 중점을 M이라 할 때, 점 B에서 출발하여 겉면을 따라 $\overline{AC}$, $\overline{AD}$를 지나 점 M까지 감은 실의 최단 길이를 구하시오.

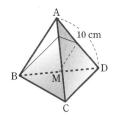
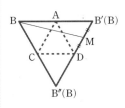

67 오른쪽 그림과 같이 세 옆면은 꼭지각의 크기가 30°, 꼭지각을 끼고 있는 두 변의 길이가 10 cm인 이등변삼각형이고, 밑면은 정삼각형인 정삼각뿔 A−BCD가 있다. 모서리 AB의 중점을 M이라 할 때, 점 B에서 출발하여 겉면을 따라 $\overline{AC}$, $\overline{AD}$를 지나 점 M에 이르는 실의 최단 길이를 구하시오.

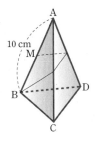

68 오른쪽 그림과 같이 한 모서리의 길이가 10 cm인 정팔면체에서 △AED, △BCF의 무게중심을 각각 P, Q라 할 때, 정팔면체의 점 P에서 출발하여 $\overline{AD}$, $\overline{AC}$를 지나 점 Q에 이르는 최단 거리를 구하시오.

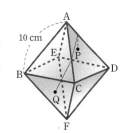
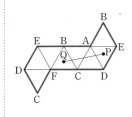

원에서의 비례 관계 (1)

한 원의 두 현 AB, CD 또는 그 연장선의 교점을 P라 하면 다음이 성립한다.
$$\overline{PA} \times \overline{PB} = \overline{PC} \times \overline{PD}$$

(1) 점 P가 원의 외부에 있을 때

[증명] △PAC와 △PDB에서

∠PAC=∠PDB(내대각), ∠P는 공통

따라서 △PAC∽△PDB(AA 닮음)이므로

$$\overline{PA} : \overline{PD} = \overline{PC} : \overline{PB} \qquad \therefore \overline{PA} \times \overline{PB} = \overline{PC} \times \overline{PD}$$

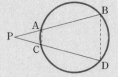 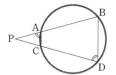

(2) 점 P가 원의 내부에 있을 때

[증명] △PAC와 △PDB에서

∠PAC=∠PDB($\overset{\frown}{BC}$에 대한 원주각),

∠APC=∠DPB(맞꼭지각)

따라서 △PAC∽△PDB(AA 닮음)이므로

$$\overline{PA} : \overline{PD} = \overline{PC} : \overline{PB} \qquad \therefore \overline{PA} \times \overline{PB} = \overline{PC} \times \overline{PD}$$

69 오른쪽 그림에서 x의 값을 구하시오.

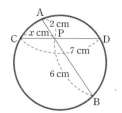

$\overline{PA} \times \overline{PB} = \overline{PC} \times \overline{PD}$

70 오른쪽 그림과 같이 두 원 O, O′의 중심은 $\overline{AC}$ 위에 있고, 두 원은 점 A에서 접한다. $\overline{AC} \perp \overline{BD}$이고, $\overline{BP}=2$ cm, $\overline{RC}=3$ cm일 때, $\overline{OP}$의 길이를 구하시오.

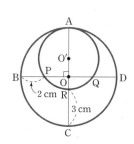

$\overline{OB}=\overline{OD}=r$ cm라 하면
$\overline{OP}=\overline{OQ}=(r-2)$ cm,
$\overline{OR}=(r-3)$ cm

71 오른쪽 그림과 같이 반지름의 길이가 각각 3 cm, 4 cm인 두 원 O, O′이 두 점 P, Q에서 만나고, $\overline{OO'}=5$ cm일 때, $\overline{BC}$의 길이를 구하시오.

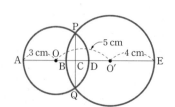

$\overline{OB}=\overline{OO'}-\overline{BO'}=1$(cm),
$\overline{DO'}=\overline{OO'}-\overline{OD}=2$(cm)
이므로 $\overline{BD}=2$ cm

72 오른쪽 그림과 같이 원 O의 지름 AB의 연장선과 현 CD의 연장선과의 교점을 P라 하자. $\overline{PO}=7$ cm, $\overline{PC}=5$ cm, $\overline{CD}=3$ cm일 때, 원 O의 반지름의 길이를 구하시오.

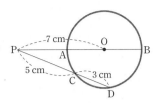

73 오른쪽 그림과 같이 원에 내접하는 □ACDB에서 $\overline{AB}$와 $\overline{CD}$의 연장선의 교점을 P라 하자. $\overline{AP}=\overline{AB}=10$ cm, $\overline{CD}=17$ cm일 때, □ACDB : △PAC를 가장 간단한 자연수의 비로 나타내시오.

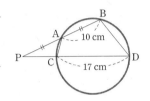

$\overline{PA}\times\overline{PB}=\overline{PC}\times\overline{PD}$

74 오른쪽 그림과 같이 점 A에서 외접하는 두 원 O, O'에 대하여 $\overline{OB}=8$ cm, $\overline{BC}=4$ cm, $\overline{O'A}=5$ cm일 때, 원 O의 반지름의 길이를 구하시오.

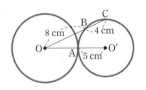

75 오른쪽 그림과 같이 반지름의 길이가 10 cm인 원 O에서 $\overline{AB}$는 접선이고 $\overline{BF}$의 연장선 위에 $\overline{AE}=\overline{ED}=\overline{DC}$가 되도록 점 C를 잡을 때, $\overline{CF}$의 길이를 구하시오.

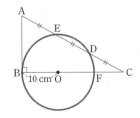

$\overline{CF}=x$ cm, $\overline{CD}=y$ cm로 놓은 후 점 O에서 $\overline{DE}$에 내린 수선의 발을 H라 하면 △COH∽△CAB

원 밖의 한 점에서 원에 그은 할선과 접선이 원과 만나는 점을 각각 A, B, T라 할 때, 다음이 성립한다.

(1) $\overline{PT}^2 = \overline{PA} \times \overline{PB}$

[증명] 접선과 현이 이루는 각의 성질에 의해

$\angle PTA = \angle PBT$, $\angle P$는 공통

따라서 $\triangle PAT \sim \triangle PTB$ (AA 닮음)이므로

$\overline{PA} : \overline{PT} = \overline{PT} : \overline{PB}$ $\therefore \overline{PT}^2 = \overline{PA} \times \overline{PB}$

(2) $\overline{PT} \times \overline{BT} = \overline{AT} \times \overline{PB}$

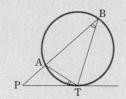

$\triangle PAT \sim \triangle PTB$이므로
$\overline{PT} : \overline{PB} = \overline{AT} : \overline{BT}$

76 오른쪽 그림에서 x의 값을 구하시오.

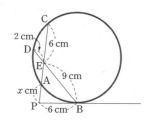

77 오른쪽 그림과 같이 원 O의 지름인 $\overline{AB}$에 수직인 선분 CD의 연장선 위에 $\overline{DP} = 2$ cm가 되도록 점 P를 잡고 점 P에서 원 O에 그은 접선의 접점을 E라 하자. $\overline{CG} = 3$ cm일 때, $\overline{PE} + \overline{DF}$의 길이를 구하시오.

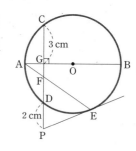

$\overline{GD} = \overline{CG} = 3$ cm이고,
$\overline{PE}^2 = \overline{PD} \times \overline{PC}$

78 오른쪽 그림과 같이 원 O′이 지름이 $\overline{AB}$인 반원 O와 점 O, C에서 접한다. 반원 O의 반지름의 길이가 6 cm이고, $\overline{OD} = 3\sqrt{2}$ cm일 때, $\overline{CD}$의 길이를 구하시오.

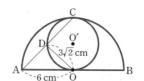

보조선 OC를 긋는다.

79 오른쪽 그림과 같이 지름이 $\overline{AB}$인 원 O에서 점 A에서의 접선 위의 한 점을 C라 하고, $\overline{CD}=2$ cm, $\overline{DB}=8$ cm가 되도록 원 위에 점 D를 정하였다. 점 D에서의 접선이 $\overline{AC}$와 만나는 점을 E라 할 때, $\overline{DE}$의 길이를 구하시오.

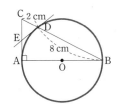

$\overline{EA}=\overline{ED}$

80 오른쪽 그림과 같이 두 원이 점 A에서 접하고, 직선 PA는 두 원의 공통접선이다. 또, 작은 원과 $\overline{BC}$가 점 D에서 접하고, $\overline{AE}=3$ cm, $\overline{AF}=\overline{BD}=4$ cm일 때, $\overline{CD}$의 길이를 구하시오.

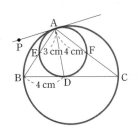

보조선 EF를 그으면 ∠PAE=∠AFE=∠ACB (접선과 현이 이루는 각)이므로 $\overline{EF}$∥$\overline{BC}$

원에서의 비례 관계 (3)

(1) 내접삼각형의 각의 이등분선

$\overline{AB}\times\overline{AC}=\overline{AP}\times\overline{AQ}$

[증명] △ABQ와 △APC에서 ∠BAQ=∠PAC,

∠AQB=∠ACP ($\widehat{AB}$에 대한 원주각)이므로

△ABQ∽△APC (AA 닮음)

$\overline{AB}:\overline{AP}=\overline{AQ}:\overline{AC}$　∴ $\overline{AB}\times\overline{AC}=\overline{AP}\times\overline{AQ}$

(2) 내접이등변삼각형의 성질

$\overline{AB}^2=\overline{AP}\times\overline{AQ}$

[증명] △ABP와 △AQB에서

$\overline{AB}=\overline{AC}$이므로 ∠ABC=∠ACB이고,

∠ACB=∠AQB ($\widehat{AB}$에 대한 원주각)이므로

∠ABC=∠AQB

또, ∠BAP는 공통이므로

△ABP∽△AQB (AA 닮음)

$\overline{AB}:\overline{AQ}=\overline{AP}:\overline{AB}$　∴ $\overline{AB}^2=\overline{AP}\times\overline{AQ}$

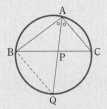
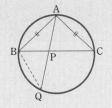

$\overline{AP}\times\overline{AQ}=\overline{AS}\times\overline{AR}$

81 오른쪽 그림에서 △ABC는 $\overline{AB}=\overline{AC}$인 이등변삼각형이다. $\overline{AP}=5$, $\overline{PQ}=4$일 때, $\overline{BQ}\times\overline{QC}$를 구하시오.

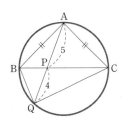

82 오른쪽 그림과 같이 $\overparen{AB}=\overparen{AC}$인 원에서 $\overline{AP}=x$ cm, $\overline{PQ}=6$ cm, $\overline{AS}=(x+1)$ cm, $\overline{SR}=3$ cm일 때, x의 값을 구하시오.

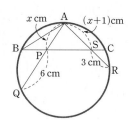

$\overparen{AB}=\overparen{AC}$이면 $\overline{AB}=\overline{AC}$이므로 $\triangle ABC$는 이등변삼각형이다.

83 오른쪽 그림과 같이 반지름의 길이가 5 cm인 원에 $\overline{AB}=\overline{AC}$인 이등변삼각형 ABC가 내접하고, 그 원에 내접하는 작은 원은 $\overline{BC}$와 중점 M에서 접한다. $\overline{AB}=2\sqrt{15}$ cm일 때, 작은 원의 반지름의 길이를 구하시오.

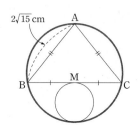

$\overline{AM}\perp\overline{BC}$이므로 $\overline{AM}$의 연장선은 두 원의 접점을 지난다.

84 오른쪽 그림에서 $\overparen{AB}=\overparen{AC}$이고, $\overline{AP}=3$ cm, $\overline{PQ}=5$ cm, $\overline{AS}=2$ cm일 때, $\overline{SR}$의 길이를 구하시오.

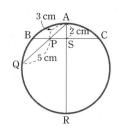

85 오른쪽 그림과 같이 $\overparen{AB}$의 중점을 M이라 하고, $\overline{MC}=6$ cm, $\overline{CD}=4$ cm일 때, $\overline{AM}$의 길이를 구하시오.

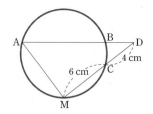

보조선 AC, BM, BC를 그으면
$\angle MAC=\angle MBC$
$\angle BAC=\angle BMC$

86 오른쪽 그림에서 $\overparen{AB}$의 중점을 M이라 하고, 점 M을 지나는 직선이 원과 만나는 점을 Q, $\overline{AB}$의 연장선과 만나는 점을 P라 하자. $\overline{AM}=8\,cm$, $\overline{MQ}=6\,cm$일 때, $\overline{PQ}$의 길이를 구하시오.

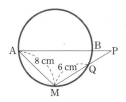

87 오른쪽 그림과 같이 $\triangle ABC$에서 $\angle BAC$의 이등분선이 $\overline{BC}$와 만나는 점을 P, 외접원과 만나는 점을 Q라 하고, $\overline{AB}=8\,cm$, $\overline{AC}=6\,cm$, $\overline{BC}=7\,cm$일 때, $\overline{AP}$의 길이를 구하시오.

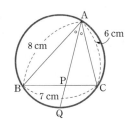

$\overline{AB}:\overline{AC}=\overline{BP}:\overline{CP}$
$\overline{PA}\times\overline{PQ}=\overline{PB}\times\overline{PC}$

88 오른쪽 그림과 같이 $\overline{AB}=\overline{AC}$인 이등변삼각형 ABC에서 $\angle A$의 이등분선이 $\overline{BC}$와 만나는 점을 P, 원과 만나는 점을 Q라 하자. $\overline{AP}=6\,cm$, $\overline{PQ}=2\,cm$일 때, $\overline{BC}$의 길이를 구하시오.

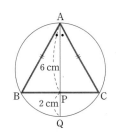

89 원 O에 내접하는 사각형 ABCD에서 $\overline{AC}\perp\overline{BD}$이고, $\overline{BH}=8\,cm$, $\overline{AH}=4\,cm$, $\overline{AD}=5\,cm$일 때, 원 O의 반지름의 길이를 구하시오.

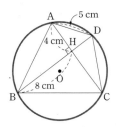

$\overline{AO}$의 연장선이 원과 만나는 점을 P라 하면
$\triangle ABP \backsim \triangle AHD$(AA 닮음)

90 오른쪽 그림과 같이 정삼각형 ABC의 외접원과 점 T에서 접하고, $\overline{AB}$, $\overline{AC}$와 각각 점 P, Q에서 접하는 원이 있다. $\overline{AB}=6$ cm일 때, $\overline{AQ}$의 길이를 구하시오.

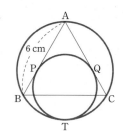

작은 원의 중심을 O라 하면
△APO∽△ABT

91 오른쪽 그림과 같이 반지름의 길이가 4 cm인 원 O에서 $\overline{AB}=5$ cm, $\overline{AC}=3$ cm이고 $\overline{AH}\perp\overline{BC}$일 때, $\overline{AH}$의 길이를 구하시오.

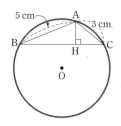

$\overline{AO}$의 연장선이 원과 만나는 점을 D라 하면
△ABD∽△AHC(AA닮음)

92 오른쪽 그림에서 $\overline{AB}$는 원 O의 지름이고, 직선 l은 점 T에서 원 O와 접한다. 점 A, B에서 직선 l에 내린 수선의 발을 각각 C, D라 하고, $\overline{BD}$가 원 O와 만나는 점을 E라 하자. $\overline{AT}=3$ cm, $\overline{BT}=4$ cm일 때, $\overline{AE}$의 길이를 구하시오.

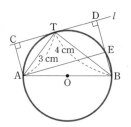

△CAT∽△TAB
△TAB∽△DTB

93 오른쪽 그림과 같이 원 위의 네 점 A, B, C, D에 대하여 $\overset{\frown}{BC}=\overset{\frown}{CD}$이고, $\overline{AB}=10$ cm, $\overline{BC}=8$ cm이다. 점 C에서 그은 접선과 $\overline{AD}$의 연장선의 교점을 P라 할 때, $\overline{DP}$의 길이를 구하시오.

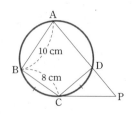

보조선 AC를 그으면
△ABC∽△CDP

94 오른쪽 그림과 같이 원 O에 내접하는 △ABC에서 $\overline{BC}$의 수직이등 분선이 $\overline{AB}$와 만나는 점을 P, $\overline{AC}$의 연장선과 만나는 점을 Q라 하자. 원 O의 지름의 길이가 12 cm이고 $\overline{OP}=4$ cm일 때, $\overline{PQ}$의 길이를 구하시오.

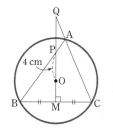

보조선 AO의 연장선과 원과의 교점을 D라 하고 보조선 BD를 그으면
∠ABD=∠QMC=90°,
∠ADB=∠ACB

95 오른쪽 그림과 같이 지름의 길이가 8 cm인 원에 내접하는 □ABCD에 대하여 $\overline{AD}$는 지름이고, $\overline{AB}=\overline{BC}=2$ cm일 때, $\overline{CD}$의 길이를 구하시오.

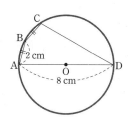

$\overline{BO}$, $\overline{CO}$를 그으면
∠COA=2∠CDA
∠COB=∠BOA

96 오른쪽 그림과 같이 원 O에 내접하는 이등변삼각형 ABC에서 ∠CAB=30°이다. 원 위의 두 점 D, G에 대하여 $\overline{DG}$와 $\overline{AB}$, $\overline{AC}$와의 교점을 각각 E, F라 하자. $\overset{\frown}{BD}$와 $\overset{\frown}{AG}$는 각각 원주의 $\frac{1}{12}$이고, $\overline{DG}=10$ cm일 때, $\overline{AE}$의 길이를 구하시오.

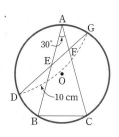

보조선 AD를 그으면
∠DAB=∠ADG
이므로 △EAD는 이등변삼각형이다.

97 오른쪽 그림과 같이 □ABCD는 내접원과 외접원을 모두 갖는다. $\overline{AB}=9$, $\overline{BC}=7$, $\overline{CD}=12$, $\overline{DA}=14$일 때, 내접원의 반지름의 길이를 구하시오.

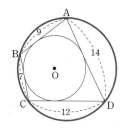

원에 내접하는 사각형의 한 쌍의 대각의 크기의 합은 180°이다.

삼각비의 표

각 도	사인 (sin)	코사인 (cos)	탄젠트 (tan)	각 도	사인 (sin)	코사인 (cos)	탄젠트 (tan)
0°	0	1	0				
1°	0.0175	0.9998	0.0175	46°	0.7193	0.6947	1.0355
2°	0.0349	0.9994	0.0349	47°	0.7314	0.6820	1.0724
3°	0.0523	0.9986	0.0524	48°	0.7431	0.6691	1.1106
4°	0.0698	0.9976	0.0699	49°	0.7547	0.6561	1.1504
5°	0.0872	0.9962	0.0875	50°	0.7660	0.6428	1.1918
6°	0.1045	0.9945	0.1051	51°	0.7771	0.6293	1.2349
7°	0.1219	0.9925	0.1228	52°	0.7880	0.6157	1.2799
8°	0.1392	0.9903	0.1405	53°	0.7986	0.6018	1.3270
9°	0.1564	0.9877	0.1584	54°	0.8090	0.5878	1.3764
10°	0.1736	0.9848	0.1763	55°	0.8192	0.5736	1.4281
11°	0.1908	0.9816	0.1944	56°	0.8290	0.5592	1.4826
12°	0.2079	0.9781	0.2126	57°	0.8387	0.5446	1.5399
13°	0.2250	0.9744	0.2309	58°	0.8480	0.5299	1.6003
14°	0.2419	0.9703	0.2493	59°	0.8572	0.5150	1.6643
15°	0.2588	0.9659	0.2679	60°	0.8660	0.5000	1.7321
16°	0.2756	0.9613	0.2867	61°	0.8746	0.4848	1.8040
17°	0.2924	0.9563	0.3057	62°	0.8829	0.4695	1.8807
18°	0.3090	0.9511	0.3249	63°	0.8910	0.4540	1.9626
19°	0.3256	0.9455	0.3443	64°	0.8988	0.4384	2.0503
20°	0.3420	0.9397	0.3640	65°	0.9063	0.4226	2.1445
21°	0.3584	0.9336	0.3839	66°	0.9135	0.4067	2.2460
22°	0.3746	0.9272	0.4040	67°	0.9205	0.3907	2.3559
23°	0.3907	0.9205	0.4245	68°	0.9272	0.3746	2.4751
24°	0.4067	0.9135	0.4452	69°	0.9336	0.3584	2.6051
25°	0.4226	0.9063	0.4663	70°	0.9397	0.3420	2.7475
26°	0.4384	0.8988	0.4877	71°	0.9455	0.3256	2.9042
27°	0.4540	0.8910	0.5095	72°	0.9511	0.3090	3.0777
28°	0.4695	0.8829	0.5317	73°	0.9563	0.2924	3.2709
29°	0.4848	0.8746	0.5543	74°	0.9613	0.2756	3.4874
30°	0.5000	0.8660	0.5774	75°	0.9659	0.2588	3.7321
31°	0.5150	0.8572	0.6009	76°	0.9703	0.2419	4.0108
32°	0.5299	0.8480	0.6249	77°	0.9744	0.2250	4.3315
33°	0.5446	0.8387	0.6494	78°	0.9781	0.2079	4.7046
34°	0.5592	0.8290	0.6745	79°	0.9816	0.1908	5.1446
35°	0.5736	0.8192	0.7002	80°	0.9848	0.1736	5.6713
36°	0.5878	0.8090	0.7265	81°	0.9877	0.1564	6.3138
37°	0.6018	0.7986	0.7536	82°	0.9903	0.1392	7.1154
38°	0.6157	0.7880	0.7813	83°	0.9925	0.1219	8.1443
39°	0.6293	0.7771	0.8098	84°	0.9945	0.1045	9.5144
40°	0.6428	0.7660	0.8391	85°	0.9962	0.0872	11.4301
41°	0.6561	0.7547	0.8693	86°	0.9976	0.0698	14.3007
42°	0.6691	0.7431	0.9004	87°	0.9986	0.0523	19.0811
43°	0.6820	0.7314	0.9325	88°	0.9994	0.0349	28.6363
44°	0.6947	0.7193	0.9657	89°	0.9998	0.0175	57.2900
45°	0.7071	0.7071	1.0000	90°	1.0000	0.0000	

수학은 개념이다!

디딤돌의 중학 수학 시리즈는
여러분의 수학 자신감을 높여 줍니다.

개념 이해
디딤돌수학 개념연산

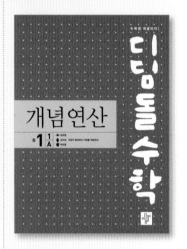

다양한 이미지와 단계별 접근을 통해
개념이 쉽게 이해되는 교재

개념 적용
디딤돌수학 개념기본

개념 이해, 개념 적용, 개념 완성으로
개념에 강해질 수 있는 교재

개념 응용
최상위수학 라이트

개념을 다양하게 응용하여
문제해결력을 키워주는 교재

개념 완성

디딤돌수학 개념연산과 개념기본은 동일한 학습 흐름으로 구성되어 있습니다.
연계 학습이 가능한 개념연산과 개념기본을 통해
중학 수학 개념을 완성할 수 있습니다.

최상위 수학

중 $\dfrac{3}{2}$

정답과 풀이

최상위 수학

중 3/2

정답과 풀이

1 삼각비

1^{STEP} 주제별 실력다지기

7~14쪽

1 (1) $\dfrac{7}{5}$ (2) $\dfrac{7}{5}$ (3) $\dfrac{25}{12}$ **2** $\dfrac{204}{65}$ **3** $\dfrac{7}{6}$ **4** $-\dfrac{3}{13}$ **5** $\dfrac{156}{5}$ cm

6 (1) $\dfrac{3}{2}$ (2) 1   **7** ③   **8** $30°$ **9** $\dfrac{2\sqrt{3}}{3}$ **10** $\dfrac{4\sqrt{3}}{3}$ cm   **11** $\dfrac{\sqrt{3}}{3}$

12 $\dfrac{8}{3}$ **13** (1) $\overline{DE}$ (2) $\sin x < \tan x$ **14** $\dfrac{\sqrt{2}}{2}$

15 (1) $x=2+2\sqrt{3}$, $y=2\sqrt{6}$ (2) $x=12(\sqrt{3}-1)$, $y=6\sqrt{6}(\sqrt{3}-1)$ **16** $\dfrac{15\sqrt{3}}{2}$ cm

17 $\dfrac{5(2-\sqrt{3})}{2}$ m   **18** 16.8 m   **19** $50(\sqrt{3}+1)$ m   **20** $100\sqrt{6}$ m   **21** $2-\sqrt{3}$ **22** $\dfrac{\sqrt{6}+\sqrt{2}}{4}$

23 (1) $6\sqrt{2}$ cm² (2) $8\sqrt{3}$ cm² (3) $\dfrac{15\sqrt{3}}{2}$ cm² (4) $21\sqrt{3}$ cm²   **24** $30°$ **25** $3(\sqrt{3}-1)$ cm

26 (1) $4\sqrt{3}$ cm (2) $2\sqrt{10}$ cm   **27** $150\sqrt{3}$ cm²   **28** $200(\sqrt{2}+1)$ cm²   **29** (1) $8(\sqrt{2}-1)$ cm (2) $128(\sqrt{2}-1)$ cm²

30 (1) 2 (2) 3   **31** $\dfrac{\sqrt{6}}{2}$ **32** $\dfrac{7}{5}$

최상위 01
NOTE **삼각비의 제곱 관계**

원은 한 점에서부터 일정한 거리에 있는 모든 점들의 모임이다. 여기서 한 점이 원의 중심이고 일정한 거리는 원의 반지름이 된다. 오른쪽 그림과 같이 원의 중심을 좌표평면 위의 원점에 놓고 반지름이 1인 원을 그린 후에 원 위의 한 점 $P(x, y)$를 잡으면

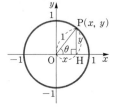

$\triangle OHP$에서 피타고라스 정리에 의해

$x^2+y^2=1$ ...... ㉠

이것을 반지름이 1인 원의 방정식이라 한다.

이때 $\cos\theta=\dfrac{x}{1}=x$, $\sin\theta=\dfrac{y}{1}=y$ ...... ㉡

㉠에 ㉡을 대입하면

$\cos^2\theta+\sin^2\theta=1$

참고 $(\sin\theta)^2$는 $\sin^2\theta$, $(\cos\theta)^2$는 $\cos^2\theta$로 표현한다.

---

1 오른쪽 그림의 △ABC에서 피타고라스정리에 의해

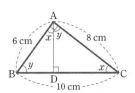

$\overline{BC}=\sqrt{\overline{AB}^2+\overline{AC}^2}$

$=\sqrt{6^2+8^2}=10(cm)$

$\angle ACD=90°-\angle CAD=\angle BAD=\angle x$

$\angle ABD=90°-\angle BAD=\angle CAD=\angle y$

(1) $\sin x=\sin C=\dfrac{\overline{AB}}{\overline{BC}}=\dfrac{6}{10}=\dfrac{3}{5}$

$\sin y=\sin B=\dfrac{\overline{AC}}{\overline{BC}}=\dfrac{8}{10}=\dfrac{4}{5}$

$\therefore \sin x+\sin y=\dfrac{3}{5}+\dfrac{4}{5}=\dfrac{7}{5}$

(2) $\cos x=\cos C=\dfrac{\overline{AC}}{\overline{BC}}=\dfrac{8}{10}=\dfrac{4}{5}$

$\cos y=\cos B=\dfrac{\overline{AB}}{\overline{BC}}=\dfrac{6}{10}=\dfrac{3}{5}$

$\therefore \cos x+\cos y=\dfrac{4}{5}+\dfrac{3}{5}=\dfrac{7}{5}$

(3) $\tan x=\tan C=\dfrac{\overline{AB}}{\overline{AC}}=\dfrac{6}{8}=\dfrac{3}{4}$

$\tan y=\tan B=\dfrac{\overline{AC}}{\overline{AB}}=\dfrac{8}{6}=\dfrac{4}{3}$

$\therefore \tan x+\tan y=\dfrac{3}{4}+\dfrac{4}{3}=\dfrac{25}{12}$

2 오른쪽 그림의 점 C에서 선분 AB에 내린 수선의 발을 D라 하면 $\overline{CD}$는 $\overline{AB}$를 이등분하므로

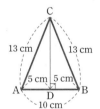

$\overline{AD}=\overline{BD}=\dfrac{1}{2}\overline{AB}=\dfrac{1}{2}\times 10=5(cm)$

△ADC에서

$\overline{CD}=\sqrt{\overline{AC}^2-\overline{AD}^2}=\sqrt{13^2-5^2}=12(cm)$

$\sin A=\dfrac{\overline{CD}}{\overline{AC}}=\dfrac{12}{13}$

$\cos B=\dfrac{\overline{BD}}{\overline{BC}}=\dfrac{5}{13}$

$\tan A=\dfrac{\overline{CD}}{\overline{AD}}=\dfrac{12}{5}$

$\therefore (\sin A+\cos B)\times \tan A=\left(\dfrac{12}{13}+\dfrac{5}{13}\right)\times \dfrac{12}{5}=\dfrac{204}{65}$

TIP 삼각비는 직각삼각형에서만 결정된다.

3 오른쪽 그림과 같이 $\cos x=\dfrac{4}{5}$인 직각삼각형 ABC에서

$\overline{AC}=\sqrt{\overline{AB}^2-\overline{BC}^2}$

$=\sqrt{5^2-4^2}=3$

$\therefore \tan x=\dfrac{\overline{AC}}{\overline{BC}}=\dfrac{3}{4}$

$\sin y=\dfrac{5}{13}$인 직각삼각형 DEF에서

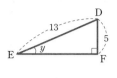

$\overline{EF}=\sqrt{\overline{DE}^2-\overline{DF}^2}$

$=\sqrt{13^2-5^2}=12$

$\therefore \tan y=\dfrac{\overline{DF}}{\overline{EF}}=\dfrac{5}{12}$

$\therefore \tan x+\tan y=\dfrac{3}{4}+\dfrac{5}{12}=\dfrac{7}{6}$

4 오른쪽 그림과 같은 직각삼각형 ABC에서

$\sin A=\dfrac{a}{b}$, $\cos A=\dfrac{c}{b}$

한편, $\sin A:\cos A=5:4$

이므로 $\dfrac{\sin A}{\cos A}=\dfrac{5}{4}$

$\tan A=\dfrac{a}{c}=\dfrac{\dfrac{a}{b}}{\dfrac{c}{b}}=\dfrac{\sin A}{\cos A}=\dfrac{5}{4}$

$\therefore \dfrac{\tan A-2}{\tan A+2}=\dfrac{\dfrac{5}{4}-2}{\dfrac{5}{4}+2}=\dfrac{5-8}{5+8}=-\dfrac{3}{13}$

5 오른쪽 그림에서

$\sin B=\dfrac{\overline{AD}}{\overline{AB}}=\cos(\angle BAD)$

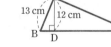

이므로 $\angle BAD=\angle C$

$\angle BAC=\angle BAD+\angle DAC$

$=\angle C+(90°-\angle C)=90°$

△ABD에서 $\overline{BD}=\sqrt{13^2-12^2}=5(cm)$이고,

△ABD∽△CAD이므로

$\overline{BA}:\overline{AC}=\overline{BD}:\overline{AD}$에서 $13:\overline{AC}=5:12$, $5\overline{AC}=156$

$\therefore \overline{AC}=\dfrac{156}{5}$ cm

6 (1) $\sin^2 60°+\tan 30°\times \cos 30°+\cos^2 60°$

$=\left(\dfrac{\sqrt{3}}{2}\right)^2+\dfrac{1}{\sqrt{3}}\times \dfrac{\sqrt{3}}{2}+\left(\dfrac{1}{2}\right)^2=\dfrac{3}{4}+\dfrac{1}{2}+\dfrac{1}{4}=\dfrac{3}{2}$

(2) $\dfrac{1}{\tan 60°-1}\div \dfrac{3\tan 30°+1}{4\cos 60°}$

$=\dfrac{1}{\sqrt{3}-1}\div \dfrac{3\times \dfrac{1}{\sqrt{3}}+1}{4\times \dfrac{1}{2}}=\dfrac{1}{\sqrt{3}-1}\times \dfrac{2}{\sqrt{3}+1}$

$=\dfrac{2}{3-1}=1$

7 ① (주어진 식)$=0-\dfrac{1}{\sqrt{3}}\times\sqrt{3}+0=-1$

② (주어진 식)$=\left(\dfrac{\sqrt{3}}{2}\right)^2+\left(\dfrac{1}{2}\right)^2-2\times1\times1$

$\qquad\qquad\quad=\dfrac{3}{4}+\dfrac{1}{4}-2=-1$

③ (주어진 식)$=\left(1+\dfrac{\sqrt{2}}{2}\right)\times\left(1-\dfrac{\sqrt{2}}{2}\right)=1-\dfrac{1}{2}=\dfrac{1}{2}$

④ (주어진 식)$=0-\dfrac{\sqrt{3}}{2}\times\dfrac{1}{\sqrt{3}}+\dfrac{1}{2}=0$

⑤ (주어진 식)$=\sqrt{3}\times\sqrt{3}-2\times1=3-2=1$

따라서 옳지 않은 것은 ③이다.

> **TIP** x의 값이 $0°$에서 $90°$로 증가하면
> (1) $\sin x \Rightarrow$ 0에서 1로 증가
> (2) $\cos x \Rightarrow$ 1에서 0으로 감소
> (3) $\tan x \Rightarrow$ 0에서 무한히 증가

8 $\tan A=x$라 하면 $\dfrac{1-x}{1+x}=2-\sqrt{3}$

$1-x=(2-\sqrt{3})(1+x)$, $(\sqrt{3}-3)x=1-\sqrt{3}$

$\therefore x=\dfrac{1-\sqrt{3}}{\sqrt{3}(1-\sqrt{3})}=\dfrac{1}{\sqrt{3}}$

$\tan A=\dfrac{1}{\sqrt{3}}$이므로 $\angle A=30°$

9 △ABC에서

$\angle B=180°-(90°+30°)=60°$

△ADC에서

$\angle CAD=180°-(90°+30°)=60°$

△ABD에서

$\angle BAD=180°-(90°+60°)=30°$

$\therefore$ (주어진 식)$=\dfrac{\cos 60°}{\sin 60°}+\tan 30°=\dfrac{\dfrac{1}{2}}{\dfrac{\sqrt{3}}{2}}+\dfrac{1}{\sqrt{3}}$

$\qquad\qquad\qquad=\dfrac{1}{\sqrt{3}}+\dfrac{1}{\sqrt{3}}=\dfrac{2\sqrt{3}}{3}$

10 $\angle BAC=180°-(30°+90°)=60°$이므로

$\angle BAD=\angle DAC=\dfrac{1}{2}\angle BAC=\dfrac{1}{2}\times60°=30°$

△ABC에서

$\sin 30°=\dfrac{\overline{AC}}{\overline{AB}}$이므로

$\overline{AC}=\overline{AB}\sin 30°=4\times\dfrac{1}{2}=2(\text{cm})$

$\cos 30°=\dfrac{\overline{BC}}{\overline{AB}}$이므로

$\overline{BC}=\overline{AB}\cos 30°=4\times\dfrac{\sqrt{3}}{2}=2\sqrt{3}(\text{cm})$

△ADC에서

$\tan 30°=\dfrac{\overline{CD}}{\overline{AC}}$이므로

$\overline{CD}=\overline{AC}\tan 30°=2\times\dfrac{1}{\sqrt{3}}=\dfrac{2}{\sqrt{3}}=\dfrac{2\sqrt{3}}{3}(\text{cm})$

$\therefore \overline{BD}=\overline{BC}-\overline{CD}=2\sqrt{3}-\dfrac{2\sqrt{3}}{3}=\dfrac{4\sqrt{3}}{3}(\text{cm})$

11 $15°\leq\angle x\leq60°$이므로

$0°\leq2\angle x-30°\leq90°$

$\cos(2x-30°)=\dfrac{\sqrt{3}}{2}$이므로

$2\angle x-30°=30°\qquad\therefore \angle x=30°$

$\therefore \tan x=\tan 30°=\dfrac{\sqrt{3}}{3}$

12 $\tan A=2$이므로 오른쪽 그림과 같은
직각삼각형 ABC에서 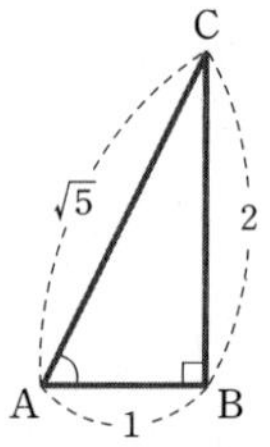
$\overline{AC}=\sqrt{1^2+2^2}=\sqrt{5}$

$\sin A=\dfrac{2}{\sqrt{5}}=\dfrac{2\sqrt{5}}{5}$

$\cos A=\dfrac{1}{\sqrt{5}}=\dfrac{\sqrt{5}}{5}$

$\therefore \dfrac{3\sin A+2\cos A}{2\sin A-\cos A}=\dfrac{3\times\dfrac{2\sqrt{5}}{5}+2\times\dfrac{\sqrt{5}}{5}}{2\times\dfrac{2\sqrt{5}}{5}-\dfrac{\sqrt{5}}{5}}=\dfrac{8}{3}$

13 (1) △ADE에서

$\tan x=\dfrac{\overline{DE}}{\overline{AD}}=\overline{DE}\ (\because \overline{AD}=1)$

(2) $\sin x=\dfrac{\overline{BC}}{\overline{AC}}=\overline{BC}\ (\because \overline{AC}=1)$이고

$\overline{BC}<\overline{DE}$이므로 $\sin x<\tan x$

> **TIP** 반지름의 길이가 1인 사분원에서 삼각비의 값은 길이가 1인 선분을
> 이용하여 구한다.
> 즉, $\sin$, $\cos$은 빗변의 길이가 1인 직각삼각형을 이용하고, $\tan$는 밑변의
> 길이가 1인 직각삼각형을 이용하여 구한다.

14 점 A의 x좌표를 a라 하면

△AOB에서 $a^2+\left(\dfrac{\sqrt{3}}{3}\right)^2=1^2$이므로 $a=\dfrac{\sqrt{6}}{3}\ (\because a>0)$

$\therefore \tan\theta=\dfrac{\overline{AB}}{\overline{OB}}=\dfrac{\dfrac{\sqrt{3}}{3}}{\dfrac{\sqrt{6}}{3}}=\dfrac{1}{\sqrt{2}}=\dfrac{\sqrt{2}}{2}$

15 (1) 오른쪽 그림에서 점 A에서 $\overline{BC}$에 내린 수선의 발을 D라 하면 △ABD에서

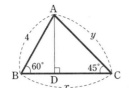

$\overline{BD}=4\cos 60°=4\times\dfrac{1}{2}=2$

$\overline{AD}=4\sin 60°=4\times\dfrac{\sqrt{3}}{2}=2\sqrt{3}$

△ADC에서

$y=\overline{AC}=\dfrac{\overline{AD}}{\sin 45°}=\dfrac{2\sqrt{3}}{\frac{\sqrt{2}}{2}}=2\sqrt{6}$

또, $\overline{CD}=\overline{AD}=2\sqrt{3}$이므로

$x=\overline{BD}+\overline{CD}=2+2\sqrt{3}$

(2) 오른쪽 그림의 점 A에서 $\overline{BC}$에 내린 수선의 발을 D라 하면 △ABD에서

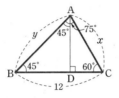

$\angle BAD=180°-(45°+90°)$
$\qquad\quad=45°$

이므로

$\overline{BD}=\overline{AD}=\overline{AB}\sin 45°=\dfrac{y}{\sqrt{2}}$ ······ ㉠

△ADC에서

$\angle ACD=180°-(45°+75°)=60°$이므로

$\overline{AD}=\overline{AC}\sin 60°=\dfrac{\sqrt{3}}{2}x$ ······ ㉡

$\overline{CD}=\overline{AC}\cos 60°=\dfrac{x}{2}$

㉠, ㉡에서 $\dfrac{y}{\sqrt{2}}=\dfrac{\sqrt{3}}{2}x$ $\therefore y=\dfrac{\sqrt{6}}{2}x$

$\overline{BC}=\overline{BD}+\overline{CD}=\dfrac{y}{\sqrt{2}}+\dfrac{x}{2}=12$이므로

$\dfrac{1}{\sqrt{2}}\times\dfrac{\sqrt{6}}{2}x+\dfrac{x}{2}=12,\ \dfrac{\sqrt{3}}{2}x+\dfrac{x}{2}=12$

$(\sqrt{3}+1)x=24$

$\therefore x=12(\sqrt{3}-1),\ y=6\sqrt{6}(\sqrt{3}-1)$

16 오른쪽 그림의 △ABD에서

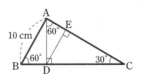

$\overline{AD}=\overline{AB}\sin 60°$
$\qquad=10\times\dfrac{\sqrt{3}}{2}=5\sqrt{3}(\mathrm{cm})$

△ADE에서

$\overline{DE}=\overline{AD}\sin 60°=5\sqrt{3}\times\dfrac{\sqrt{3}}{2}=\dfrac{15}{2}(\mathrm{cm})$

△DCE에서

$\angle DCE=180°-(90°+60°)=30°$이므로

$\overline{CE}=\dfrac{\overline{DE}}{\tan 30°}=\dfrac{15}{2}\times\sqrt{3}=\dfrac{15\sqrt{3}}{2}(\mathrm{cm})$

17 오른쪽 그림의 △OBD에서

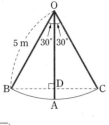

$\overline{OD}=\overline{OB}\cos 30°$
$\qquad=5\times\dfrac{\sqrt{3}}{2}=\dfrac{5\sqrt{3}}{2}(\mathrm{m})$

가장 높을 때와 가장 낮을 때의 높이의 차는 $\overline{AD}$이므로

$\overline{AD}=\overline{OA}-\overline{OD}=5-\dfrac{5\sqrt{3}}{2}=\dfrac{5(2-\sqrt{3})}{2}(\mathrm{m})$

18 오른쪽 그림에서 다리의 길이를 x m라 하면

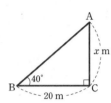

$x=20\tan 40°$
$\ =20\times 0.84$
$\ =16.8$

따라서 다리의 길이는 16.8 m이다.

19 오른쪽 그림에서 산의 높이를 x m라 하면

$\overline{BC}=\overline{CD}=x$ m

$\tan 30°=\dfrac{\overline{CD}}{\overline{AC}}$에서

$\dfrac{1}{\sqrt{3}}=\dfrac{x}{100+x},\ \sqrt{3}x=100+x$

$(\sqrt{3}-1)x=100$ $\therefore x=\dfrac{100}{\sqrt{3}-1}=50(\sqrt{3}+1)$

따라서 산의 높이는 $50(\sqrt{3}+1)$ m이다.

20 오른쪽 그림의 점 B에서 $\overline{AC}$에 내린 수선의 발을 H라 하면 △ABH에서

$\overline{BH}=\overline{AB}\sin 45°$
$\qquad=300\times\dfrac{\sqrt{2}}{2}$
$\qquad=150\sqrt{2}(\mathrm{m})$

$\angle ABH=180°-(45°+90°)=45°$

△HBC에서

$\angle CBH=75°-45°=30°$

$\therefore \overline{BC}=\dfrac{\overline{BH}}{\cos 30°}=150\sqrt{2}\times\dfrac{2}{\sqrt{3}}=100\sqrt{6}(\mathrm{m})$

TIP 특수각에 대한 삼각비의 값을 이용할 수 있도록 보조선을 긋는다. 이때 특수각이 아닌 각에서 그 대변에 수선을 그어 생각해야 특수각을 이용할 수 있다.

21 오른쪽 그림에서
$\overline{AC}=\overline{BC}=a$라 하면
△ACD에서

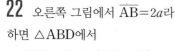

$\overline{CD}=\overline{AC}\cos30°=\dfrac{\sqrt{3}}{2}a$

$\overline{AD}=\overline{AC}\sin30°=\dfrac{a}{2}$

△ABC는 $\overline{AC}=\overline{BC}$인 이등변삼각형이므로

∠ABC=∠BAC

이때 ∠ABC+∠BAC=∠ACD이므로

$∠ABC=∠BAC=\dfrac{1}{2}∠ACD=\dfrac{1}{2}×30°=15°$

$\therefore \tan15°=\dfrac{\overline{AD}}{\overline{BD}}=\dfrac{\dfrac{a}{2}}{a+\dfrac{\sqrt{3}}{2}a}$

$\qquad\qquad =\dfrac{a}{(2+\sqrt{3})a}=\dfrac{1}{2+\sqrt{3}}$

$\qquad\qquad =2-\sqrt{3}$

22 오른쪽 그림에서 $\overline{AB}=2a$라
하면 △ABD에서

∠ABD=180°−(30°+90°)

$\qquad\quad =60°$

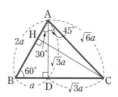

이므로

$\overline{BD}=2a\cos60°=2a×\dfrac{1}{2}=a$

$\overline{AD}=2a\sin60°=2a×\dfrac{\sqrt{3}}{2}=\sqrt{3}a$

또, △ADC에서

$\overline{DC}=\sqrt{3}a\tan45°=\sqrt{3}a×1=\sqrt{3}a$

$\overline{AC}=\dfrac{\sqrt{3}a}{\cos45°}=\dfrac{\sqrt{3}a}{\dfrac{\sqrt{2}}{2}}=\sqrt{6}a$

점 C에서 $\overline{AB}$에 내린 수선의 발을 H라 하면
△BCH에서

$\overline{CH}=\overline{BC}\sin60°=(1+\sqrt{3})a×\dfrac{\sqrt{3}}{2}=\dfrac{3+\sqrt{3}}{2}a$

$\therefore \sin75°=\dfrac{\overline{CH}}{\overline{AC}}=\dfrac{\dfrac{3+\sqrt{3}}{2}a}{\sqrt{6}a}=\dfrac{\sqrt{6}+\sqrt{2}}{4}$

23 (1) $△ABC=\dfrac{1}{2}×4×6×\sin45°$

$\qquad\qquad =\dfrac{1}{2}×4×6×\dfrac{\sqrt{2}}{2}=6\sqrt{2}(cm^2)$

(2) ∠A=180°−(40°+20°)=120°

$\qquad \therefore △ABC=\dfrac{1}{2}×4×8×\sin(180°-120°)$

$\qquad\qquad\qquad =\dfrac{1}{2}×4×8×\dfrac{\sqrt{3}}{2}=8\sqrt{3}(cm^2)$

(3) $□ABCD=\dfrac{1}{2}×5×6×\sin(180°-120°)$

$\qquad\qquad =\dfrac{1}{2}×5×6×\dfrac{\sqrt{3}}{2}$

$\qquad\qquad =\dfrac{15\sqrt{3}}{2}(cm^2)$

(4) 오른쪽 그림의 □ABCD는 등변사
다리꼴이므로

∠C=∠B=60°

$\overline{BA}$, $\overline{CD}$의 연장선의 교점을
E라 하면

∠EAD=∠EBC=60° (동위각)

∠EDA=∠ECB=60° (동위각)

∠BEC=180°−(60°+60°)=60°

즉, △EBC, △EAD는 정삼각형이므로

$\overline{EA}=\overline{EB}-\overline{AB}=10-6=4(cm)$

$\therefore □ABCD$

$\quad =△EBC-△EAD$

$\quad =\dfrac{1}{2}×10×10×\sin60°-\dfrac{1}{2}×4×4×\sin60°$

$\quad =\dfrac{1}{2}×10×10×\dfrac{\sqrt{3}}{2}-\dfrac{1}{2}×4×4×\dfrac{\sqrt{3}}{2}$

$\quad =21\sqrt{3}(cm^2)$

24 $△ABC=\dfrac{1}{2}×8×5×\sin B=10$이므로

$\sin B=\dfrac{1}{2}$ $\quad\therefore ∠B=30°$

25 오른쪽 그림에서

$△ABC=\dfrac{1}{2}×6×12×\sin60°$

$\qquad\quad =\dfrac{1}{2}×6×12×\dfrac{\sqrt{3}}{2}$

$\qquad\quad =18\sqrt{3}(cm^2)$

점 C에서 $\overline{AB}$에 내린 수선의 발을 H라 하면
△AHC에서

$\overline{CH}=\overline{AC}\sin60°=6×\dfrac{\sqrt{3}}{2}=3\sqrt{3}(cm)$

$\overline{AH}=\overline{AC}\cos60°=6×\dfrac{1}{2}=3(cm)$

$\overline{BH}=\overline{AB}-\overline{AH}=12-3=9(cm)$

△CHB에서

$\overline{BC}=\sqrt{\overline{CH}^2+\overline{HB}^2}=\sqrt{(3\sqrt{3})^2+9^2}=6\sqrt{3}(cm)$

내접원의 반지름의 길이를 r cm라 하면

$△ABC=\dfrac{1}{2}×r×(6+12+6\sqrt{3})=18\sqrt{3}$에서

$r(9+3\sqrt{3})=18\sqrt{3}$

$\therefore r=\dfrac{18\sqrt{3}}{9+3\sqrt{3}}=3(\sqrt{3}-1)$

따라서 내접원의 반지름의 길이는 $3(\sqrt{3}-1)$ cm이다.

26 (1) 오른쪽 그림에서 점 G는

△ABC의 무게중심이므로

$\overline{AG}:\overline{GM}=2:1$에서

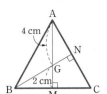

$4:\overline{GM}=2:1$

$2\overline{GM}=4$ ∴ $\overline{GM}=2$ cm

∴ $\overline{AM}=\overline{AG}+\overline{GM}=4+2=6$(cm)

또한, $\overline{AM}=\overline{AB}\sin 60°$이므로

$\overline{AM}=\dfrac{\sqrt{3}}{2}\overline{AB}=6$

∴ $\overline{AB}=4\sqrt{3}$ cm

(2) $\triangle ABC=\dfrac{1}{2}\times\overline{AB}\times\overline{BC}\times\sin 60°$

$\qquad\quad=\dfrac{\sqrt{3}}{4}\times\overline{AB}^2=30\sqrt{3}$(cm²)

$\overline{AB}^2=120$ ∴ $\overline{AB}=2\sqrt{30}$ cm

점 G는 △ABC의 무게중심이므로

$\overline{BG}=\dfrac{2}{3}\overline{BN}=\dfrac{2}{3}\times\left(\dfrac{\sqrt{3}}{2}\overline{AB}\right)$

$\qquad=\dfrac{\sqrt{3}}{3}\overline{AB}=\dfrac{\sqrt{3}}{3}\times 2\sqrt{30}$

$\qquad=2\sqrt{10}$(cm)

27 한 변의 길이가 10 cm인 정육각형

은 오른쪽 그림과 같이 한 변의 길이가

10 cm인 정삼각형 6개로 나누어지므로

구하는 넓이 S는

$S=\left(\dfrac{1}{2}\times 10\times 10\times\sin 60°\right)\times 6$

$\quad=\left(\dfrac{\sqrt{3}}{4}\times 10^2\right)\times 6$

$\quad=150\sqrt{3}$(cm²)

28 오른쪽 그림에서 정팔각형의 한

내각의 크기는

$\dfrac{180°\times(8-2)}{8}=135°$

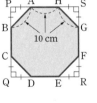

이므로 △APB에서

$\angle PAB=\angle PBA=180°-135°=45°$

$\overline{AB}=10$ cm이므로

$\overline{PB}=\overline{AB}\sin 45°=10\times\dfrac{\sqrt{2}}{2}=5\sqrt{2}$(cm)

따라서 정팔각형의 넓이 S는

$S=\square PQRS-4\triangle APB$

$\quad=(10\sqrt{2}+10)^2-4\left(\dfrac{1}{2}\times 5\sqrt{2}\times 5\sqrt{2}\right)$

$\quad=100(3+2\sqrt{2})-100$

$\quad=200(\sqrt{2}+1)$(cm²)

29 (1) 오른쪽 그림과 같이 정팔각

형의 한 변의 길이를 x cm라 하

면

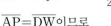

$\overline{AP}=\overline{PQ}\sin 45°=\dfrac{\sqrt{2}}{2}x$(cm)

$\overline{AP}=\overline{DW}$이므로

$\overline{AD}=\sqrt{2}x+x=8$

$(\sqrt{2}+1)x=8$

∴ $x=\dfrac{8}{\sqrt{2}+1}=8(\sqrt{2}-1)$

따라서 정팔각형의 한 변의 길이는 $8(\sqrt{2}-1)$ cm이다.

(2) 정팔각형의 넓이 S는

$S=\square ABCD-4\triangle AQP$

$\quad=8^2-4\left(\dfrac{1}{2}\times\dfrac{1}{2}x^2\right)$

$\quad=64-x^2$

$\quad=64-\{8(\sqrt{2}-1)\}^2$

$\quad=64-64(3-2\sqrt{2})$

$\quad=128(\sqrt{2}-1)$(cm²)

30 (1) $\sin^2 20°+\sin^2 70°+\tan 20°\times\tan 70°$

$=\sin^2 20°+\cos^2(90°-70°)$

$\qquad\qquad\quad+\tan 20°\times\dfrac{1}{\tan(90°-70°)}$

$=\sin^2 20°+\cos^2 20°+\tan 20°\times\dfrac{1}{\tan 20°}$

$=1+1$

$=2$

(2) $(\sin 25°+\cos 25°)^2+(\sin 25°-\cos 25°)^2$

$\qquad\qquad\qquad\qquad+\tan 25°\times\tan 65°$

$=\sin^2 25°+\cos^2 25°+2\sin 25°\times\cos 25°$

$\qquad\quad+\sin^2 25°+\cos^2 25°-2\sin 25°\times\cos 25°$

$\qquad\qquad\qquad\quad+\tan 25°\times\dfrac{1}{\tan(90°-65°)}$

$=1+2\sin 25°\times\cos 25°+1-2\sin 25°\times\cos 25°$

$\qquad\qquad\qquad\qquad+\tan 25°\times\dfrac{1}{\tan 25°}$

$=1+1+1$

$=3$

31 $(\sin x+\cos x)^2=\sin^2 x+2\sin x\times\cos x+\cos^2 x$

$\qquad\qquad\qquad=(\sin^2 x+\cos^2 x)+2\times\dfrac{1}{4}$

$\qquad\qquad\qquad=1+\dfrac{1}{2}=\dfrac{3}{2}$

∴ $\sin x+\cos x=\dfrac{\sqrt{6}}{2}$ $(∵ \sin x>0, \cos x>0)$

32 오른쪽 그림과 같이 $\sin A = \dfrac{4}{5}$인

직각삼각형 ABC에서

$\overline{AB} = \sqrt{5^2 - 4^2} = 3$

이므로 $\tan A = \dfrac{4}{3}$

$\sin(90° - A) = \cos A = \dfrac{3}{5}$

$\tan(90° - A) = \dfrac{1}{\tan A} = \dfrac{3}{4}$

$\cos(90° - A) = \sin A = \dfrac{4}{5}$

$\therefore$ (주어진 식) $= \dfrac{4}{3} \times \dfrac{3}{5} + \dfrac{3}{4} \times \dfrac{4}{5} = \dfrac{4}{5} + \dfrac{3}{5} = \dfrac{7}{5}$

다른 풀이

(주어진 식) $= \dfrac{\sin A}{\cos A} \times \cos A + \dfrac{1}{\tan A} \times \sin A$

$= \dfrac{\sin A}{\cos A} \times \cos A + \dfrac{\cos A}{\sin A} \times \sin A$

$= \sin A + \cos A$

$= \dfrac{4}{5} + \dfrac{3}{5} = \dfrac{7}{5}$

2^{STEP} 실력 높이기

1 $\dfrac{\sqrt{3}}{3}$ **2** $\sin\theta = \dfrac{3\sqrt{10}}{10}$, $\cos\theta = \dfrac{\sqrt{10}}{10}$, $\tan\theta = 3$ **3** $\dfrac{5\sqrt{13}}{13}$ **4** $2 - \sqrt{3}$ **5** $\dfrac{2\sqrt{13}}{13}$

6 1 **7** (1) $\dfrac{89}{2}$ (2) 1 **8** (1) $\dfrac{40}{9}$ (2) $\dfrac{32}{9}$ (3) $\pm\dfrac{\sqrt{7}}{4}$ **9** ② **10** (1) $2\sqrt{7}$ (2) $2\sqrt{7}$

11 $14\sqrt{3}$ m **12** $50(\sqrt{3}+1)$ m **13** $\dfrac{4}{3}$ **14** $\dfrac{200(8\sqrt{5}-5\sqrt{2})}{27}$ m **15** $\dfrac{63\sqrt{3}}{2}$ cm²

16 (1) $\dfrac{20\sqrt{3}}{3}$ cm² (2) $15\sqrt{3}$ cm² **17** $4(\sqrt{3}-1)$ **18** $\dfrac{25(5\sqrt{3}-2\pi)}{12}$ cm² **19** 100 cm²

20 $(10-5\sqrt{3})$ cm **21** $75\sqrt{3}$ cm² **22** $\dfrac{12\sqrt{3}}{5}$ cm **23** 3 : 5 : 7 **24** $5\sqrt{13}$ cm **25** $\dfrac{9\sqrt{5}}{16}$

26 $\dfrac{\sqrt{3}}{3}$ **27** $\dfrac{14}{3}\pi - 4\sqrt{3} - 4$

문제 풀이

1 오른쪽 그림과 같이 $\angle C = 90°$

이고 $\overline{AB} = c = 2a$, $\overline{BC} = a$인

직각삼각형 ABC에서

$\overline{AC} = \sqrt{\overline{AB}^2 - \overline{BC}^2}$

$= \sqrt{(2a)^2 - a^2} = \sqrt{3}a$

$\therefore \tan A = \dfrac{\overline{BC}}{\overline{AC}} = \dfrac{a}{\sqrt{3}a} = \dfrac{\sqrt{3}}{3}$

2 △PAQ와 △CAB에서

$\angle AQP = \angle ABC = 90°$, $\angle A$는 공통이므로

△PAQ ∽ △CAB(AA 닮음)

$\overline{AQ} : \overline{AB} = \overline{PQ} : \overline{CB}$이므로

$\overline{AQ} = x$ cm라 하면

$x : (x+6) = 3 : 5$, $5x = 3(x+6)$

$2x = 18$ $\therefore x = 9$

△PAQ에서 $\overline{AP} = \sqrt{9^2 + 3^2} = 3\sqrt{10}$ (cm)이므로

$\sin\theta = \dfrac{\overline{AQ}}{\overline{AP}} = \dfrac{9}{3\sqrt{10}} = \dfrac{3\sqrt{10}}{10}$

$\cos\theta = \dfrac{\overline{PQ}}{\overline{AP}} = \dfrac{3}{3\sqrt{10}} = \dfrac{\sqrt{10}}{10}$

$\tan\theta = \dfrac{\overline{AQ}}{\overline{PQ}} = \dfrac{9}{3} = 3$

3 서술형

표현 단계 △ABC는 $\angle A = 90°$인 직각삼각형이므로

$\overline{BC} = \sqrt{6^2 + 4^2} = \sqrt{52} = 2\sqrt{13}$

변형 단계 △ABC에서

$\sin x = \dfrac{\overline{AC}}{\overline{BC}} = \dfrac{4}{2\sqrt{13}} = \dfrac{2\sqrt{13}}{13}$

$$\angle ACB = 90° - \angle x = \angle BAH = \angle y$$

$$\therefore \sin y = \frac{\overline{AB}}{\overline{BC}} = \frac{6}{2\sqrt{13}} = \frac{3\sqrt{13}}{13}$$

풀이 단계 $\therefore \sin x + \sin y = \frac{2\sqrt{13}}{13} + \frac{3\sqrt{13}}{13} = \frac{5\sqrt{13}}{13}$

4 서술형

표현 단계 △ABC에서

$$\angle BAC = \angle ACD - \angle ABC = 30° - 15° = 15°$$

따라서 △ABC는 이등변삼각형이다.

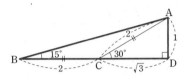

변형 단계 즉, $\overline{AC} = \overline{BC} = 2$이므로

△ACD에서 $\overline{CD} = \sqrt{3}$, $\overline{AD} = 1$

풀이 단계 $\therefore \tan 15° = \frac{\overline{AD}}{\overline{BD}} = \frac{1}{2+\sqrt{3}} = 2 - \sqrt{3}$

5 오른쪽 그림과 같이 $\overline{OB}$를 그으면

$\overline{OB} = \overline{OA} = 4 \text{ cm}$

△OAB는 $\overline{OA} = \overline{OB}$인 이등변삼각

형이므로

$$\angle OBA = \angle OAB = 45°$$

$$\therefore \angle BOC = \angle OAB + \angle OBA = 45° + 45° = 90°$$

직각삼각형 OBC에서

$$\overline{BC} = \sqrt{\overline{OB}^2 + \overline{OC}^2} = \sqrt{4^2 + 6^2} = 2\sqrt{13} \text{(cm)}$$

$$\therefore \sin C = \frac{\overline{OB}}{\overline{BC}} = \frac{4}{2\sqrt{13}} = \frac{2\sqrt{13}}{13}$$

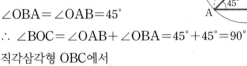

6 $\left(\sin A - \frac{1}{\sin A}\right)^2 = \sin^2 A + \frac{1}{\sin^2 A} - 2$

$\left(\cos A - \frac{1}{\cos A}\right)^2 = \cos^2 A + \frac{1}{\cos^2 A} - 2$

$\left(\tan A - \frac{1}{\tan A}\right)^2 = \tan^2 A + \frac{1}{\tan^2 A} - 2$

∴ (주어진 식)

$= (\sin^2 A + \cos^2 A) + \left(\frac{1}{\cos^2 A} - \tan^2 A\right)$

$\qquad + \left(\frac{1}{\sin^2 A} - \frac{1}{\tan^2 A}\right) - 2$

$= 1 + \left(\frac{1}{\cos^2 A} - \frac{\sin^2 A}{\cos^2 A}\right) + \left(\frac{1}{\sin^2 A} - \frac{\cos^2 A}{\sin^2 A}\right) - 2$

$= 1 + \frac{1 - \sin^2 A}{\cos^2 A} + \frac{1 - \cos^2 A}{\sin^2 A} - 2$

$= 1 + \frac{\cos^2 A}{\cos^2 A} + \frac{\sin^2 A}{\sin^2 A} - 2$

$= 1 + 1 + 1 - 2 = 1$

7 서술형

(1) 표현 단계 $\sin(90° - x) = \cos x$이므로

변형 단계 $\sin^2 1° + \sin^2 89° = \sin^2 1° + \cos^2 1° = 1$

$\sin^2 2° + \sin^2 88° = \sin^2 2° + \cos^2 2° = 1$

$\sin^2 3° + \sin^2 87° = \sin^2 3° + \cos^2 3° = 1$

$\qquad\qquad\vdots$

$\sin^2 44° + \sin^2 46° = \sin^2 44° + \cos^2 44° = 1$

$\sin^2 45° = \left(\frac{1}{\sqrt{2}}\right)^2 = \frac{1}{2}$

풀이 단계 $\therefore \sin^2 1° + \sin^2 2° + \sin^2 3° + \cdots + \sin^2 89°$

$\qquad = 1 \times 44 + \frac{1}{2} = \frac{89}{2}$

(2) 표현 단계 $\tan(90° - x) = \frac{1}{\tan x}$이므로

변형 단계 $\tan 1° \times \tan 89° = \tan 1° \times \frac{1}{\tan 1°} = 1$

$\tan 2° \times \tan 88° = \tan 2° \times \frac{1}{\tan 2°} = 1$

$\tan 3° \times \tan 87° = \tan 3° \times \frac{1}{\tan 3°} = 1$

$\qquad\qquad\vdots$

$\tan 44° \times \tan 46° = \tan 44° \times \frac{1}{\tan 44°} = 1$

$\tan 45° = 1$

풀이 단계 $\therefore \tan 1° \times \tan 2° \times \tan 3° \times \cdots \times \tan 89° = 1$

8 $\sin x + \cos x = \frac{5}{4}$의 양변을 제곱하면

$$\sin^2 x + \cos^2 x + 2\sin x \cos x = \frac{25}{16}$$

$$1 + 2\sin x \cos x = \frac{25}{16}, \ 2\sin x \cos x = \frac{9}{16}$$

$$\therefore \sin x \cos x = \frac{9}{32}$$

(1) $\frac{1}{\cos x} + \frac{1}{\sin x} = \frac{\sin x + \cos x}{\sin x \cos x} = \frac{5}{4} \times \frac{32}{9} = \frac{40}{9}$

(2) $\tan x + \frac{1}{\tan x} = \frac{\sin x}{\cos x} + \frac{\cos x}{\sin x} = \frac{\sin^2 x + \cos^2 x}{\sin x \cos x}$

$\qquad\qquad = \frac{1}{\sin x \cos x} = \frac{32}{9}$

(3) $(\sin x - \cos x)^2 = (\sin x + \cos x)^2 - 4\sin x \cos x$

$\qquad\qquad = \left(\frac{5}{4}\right)^2 - 4 \times \frac{9}{32} = \frac{25}{16} - \frac{18}{16} = \frac{7}{16}$

$\qquad \therefore \sin x - \cos x = \pm \frac{\sqrt{7}}{4}$

9 한 변의 길이가 a인 정삼각형의 넓이는

$\frac{1}{2} \times a \times a \times \sin 60° = \frac{\sqrt{3}}{4} a^2$이고,

한 변의 길이가 b인 정육각형의 넓이는

$\left(\frac{1}{2} \times b \times b \times \sin 60°\right) \times 6 = \frac{\sqrt{3}}{4} \times b^2 \times 6 = \frac{3\sqrt{3}}{2} b^2$

두 도형의 넓이가 같으므로

$\dfrac{\sqrt{3}}{4}a^2=\dfrac{3\sqrt{3}}{2}b^2$에서

$a^2=6b^2$ $\quad\therefore a=\sqrt{6}b$ $(\because a>0,\ b>0)$

따라서 둘레의 길이는 정삼각형이 $3a$, 정육각형이 $6b$이므로 구하는 비는

$3a:6b=a:2b=\sqrt{6}b:2b$

$\qquad\qquad=\sqrt{6}:2=\sqrt{3}:\sqrt{2}$

10 (1) 오른쪽 그림의 점 A에서 $\overline{BC}$의 연장선에 내린 수선의 발을 D라 하면

△ACD에서

∠ACD=60°이므로

$\overline{AD}=\overline{AC}\sin 60°$

$\qquad=4\times\dfrac{\sqrt{3}}{2}=2\sqrt{3}$

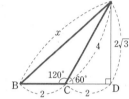

$\overline{CD}=\overline{AC}\cos 60°=4\times\dfrac{1}{2}=2$

△ABD가 직각삼각형이므로

$x=\sqrt{\overline{AD}^2+\overline{BD}^2}=\sqrt{(2\sqrt{3})^2+4^2}=\sqrt{28}=2\sqrt{7}$

(2) 오른쪽 그림의 점 C에서 $\overline{AB}$의 연장선에 내린 수선의 발을 D라 하면

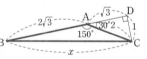

△ACD에서 ∠CAD=30°이므로

$\overline{AD}=\overline{CA}\cos 30°=2\times\dfrac{\sqrt{3}}{2}=\sqrt{3}$

$\overline{CD}=\overline{CA}\sin 30°=2\times\dfrac{1}{2}=1$

△BCD가 직각삼각형이므로

$x=\sqrt{\overline{BD}^2+\overline{CD}^2}=\sqrt{(3\sqrt{3})^2+1^2}=\sqrt{28}=2\sqrt{7}$

11 서술형

변형 단계 △BHD에서

$\overline{BH}=\overline{BD}\cos 30°=4\sqrt{3}\times\dfrac{\sqrt{3}}{2}=6(m)$

$\overline{DH}=\overline{BD}\sin 30°=4\sqrt{3}\times\dfrac{1}{2}=2\sqrt{3}(m)$

$\therefore \overline{AH}=\overline{AB}+\overline{BH}=10+6=16(m)$

풀이 단계 △AHC에서

$\overline{CH}=\overline{AH}\tan 60°=16\times\sqrt{3}=16\sqrt{3}(m)$

$\therefore \overline{CD}=\overline{CH}-\overline{DH}=16\sqrt{3}-2\sqrt{3}=14\sqrt{3}(m)$

확인 단계 따라서 국기 계양대만의 높이는 $14\sqrt{3}$ m이다.

12 서술형

표현 단계 ∠BDC=180°−(45°+90°)=45°이므로 $\overline{BC}=\overline{CD}=x$ m라 하면

변형 단계 $\tan 30°=\dfrac{\overline{CD}}{\overline{AC}}=\dfrac{\overline{CD}}{\overline{AB}+\overline{BC}}=\dfrac{x}{100+x}$에서

$\dfrac{1}{\sqrt{3}}=\dfrac{x}{100+x}$

풀이 단계 $\sqrt{3}x=100+x,\ (\sqrt{3}-1)x=100$

$\therefore x=\dfrac{100}{\sqrt{3}-1}=\dfrac{100(\sqrt{3}+1)}{2}=50(\sqrt{3}+1)$

확인 단계 따라서 이 기구의 높이는 $50(\sqrt{3}+1)$ m이다.

13 △ABC가 직각삼각형이므로 $c^2=a^2+b^2$

$c=a+\dfrac{b}{2}$에서 $\left(a+\dfrac{b}{2}\right)^2=a^2+b^2$

$a^2+ab+\dfrac{b^2}{4}=a^2+b^2,\ \dfrac{3}{4}b^2=ab$

이때 $b>0$이므로 $a=\dfrac{3}{4}b$

$\therefore \tan x=\dfrac{b}{a}=\dfrac{4}{3}$

14 서술형

표현 단계 점 C에서 $\overline{AB}$에 내린 수선의 발을 H라 하자.

또, $\cos\alpha=\dfrac{2}{3}$, $\cos\beta=\dfrac{1}{3}$이므로

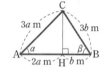

$\overline{AC}=3a$ m, $\overline{AH}=2a$ m, $\overline{BC}=3b$ m, $\overline{BH}=b$ m라 하자.

변형 단계 △ACH에서 $\overline{CH}=\sqrt{(3a)^2-(2a)^2}=\sqrt{5}a(m)$

△BCH에서 $\overline{CH}=\sqrt{(3b)^2-b^2}=2\sqrt{2}b(m)$

$\therefore \sqrt{5}a=2\sqrt{2}b$ ...... ㉠

또, $\overline{AB}=\overline{AH}+\overline{BH}=2a+b=100(m)$

$\therefore b=100-2a$ ...... ㉡

풀이 단계 ㉡을 ㉠에 대입하면

$\sqrt{5}a=2\sqrt{2}(100-2a),\ \sqrt{5}a=200\sqrt{2}-4\sqrt{2}a$

$(4\sqrt{2}+\sqrt{5})a=200\sqrt{2}$

$\therefore a=\dfrac{200\sqrt{2}}{4\sqrt{2}+\sqrt{5}}=\dfrac{200\sqrt{2}(4\sqrt{2}-\sqrt{5})}{27}$

$\qquad=\dfrac{1600-200\sqrt{10}}{27}$

$\therefore \overline{CH}=\sqrt{5}a=\sqrt{5}\times\dfrac{1600-200\sqrt{10}}{27}$

$\qquad=\dfrac{200(8\sqrt{5}-5\sqrt{2})}{27}(m)$

확인 단계 따라서 풍선의 높이는 $\dfrac{200(8\sqrt{5}-5\sqrt{2})}{27}$ m이다.

15 오른쪽 그림에서
$\overline{BC}:\overline{CD}=2:1$, $\angle C=60°$이므로
$\triangle BCD$는 $\angle BDC=90°$인 직각삼
각형이다.

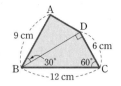

$\triangle BCD$에서 $\overline{BD}=\overline{CD}\tan 60°=6\sqrt{3}\,(cm)$

$\therefore \square ABCD=\triangle ABD+\triangle BCD$

$$=\frac{1}{2}\times 9\times 6\sqrt{3}\times\sin 30°+\frac{1}{2}\times 6\times 6\sqrt{3}$$

$$=\frac{27\sqrt{3}}{2}+18\sqrt{3}=\frac{63\sqrt{3}}{2}\,(cm^2)$$

16 (1) $\triangle ABC=\frac{1}{2}\times 8\times 10\times\sin 60°$

$$=\frac{1}{2}\times 8\times 10\times\frac{\sqrt{3}}{2}=20\sqrt{3}\,(cm^2)$$

점 G가 무게중심이므로

$\triangle ABG=\triangle BCG=\triangle CAG$

$$=\frac{1}{3}\triangle ABC=\frac{20\sqrt{3}}{3}\,(cm^2)$$

(2) $\triangle ABD=\frac{1}{2}\times 10\times 12\times\sin(180°-120°)$

$$=\frac{1}{2}\times 10\times 12\times\frac{\sqrt{3}}{2}=30\sqrt{3}\,(cm^2)$$

$\square ABCD$는 평행사변형이므로 $\triangle ABD=\triangle BCD$
이때 $\overline{BM}=\overline{CM}$이므로

$\triangle BDM=\frac{1}{2}\triangle BCD=\frac{1}{2}\times 30\sqrt{3}=15\sqrt{3}\,(cm^2)$

17 서술형

표현 단계 $\angle ACB=180°-(90°+45°)=45°$이므로
$\overline{BC}=\sqrt{2}\times\overline{AB}=\sqrt{2}\times 2\sqrt{2}=4$

변형 단계 점 E에서 $\overline{BC}$에 내린 수선
의 발을 H라 하고 $\overline{EH}=x$
라 하면 $\angle CEH=45°$이
므로 $\triangle EHC$는 직각이등
변삼각형이다.

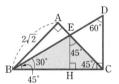

$\therefore \overline{HC}=\overline{EH}=x$

또, $\triangle DBC$에서

$\angle DBC=180°-(60°+90°)=30°$이므로

$\triangle EBH$에서

$\overline{BH}=\dfrac{\overline{EH}}{\tan 30°}=\sqrt{3}x$

풀이 단계 $\overline{BC}=\overline{BH}+\overline{HC}$에서 $4=\sqrt{3}x+x$이므로

$$x=\frac{4}{\sqrt{3}+1}=\frac{4(\sqrt{3}-1)}{2}=2(\sqrt{3}-1)$$

$\therefore \triangle EBC=\frac{1}{2}\times\overline{BC}\times\overline{EH}$

$$=\frac{1}{2}\times 4\times 2(\sqrt{3}-1)$$

$$=4(\sqrt{3}-1)$$

18 오른쪽 그림과 같이 $\overline{OP}$를 그
으면 $\triangle OPA$는 $\overline{OA}=\overline{OP}$인 이등변
삼각형이므로

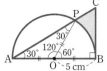

$\angle OPA=\angle OAP=30°$

$\therefore \angle AOP=180°-(30°+30°)=120°$

또, $\angle BOP=180°-120°=60°$이다.

한편, $\overline{OA}=\overline{OB}=\frac{1}{2}\overline{AB}=\frac{1}{2}\times 10=5\,(cm)$이고,

$\overline{BC}=\overline{AB}\tan 30°=10\times\dfrac{\sqrt{3}}{3}=\dfrac{10\sqrt{3}}{3}\,(cm)$이므로

(어두운 부분의 넓이)

$=\triangle ABC-\triangle AOP-(부채꼴\ OBP의\ 넓이)$

$=\frac{1}{2}\times 10\times\frac{10\sqrt{3}}{3}-\frac{1}{2}\times 5\times 5\times\sin(180°-120°)$

$$-\pi\times 5^2\times\frac{60}{360}$$

$$=\frac{50\sqrt{3}}{3}-\frac{25}{2}\times\frac{\sqrt{3}}{2}-\frac{25}{6}\pi$$

$$=\frac{125\sqrt{3}}{12}-\frac{25}{6}\pi$$

$$=\frac{25(5\sqrt{3}-2\pi)}{12}\,(cm^2)$$

19 오른쪽 그림에서

$\angle BAC=\angle XAC(접은\ 각)$

$\angle XAC=\angle BCA(엇각)$

$\therefore \angle BAC=\angle BCA$

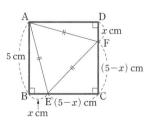

즉, $\triangle ABC$는 $\overline{BA}=\overline{BC}$인 이등변삼각형이다.

점 A에서 $\overline{BC}$에 내린 수선의 발을 H라 하면
$\triangle ABH$에서 $\overline{AH}=10\,cm$이고, $\angle ABH=30°$이므로

$\overline{AH}=\overline{AB}\sin 30°$에서 $10=\overline{AB}\times\frac{1}{2}$

$\therefore \overline{AB}=20\,cm$

따라서 $\overline{BC}=\overline{AB}=20\,cm$이므로

$\triangle ABC=\frac{1}{2}\times\overline{BC}\times\overline{AH}$

$$=\frac{1}{2}\times 20\times 10$$

$$=100\,(cm^2)$$

20 오른쪽 그림의
$\triangle ABE$와 $\triangle ADF$에서
$\overline{AB}=\overline{AD}$, $\overline{AE}=\overline{AF}$
$\angle B=\angle D=90°$이므로
$\triangle ABE\equiv\triangle ADF$

(RHS 합동)

따라서 $\overline{BE}=x\,cm$라 하면

$\overline{DF}=\overline{BE}=x\,cm$이고 $\overline{EC}=\overline{FC}=(5-x)\,cm$

△ABE에서
$$\overline{AE}^2 = \overline{AB}^2 + \overline{BE}^2 = 5^2 + x^2$$
또, △ECF에서 ∠CEF=45°이므로
$\overline{EC} = \overline{EF}\cos 45°$에서
$$5 - x = \overline{EF} \times \frac{\sqrt{2}}{2} \qquad \therefore \overline{EF} = \sqrt{2}(5-x)$$
△AEF가 정삼각형이므로 $\overline{AE} = \overline{EF}$에서
$$\overline{AE}^2 = \overline{EF}^2$$
$$25 + x^2 = 2(5-x)^2, \quad x^2 - 20x + 25 = 0$$
$$\therefore x = 10 \pm \sqrt{(-10)^2 - 25} = 10 \pm 5\sqrt{3}$$
그런데 $0 < x < 5$이므로 $x = 10 - 5\sqrt{3}$
따라서 $\overline{BE}$의 길이는 $(10 - 5\sqrt{3})$ cm이다.

21 오른쪽 그림과 같이 원의 중심 O를 지나는 현이 $\overline{AB}$, $\overline{DE}$, $\overline{CD}$, $\overline{AF}$와 만나는 점을 차례로 P, Q, R, S라 하면

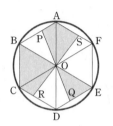

△OPB와 △OQE에서
$\overline{OB} = \overline{OE}$(반지름),
∠BOP=∠EOQ(맞꼭지각), ∠OBP=∠OEQ(엇각)
이므로
△OPB≡△OQE(ASA 합동)
또, △OCR와 △OFS에서
$\overline{OC} = \overline{OF}$(반지름), ∠COR=∠FOS(맞꼭지각),
∠OCR=∠OFS(엇각)이므로
△OCR≡△OFS(ASA 합동)
따라서 구하는 어두운 부분의 넓이를 S'라 하면
$$S' = △OAS + △OAP + △OBC + △OCR + △OQE$$
$$= △OAS + △OAP + △OBC + △OFS + △OPB$$
$$= (△OAS + △OFS) + (△OAP + △OPB) + △OBC$$
$$= △OAF + △OAB + △OBC$$
$$= (한 변의 길이가 10 cm인 정삼각형의 넓이) \times 3$$
$$= \left(\frac{1}{2} \times 10 \times 10 \times \sin 60°\right) \times 3$$
$$= \left(\frac{\sqrt{3}}{4} \times 10^2\right) \times 3 = 75\sqrt{3}(cm^2)$$

22 $△ABC = \frac{1}{2} \times \overline{AB} \times \overline{AC} \times \sin 60°$
$$= \frac{1}{2} \times 6 \times 4 \times \frac{\sqrt{3}}{2} = 6\sqrt{3}(cm^2)$$
$△ABD = \frac{1}{2} \times \overline{AB} \times \overline{AD} \times \sin 30°$
$$= \frac{1}{2} \times 6 \times \overline{AD} \times \frac{1}{2} = \frac{3}{2}\overline{AD}(cm^2)$$
$△ACD = \frac{1}{2} \times \overline{AC} \times \overline{AD} \times \sin 30°$
$$= \frac{1}{2} \times 4 \times \overline{AD} \times \frac{1}{2} = \overline{AD}(cm^2)$$

△ABC=△ABD+△ACD이므로
$$6\sqrt{3} = \frac{3}{2}\overline{AD} + \overline{AD}, \quad \frac{5}{2}\overline{AD} = 6\sqrt{3}$$
$$\therefore \overline{AD} = \frac{12\sqrt{3}}{5}\ cm$$

23 $a - 2b + c = 0$ ...... ㉠
$3a + b - 2c = 0$ ...... ㉡
㉠$+2\times$㉡을 하면
$$7a - 3c = 0 \qquad \therefore a = \frac{3}{7}c \qquad ...... ㉢$$
㉢을 ㉡에 대입하면
$$\frac{9}{7}c + b - 2c = 0 \qquad \therefore b = \frac{5}{7}c$$
$$\therefore a : b : c = \frac{3}{7}c : \frac{5}{7}c : c = 3 : 5 : 7$$
△ABC의 넓이를 S라 하면
$$S = \frac{1}{2}ab\sin C = \frac{1}{2}bc\sin A = \frac{1}{2}ca\sin B$$이므로
$$\sin A : \sin B : \sin C = \frac{2S}{bc} : \frac{2S}{ca} : \frac{2S}{ab}$$
$$= \frac{a}{abc} : \frac{b}{abc} : \frac{c}{abc}$$
$$= a : b : c$$
$$= 3 : 5 : 7$$

24 주어진 정사면체의 전개도는 오른쪽 그림과 같고, 구하는 최단 길이는 $\overline{BM}$의 길이이다.

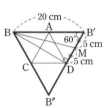

$\overline{BD}$는 한 변의 길이가 20 cm인 정삼각형의 높이이므로
△BB′D에서
$$\overline{BD} = \overline{BB'}\sin 60° = 20 \times \frac{\sqrt{3}}{2} = 10\sqrt{3}(cm)$$
또, $\overline{DM} = \overline{B'M} = \frac{1}{2} \times 10 = 5(cm)$
△BDM에서
$$\overline{BM} = \sqrt{\overline{BD}^2 + \overline{DM}^2} = \sqrt{(10\sqrt{3})^2 + 5^2} = 5\sqrt{13}(cm)$$

25 오른쪽 그림과 같이 $\sin\theta = \frac{2}{3}$인 직각삼각형 ABC에서
$$\overline{BC} = \sqrt{3^2 - 2^2} = \sqrt{5}$$
$$\therefore \cos\theta = \frac{\sqrt{5}}{3}$$
∠BAC=90°-θ이므로
$$\tan(90° - \theta) = \frac{\sqrt{5}}{2}$$

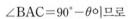

직선 $x\sin\theta + y\cos\theta = \tan(90° - \theta)$
즉, $\frac{2}{3}x + \frac{\sqrt{5}}{3}y = \frac{\sqrt{5}}{2}$에서

$y=0$일 때, $\frac{2}{3}x=\frac{\sqrt{5}}{2}$ $\therefore x=\frac{3\sqrt{5}}{4}$

$x=0$일 때, $\frac{\sqrt{5}}{3}y=\frac{\sqrt{5}}{2}$ $\therefore y=\frac{3}{2}$

따라서 x절편은 $\frac{3\sqrt{5}}{4}$,

y절편은 $\frac{3}{2}$이므로

구하는 넓이 S는

$S=\frac{1}{2}\times\frac{3\sqrt{5}}{4}\times\frac{3}{2}=\frac{9\sqrt{5}}{16}$

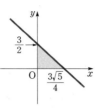

26 정육면체의 한 모서리의 길이를 a라 하면

$\triangle$BPF에서 $\overline{BF}=a$, $\overline{BP}=\frac{\sqrt{2}}{2}a$이므로

$\overline{PF}=\sqrt{a^2+\left(\frac{\sqrt{2}}{2}a\right)^2}=\frac{\sqrt{6}}{2}a$

점 P에서 $\overline{FH}$에 내린 수선의 발을
M이라 하면
$\triangle$PFM에서

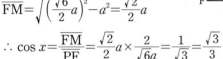

$\overline{FM}=\sqrt{\left(\frac{\sqrt{6}}{2}a\right)^2-a^2}=\frac{\sqrt{2}}{2}a$

$\therefore \cos x=\frac{\overline{FM}}{\overline{PF}}=\frac{\sqrt{2}}{2}a\times\frac{2}{\sqrt{6}a}=\frac{1}{\sqrt{3}}=\frac{\sqrt{3}}{3}$

27 서술형

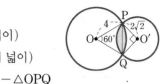

표현 단계 $\overline{PQ}$를 그으면

변형 단계 (원 O의 활꼴의 넓이)

   =(부채꼴 OPQ의 넓이)

      $-\triangle$OPQ

   =$\pi\times4^2\times\frac{60}{360}-\frac{1}{2}\times4\times4\times\sin60°$

   =$\pi\times4^2\times\frac{1}{6}-\frac{1}{2}\times4\times4\times\frac{\sqrt{3}}{2}$

   =$\frac{8}{3}\pi-4\sqrt{3}$

(원 O'의 활꼴의 넓이)

   =(부채꼴 O'PQ의 넓이)$-\triangle$O'PQ

   =$\pi\times(2\sqrt{2})^2\times\frac{90}{360}-\frac{1}{2}\times2\sqrt{2}\times2\sqrt{2}$

   =$2\pi-4$

풀이 단계 $\therefore$ (어두운 부분의 넓이)

      =$\left(\frac{8}{3}\pi-4\sqrt{3}\right)+(2\pi-4)$

      =$\frac{14}{3}\pi-4\sqrt{3}-4$

---

3 STEP 최고 실력 완성하기

22~26쪽

1 $4+3\sqrt{3}$	**2** $\frac{7}{2}$	**3** $\frac{16\sqrt{3}}{9}$	**4** $2\sqrt{3}$	**5** $25(3+\sqrt{3})\,\text{cm}^2$	**6** $1:\sqrt{2}$
7 $5\sqrt{6}\,\text{m}$	**8** ⑤	**9** $\frac{\sqrt{5}}{5}$	**10** $16:12:9$	**11** $6\sqrt{3}$	**12** $\sqrt{6}+\sqrt{2}$
13 $\frac{1+\sqrt{5}}{4}$	**14** $\frac{3\sqrt{5}}{5}$	**15** 풀이 참조	**16** 60, $\frac{\sqrt{3}}{2}$, $\sqrt{3}$, $\frac{\sqrt{3}}{2}$	**17** 풀이 참조	

문제 풀이

1 오른쪽 그림에서 $\tan60°$가

직선의 기울기이므로

$b=\tan60°=\sqrt{3}$

이고, y 절편은 $\sqrt{3}+4$이므로

$-a-\sqrt{3}=\sqrt{3}+4$

$\therefore a=-2\sqrt{3}-4$

$\therefore b-a=\sqrt{3}-(-2\sqrt{3}-4)=4+3\sqrt{3}$

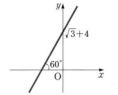

TIP 직선의 기울기와 $\tan$값의 관계

직선 $y=ax+b$가 오른쪽 그림과 같을 때,
직선과 x축이 이루는 예각의 크기를 θ라 하
면

(직선의 기울기)$=a=\dfrac{(y\text{의 값의 증가량})}{(x\text{의 값의 증가량})}$

               $=\dfrac{\overline{BO}}{\overline{AO}}=\tan\theta$

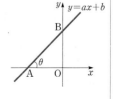

2 (주어진 식)$=1\times(1+1+1)+\dfrac{1}{2}\times1\times\dfrac{1}{2}$
$$+\left(1+\dfrac{\sqrt{3}}{2}\right)\left(1-\dfrac{\sqrt{3}}{2}\right)$$
$$=3+\dfrac{1}{4}+\left(1-\dfrac{3}{4}\right)=\dfrac{7}{2}$$

3 $\triangle$ABC에서 $\sin 30°=\dfrac{\overline{AB}}{\overline{AC}}$이므로

$\overline{AC}\sin 30°=\overline{AB}$, $\dfrac{1}{2}\overline{AC}=1$ $\therefore \overline{AC}=2$

$\triangle$ACD에서 $\cos 30°=\dfrac{\overline{AC}}{\overline{AD}}$이므로

$\overline{AD}\cos 30°=\overline{AC}$, $\dfrac{\sqrt{3}}{2}\overline{AD}=2$ $\therefore \overline{AD}=\dfrac{4}{\sqrt{3}}=\dfrac{4\sqrt{3}}{3}$

$\triangle$ADE에서 $\cos 30°=\dfrac{\overline{AD}}{\overline{AE}}$이므로

$\overline{AE}\cos 30°=\overline{AD}$, $\dfrac{\sqrt{3}}{2}\overline{AE}=\dfrac{4\sqrt{3}}{3}$ $\therefore \overline{AE}=\dfrac{8}{3}$

$\triangle$AEF에서 $\cos 30°=\dfrac{\overline{AE}}{\overline{AF}}$이므로

$\overline{AF}\cos 30°=\overline{AE}$, $\dfrac{\sqrt{3}}{2}\overline{AF}=\dfrac{8}{3}$ $\therefore \overline{AF}=\dfrac{16\sqrt{3}}{9}$

다른 풀이

한 내각의 크기가 30°인 직각삼각형의 세 변의 길이의 비를
이용하면

$\triangle$ABC에서 $\overline{AB}:\overline{AC}=1:2$이므로

$1:\overline{AC}=1:2$ $\therefore \overline{AC}=2$

$\triangle$ACD에서 $\overline{AC}:\overline{AD}=\sqrt{3}:2$이므로

$2:\overline{AD}=\sqrt{3}:2$ $\therefore \overline{AD}=\dfrac{4}{\sqrt{3}}$

$\triangle$ADE에서 $\overline{AD}:\overline{AE}=\sqrt{3}:2$이므로

$\dfrac{4}{\sqrt{3}}:\overline{AE}=\sqrt{3}:2$ $\therefore \overline{AE}=\dfrac{8}{3}$

$\triangle$AEF에서 $\overline{AE}:\overline{AF}=\sqrt{3}:2$이므로

$\dfrac{8}{3}:\overline{AF}=\sqrt{3}:2$ $\therefore \overline{AF}=\dfrac{16}{3\sqrt{3}}=\dfrac{16\sqrt{3}}{9}$

4 오른쪽 그림과 같이 $\overline{AP}$를 그으면

$\triangle$ABC$=\triangle$APB$+\triangle$APC

$=\dfrac{1}{2}\times\overline{AB}\times\overline{PQ}$

$+\dfrac{1}{2}\times\overline{AC}\times\overline{PR}$

$=\dfrac{1}{2}\times4\times\overline{PQ}+\dfrac{1}{2}\times4\times\overline{PR}$

$=2\overline{PQ}+2\overline{PR}=2(\overline{PQ}+\overline{PR})$

또, $\triangle$ABC$=\dfrac{1}{2}\times4\times4\times\sin 60°=\dfrac{\sqrt{3}}{4}\times4^2=4\sqrt{3}$

즉, $2(\overline{PQ}+\overline{PR})=4\sqrt{3}$ $\therefore \overline{PQ}+\overline{PR}=2\sqrt{3}$

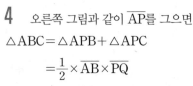

5 오른쪽 그림의 점 A에서 $\overline{BC}$
의 연장선에 내린 수선의 발을 H
라 하면

$\angle$ACH$=\angle$ABC$+\angle$BAC
$\qquad=45°+15°=60°$

$\angle$CAH$=180°-(90°+60°)=30°$

또, $\overline{BH}=\overline{AH}=x$ cm라 하면

$\overline{CH}=x\tan 30°=\dfrac{\sqrt{3}}{3}x(\text{cm})$

$\overline{BC}=x-\dfrac{\sqrt{3}}{3}x=10(\text{cm})$

$\dfrac{3-\sqrt{3}}{3}x=10$ $\therefore x=5(3+\sqrt{3})$

$\therefore \triangle$ABC$=\dfrac{1}{2}\times\overline{BC}\times\overline{AH}=\dfrac{1}{2}\times10\times5(3+\sqrt{3})$

$=25(3+\sqrt{3})(\text{cm}^2)$

6 $\overline{AD}:\overline{CD}$

$=\triangle$ABD$:\triangle$BCD

$=\left(\dfrac{1}{2}\times3\times\overline{BD}\times\sin 45°\right):\left(\dfrac{1}{2}\times6\times\overline{BD}\times\sin 30°\right)$

$=\dfrac{3}{2}\sin 45°:3\sin 30°$

$=\left(\dfrac{3}{2}\times\dfrac{\sqrt{2}}{2}\right):\left(3\times\dfrac{1}{2}\right)=\sqrt{2}:2=1:\sqrt{2}$

7 $\angle$BAH$=180°-(90°+60°)=30°$이므로

$\overline{AH}=x$ m라 하면

$\overline{BH}=\overline{AH}\tan 30°=\dfrac{\sqrt{3}}{3}x$ (m)

$\overline{CH}=\overline{AH}=x$ m

직각삼각형 BCH에서

$10^2+\left(\dfrac{\sqrt{3}}{3}x\right)^2=x^2$

$\dfrac{2}{3}x^2=100$, $x^2=150$

$\therefore x=5\sqrt{6}$

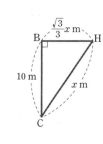

따라서 깃대의 높이는 $5\sqrt{6}$ m이다.

8 오른쪽 그림과 같이 반지름
의 길이가 1인 사분원에서

$\angle$BOA$=45°$, $\angle$COA$=50°$,

$\angle$DOA$=62°$, $\angle$EOA$=70°$

일 때, $\tan 45°=\overline{AP}=1$,

$\tan 50°=\overline{AQ}$, $\sin 62°=\overline{DH}$,

$\cos 70°=\overline{OI}$

$\overline{AQ}>\overline{AP}>\overline{DH}$이므로 $\tan 50°>\sin 62°$

$\overline{OI}<\overline{OF}=\overline{BF}<\overline{DH}$이므로 $\cos 70°<\sin 62°$

따라서 $\cos 70°<\sin 62°<\tan 50°$이므로 $C<B<A$

9 정육면체의 한 모서리의 길이를 $2a$라 하면

$\overline{CH}=\sqrt{(2a)^2+(2a)^2}=2\sqrt{2}a$

$\overline{HM}=\sqrt{(2a)^2+a^2}=\sqrt{5}a$

$\overline{CF}=\overline{CH}=2\sqrt{2}a$이므로 $\overline{CM}=\sqrt{(2\sqrt{2}a)^2+a^2}=3a$

오른쪽 그림과 같이 점 C에서 $\overline{HM}$에
내린 수선의 발을 N이라 하면

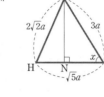

$(2\sqrt{2}a)^2-(\sqrt{5}a-\overline{NM})^2$

$=(3a)^2-\overline{NM}^2$

$3a^2+2\sqrt{5}a\,\overline{NM}=9a^2$

$\therefore \overline{NM}=\dfrac{3\sqrt{5}}{5}a$

$\therefore \cos x=\dfrac{\overline{NM}}{\overline{CM}}=\dfrac{\frac{3\sqrt{5}}{5}a}{3a}=\dfrac{\sqrt{5}}{5}$

10 $\triangle ABC$의 한 변의 길이를 a라 하면

$\triangle ABC=\dfrac{1}{2}\times a\times a\times\sin 60°=\dfrac{\sqrt{3}}{4}a^2$

$\triangle ADE$의 한 변의 길이는 $\triangle ABC$의 높이와 같으므로

$\overline{AD}=\overline{AB}\sin 60°=\dfrac{\sqrt{3}}{2}a$

$\therefore \triangle ADE=\dfrac{1}{2}\times\dfrac{\sqrt{3}}{2}a\times\dfrac{\sqrt{3}}{2}a\times\sin 60°$

$\qquad\qquad =\dfrac{\sqrt{3}}{4}\times\left(\dfrac{\sqrt{3}}{2}a\right)^2=\dfrac{3\sqrt{3}}{16}a^2$

또, $\triangle AFG$의 한 변의 길이는 $\triangle ADE$의 높이와 같으므로

$\overline{AF}=\overline{AD}\sin 60°=\dfrac{\sqrt{3}}{2}a\times\dfrac{\sqrt{3}}{2}=\dfrac{3}{4}a$

$\triangle AFG=\dfrac{1}{2}\times\dfrac{3}{4}a\times\dfrac{3}{4}a\times\sin 60°$

$\qquad\qquad =\dfrac{\sqrt{3}}{4}\times\left(\dfrac{3}{4}a\right)^2=\dfrac{9\sqrt{3}}{64}a^2$

$\therefore \triangle ABC:\triangle ADE:\triangle AFG$

$=\dfrac{\sqrt{3}}{4}a^2:\dfrac{3\sqrt{3}}{16}a^2:\dfrac{9\sqrt{3}}{64}a^2$

$=16:12:9$

11 점 D를 $\overline{AB}$에 대하여 대칭이
동한 점을 D_1, $\overline{BC}$에 대하여 대칭
이동한 점을 D_2라 하면 $\overline{D_1D_2}$의 길
이가 $\triangle PQD$의 둘레의 길이의 최
솟값이 된다.

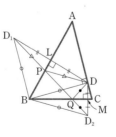

직각삼각형 ABD에서

$\angle ABD=180°-(45°+90°)=45°$이므로

$\triangle ABD$는 $\overline{BD}=\overline{AD}$인 직각이등변삼각형이다.

즉, $\overline{BD}=\overline{AB}\sin 45°=6\sqrt{2}\times\dfrac{\sqrt{2}}{2}=6$

$\overline{DD_1}$과 $\overline{AB}$의 교점을 L, $\overline{DD_2}$와 $\overline{BC}$의 교점을 M이라 하면

$\triangle BDL\equiv\triangle BD_1L$ (SAS 합동)이므로 $\overline{BD}=\overline{BD_1}$이고
$\angle DBL=\angle D_1BL$이다.

또, $\triangle BDM\equiv\triangle BD_2M$ (SAS 합동)이므로 $\overline{BD}=\overline{BD_2}$이
고 $\angle DBM=\angle D_2BM$이다.

즉, $\overline{BD_1}=\overline{BD_2}=\overline{BD}=6$이고

$\angle ABC=180°-(45°+75°)=60°$이므로

$\angle D_1BD_2=2\angle ABC=2\times 60°=120°$이다.

따라서 오른쪽 그림과 같은
$\triangle BD_1D_2$의 점 B에서 $\overline{D_1D_2}$에
내린 수선의 발을 H라 하면

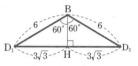

$\angle D_1BH=\angle D_2BH=\dfrac{1}{2}\angle D_1BD_2=\dfrac{1}{2}\times 120°=60°$이므로

$\overline{D_1H}=\overline{BD_1}\sin 60°=6\times\dfrac{\sqrt{3}}{2}=3\sqrt{3}$

$\therefore \overline{D_1D_2}=2\overline{D_1H}=2\times 3\sqrt{3}=6\sqrt{3}$

따라서 $\triangle PQD$의 둘레의 길이의 최솟값은 $6\sqrt{3}$이다.

12 두 점 A, E에서 $\overline{DF}$에 내린 수선의 발을 각각 M, N
이라 하고 $\overline{EF}=x$라 하자.

$\sin 15°=\dfrac{\overline{AM}}{\overline{AF}}$

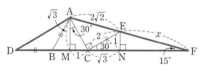

$\qquad =\dfrac{\overline{EN}}{\overline{EF}}$

이므로 $\dfrac{\sqrt{3}}{x+2\sqrt{2}}=\dfrac{1}{x}$

$\sqrt{3}x=x+2\sqrt{2}$, $(\sqrt{3}-1)x=2\sqrt{2}$

$\therefore x=\dfrac{2\sqrt{2}}{\sqrt{3}-1}=\sqrt{6}+\sqrt{2}$

따라서 $\overline{EF}$의 길이는 $\sqrt{6}+\sqrt{2}$이다.

13 오른쪽 그림의 $\triangle ABC$는
이등변삼각형이므로

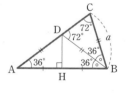

$\angle B=\angle C=\dfrac{1}{2}\times(180°-36°)$

$\qquad =72°$

$\therefore \angle ABD=\angle DBC=\dfrac{1}{2}\angle B=\dfrac{1}{2}\times 72°=36°$

$\triangle DAB$에서 $\angle DAB=\angle DBA$이므로 $\overline{DA}=\overline{DB}$

또, $\angle BDC=\angle DAB+\angle DBA=36°+36°=72°$이므로

$\triangle BCD$에서 $\angle BCD=\angle BDC$ $\qquad \therefore \overline{BD}=\overline{BC}$

점 D에서 $\overline{AB}$에 내린 수선의 발을 H라 하면

$\overline{DA}=\overline{DB}$이므로 $\overline{AH}=\overline{BH}$

또, $\triangle ABC\backsim\triangle BCD$(AA 닮음)이므로

$\overline{AB}:\overline{BC}=\overline{BC}:\overline{CD}$

$\therefore \overline{BC}^2=\overline{AB}\times\overline{CD}=\overline{AC}\times\overline{CD}$

$\overline{CD}=x$라 하면

$a^2=(a+x)x$, $x^2+ax-a^2=0$

$$\therefore x=\frac{-1+\sqrt{5}}{2}a\ (\because x>0,\ a>0)$$

따라서 $\overline{AB}=\overline{AC}=\dfrac{1+\sqrt{5}}{2}a$이므로

$$\cos 36°=\frac{\overline{AH}}{\overline{AD}}=\frac{1}{2}\times\frac{\overline{AB}}{\overline{AD}}=\frac{1+\sqrt{5}}{4}$$

14 오른쪽 그림과 같이
$\overline{BC}=3a$, $\overline{AB}=3b$라 하고
두 점 D, E에서 $\overline{BC}$에 내린 수선의
발을 각각 F, G, $\overline{AB}$에 내린 수선
의 발을 각각 H, I라 하면

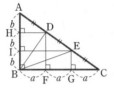

$\overline{BF}=\overline{FG}=\overline{GC}=a$, $\overline{AH}=\overline{HI}=\overline{IB}=b$

△DBF에서 $\overline{BF}^2+\overline{DF}^2=\overline{BD}^2$이므로

$a^2+(2b)^2=\sin^2 x$ ……㉠

△EBG에서 $\overline{BG}^2+\overline{EG}^2=\overline{BE}^2$이므로

$(2a)^2+b^2=\cos^2 x$ ……㉡

㉠+㉡을 하면

$5a^2+5b^2=\sin^2 x+\cos^2 x=1$ $\therefore a^2+b^2=\dfrac{1}{5}$

△ABC에서
$$\overline{AC}=\sqrt{\overline{BC}^2+\overline{AB}^2}=\sqrt{(3a)^2+(3b)^2}$$
$$=\sqrt{9(a^2+b^2)}=\sqrt{\frac{9}{5}}=\frac{3\sqrt{5}}{5}$$

15 오른쪽 그림과 같이 점 O에서 $\overline{AB}$
에 내린 수선의 발을 M이라 하면

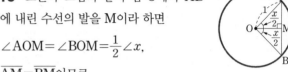

$\angle AOM=\angle BOM=\dfrac{1}{2}\angle x$,

$\overline{AM}=\overline{BM}$이므로

△AOM에서 $\sin\dfrac{x}{2}=\overline{AM}$

$\therefore \overline{AB}=2\sin\dfrac{x}{2}$

17 문제에 주어진 [그림 1]에서 $\overline{AB}$가 지름이면
$\angle AOB=180°$, $\overline{AB}=2$가 되므로
$\overline{AB}=2\sin\dfrac{180°}{2}=2$에서 $\sin 90°=1$

I 단원 종합 문제

1 $\dfrac{7\sqrt{7}}{12}$	**2** $\dfrac{5\sqrt{6}}{2}+\dfrac{7\sqrt{3}}{3}$	**3** $\dfrac{\sqrt{3}}{3}$	**4** (1) $\overline{DE}$ (2) $\cos x$ (3) $\sin x<\tan x$	**5** $\dfrac{\sqrt{2}}{4}$
6 $\dfrac{\sqrt{10}}{10}+\dfrac{1}{3}$	**7** ⑤	**8** $\sqrt{2}:1$	**9** ③	**10** $\dfrac{\sqrt{7}}{4}$
11 (1) D$(2\sqrt{3},\ -2)$ (2) $\dfrac{8}{3}\pi$	**12** $\dfrac{\sqrt{5}}{3}$	**13** ④	**14** $4\sqrt{3}\,\text{cm}^2$	**15** $12\,\text{cm}^2$
16 $100(\sqrt{3}-1)\,\text{cm}^2$	**17** $200\sqrt{2}\,\text{cm}^2$	**18** $\dfrac{8}{15}$	**19** ④	**20** $100(\sqrt{3}+1)\,\text{m}$ **21** 10초
22 $100\sqrt{3}\,\text{m}$	**23** $50\sqrt{2}\,\text{cm}^2$	**24** $\dfrac{\sqrt{5}}{5}$		

문제 풀이

1 오른쪽 그림과 같이 $\cos A=\dfrac{3}{4}$인
직각삼각형 ABC에서
$\overline{BC}=\sqrt{4^2-3^2}=\sqrt{7}$

$\therefore \sin A+\tan A=\dfrac{\sqrt{7}}{4}+\dfrac{\sqrt{7}}{3}=\dfrac{7\sqrt{7}}{12}$

2 (주어진 식)$=10\times\dfrac{\sqrt{2}}{2}\times\dfrac{\sqrt{3}}{2}+4\times\dfrac{\sqrt{3}}{2}+\dfrac{\sqrt{3}}{3}$
$$=\frac{5\sqrt{6}}{2}+\frac{7\sqrt{3}}{3}$$

3 $\sin(A-10°)=\cos\{90°-(A-10°)\}$
$$=\cos(100°-A)$$
즉, $\cos(100°-A)=\cos(A+40°)$이므로
$100°-\angle A=\angle A+40°$
$2\angle A=60°$
$\therefore \angle A=30°$
$\therefore \tan A=\tan 30°=\dfrac{\sqrt{3}}{3}$

4 (1) $\tan x = \dfrac{\overline{BC}}{\overline{AB}} = \dfrac{\overline{DE}}{\overline{AD}} = \overline{DE}$

(2) $\sin x = \dfrac{\overline{BC}}{\overline{AC}} = \overline{BC}$

$\cos x = \dfrac{\overline{AB}}{\overline{AC}} = \overline{AB}$

$\tan x = \dfrac{\overline{DE}}{\overline{AD}} = \overline{DE}$

따라서 $\angle x$가 $90°$에 가까워지면

$\sin x$의 값인 $\overline{BC}$의 길이는 1에 가까워지고,

$\cos x$의 값인 $\overline{AB}$의 길이는 0에 가까워지고,

$\tan x$의 값인 $\overline{DE}$의 길이는 한없이 커진다.

따라서 각도가 커짐에 따라 삼각비의 값이 작아지는 것
은 $\cos x$이다.

(3) $\sin x = \dfrac{\overline{BC}}{\overline{AC}} = \overline{BC} < \tan x = \dfrac{\overline{DE}}{\overline{AD}} = \overline{DE}$

$\therefore \sin x < \tan x$

5 오른쪽 그림의 점 A에서
$\overline{BC}$에 내린 수선의 발을 D라
하면

$\overline{AD} = \overline{AC}\sin C = 2 \times \dfrac{\sqrt{2}}{2} = \sqrt{2}\,(\text{cm})$

$\therefore \sin B = \dfrac{\overline{AD}}{\overline{AB}} = \dfrac{\sqrt{2}}{4}$

6 오른쪽 그림에서
$\overline{ED} = x$ cm라 하면
$\overline{ED'} = x$ cm, $\overline{EC} = (3-x)$ cm
또, $\overline{AD'} = \overline{AD} = 5$ cm이므로

$\overline{BD'} = \sqrt{\overline{AD'}^2 - \overline{AB}^2} = \sqrt{5^2 - 3^2} = 4\,(\text{cm})$

$\therefore \overline{CD'} = 5 - 4 = 1\,(\text{cm})$

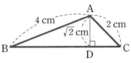

$\triangle ED'C$에서 $x^2 = (3-x)^2 + 1^2$ $\therefore x = \dfrac{5}{3}$

이때

$\overline{AE} = \sqrt{\overline{AD}^2 + \overline{DE}^2} = \sqrt{5^2 + \left(\dfrac{5}{3}\right)^2} = \dfrac{5\sqrt{10}}{3}\,(\text{cm})$이므로

$\sin\theta + \tan\theta = \dfrac{\overline{ED'}}{\overline{AE}} + \dfrac{\overline{ED'}}{\overline{AD'}} = \dfrac{\dfrac{5}{3}}{\dfrac{5\sqrt{10}}{3}} + \dfrac{\dfrac{5}{3}}{5} = \dfrac{\sqrt{10}}{10} + \dfrac{1}{3}$

7 $\overline{AH} = \overline{CH} = x$ cm라 하면

$\tan 30° = \dfrac{\overline{AH}}{\overline{BH}}$이므로 $\dfrac{1}{\sqrt{3}} = \dfrac{x}{5+x}$

$5 + x = \sqrt{3}x$, $(\sqrt{3}-1)x = 5$

$\therefore x = \dfrac{5(1+\sqrt{3})}{2}$

따라서 $\overline{AH}$의 길이는 $\dfrac{5(1+\sqrt{3})}{2}$ cm이다.

8 $\angle A = 180° \times \dfrac{3}{3+4+5} = 45°$

$\angle B = 180° \times \dfrac{4}{3+4+5} = 60°$

$\therefore \sin A : \cos B = \sin 45° : \cos 60°$

$= \dfrac{\sqrt{2}}{2} : \dfrac{1}{2}$

$= \sqrt{2} : 1$

9 $\tan A$가 기울기이므로 ③ $\tan A = \dfrac{5}{12}$

오른쪽 그림과 같이 $\tan A = \dfrac{5}{12}$인

직각삼각형 ABC에서
$\overline{AC} = \sqrt{12^2 + 5^2} = 13$

① $\sin A = \dfrac{5}{13}$ ② $\cos A = \dfrac{12}{13}$

④ $\sin A \times \cos A = \dfrac{5}{13} \times \dfrac{12}{13} = \dfrac{60}{169}$

⑤ $\sin A \times \tan A = \dfrac{5}{13} \times \dfrac{5}{12} = \dfrac{25}{156}$

따라서 옳지 않은 것은 ③이다.

10 오른쪽 그림의
$\triangle OAB$에서
$\overline{OB}^2 = 1^2 + 1^2 = 2$

$\therefore \overline{OB} = \sqrt{2}\,(\text{cm})$
$(\because \overline{OB} > 0)$

$\triangle OBC$에서
$\overline{OC}^2 = (\sqrt{2})^2 + 1^2 = 3$

$\therefore \overline{OC} = \sqrt{3}$ cm $(\because \overline{OC} > 0)$

$\triangle OCD$에서 $\overline{OD}^2 = (\sqrt{3})^2 + 2^2 = 7$

$\therefore \overline{OD} = \sqrt{7}$ cm $(\because \overline{OD} > 0)$

$\triangle ODE$에서 $\overline{OE}^2 = (\sqrt{7})^2 + 3^2 = 16$

$\therefore \overline{OE} = 4$ cm $(\because \overline{OE} > 0)$

$\therefore \cos(\angle DOE) = \dfrac{\overline{OD}}{\overline{OE}} = \dfrac{\sqrt{7}}{4}$

11 (1) 오른쪽 그림에서
$\overline{OA} = \sqrt{2^2 + 2^2} = 2\sqrt{2}$이고,
$\overline{OA'} = \overline{OA} = 2\sqrt{2}$이므로
$A'(2\sqrt{2},\,0)$

같은 방법으로
$\overline{OB'} = \overline{OB} = \sqrt{(2\sqrt{2})^2 + 2^2} = 2\sqrt{3}$이므로
$B'(2\sqrt{3},\,0)$

$\therefore C(2\sqrt{3},\,2)$

점 C와 점 D는 x축에 대하여 대칭이므로
$D(2\sqrt{3},\,-2)$이다.

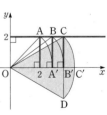

(2) 직각삼각형 OCB′에서

$\overline{OC}=\sqrt{(2\sqrt{3})^2+2^2}=4$, $\overline{OB'}=2\sqrt{3}$이므로

$\cos(\angle COB')=\dfrac{\overline{OB'}}{\overline{OC}}=\dfrac{2\sqrt{3}}{4}=\dfrac{\sqrt{3}}{2}$

$\therefore \angle COB'=30°$, 즉 $\angle COD=60°$

따라서 부채꼴 OCD는 반지름의 길이가 4이고 중심각의 크기가 60°이므로 구하는 넓이는

$\pi\times4^2\times\dfrac{60}{360}=\dfrac{8}{3}\pi$

12 오른쪽 그림의 △ABD에서

$\overline{AB}^2=\overline{AD}^2+\overline{BD}^2$이므로

$3^2=\overline{AD}^2+2^2$

$\therefore \overline{AD}=\sqrt{9-4}=\sqrt{5}(cm)$

또, $\overline{AD}^2=\overline{BD}\times\overline{CD}$이므로

$(\sqrt{5})^2=2\overline{CD}$

$\therefore \overline{CD}=\dfrac{5}{2}$ cm

△ADC에서

$\overline{AC}^2=\overline{AD}^2+\overline{CD}^2=(\sqrt{5})^2+\left(\dfrac{5}{2}\right)^2=\dfrac{45}{4}$

$\therefore \overline{AC}=\dfrac{3\sqrt{5}}{2}$ cm

$\therefore \cos(\angle ACD)=\dfrac{\overline{CD}}{\overline{AC}}$

$=\dfrac{5}{2}\div\dfrac{3\sqrt{5}}{2}=\dfrac{5}{2}\times\dfrac{2}{3\sqrt{5}}$

$=\dfrac{5}{3\sqrt{5}}=\dfrac{\sqrt{5}}{3}$

13 오른쪽 그림의 △OAB에서

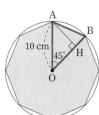

$\overline{OB}=4a$, $\overline{AB}=3a$라 하면

피타고라스 정리에 의해

$5^2=(4a)^2+(3a)^2$, $25=25a^2$

$a^2=1$ $\therefore a=1$ ($\because a>0$)

따라서 $\overline{OB}=4$, $\overline{AB}=3$

점 B에서 $\overline{OA}$에 내린 수선의 발을 H라 하고, 점 B의 좌표를 (x, y)라 하면 △OAB∽△OBH에서

$\overline{OA}:\overline{OB}=\overline{OB}:\overline{OH}$

$5:4=4:x$, $5x=16$ $\therefore x=\dfrac{16}{5}$

또, △OBH∽△BAH에서

$\overline{OB}:\overline{BA}=\overline{OH}:\overline{BH}$

$4:3=\dfrac{16}{5}:y$, $4y=\dfrac{48}{5}$ $\therefore y=\dfrac{12}{5}$

따라서 점 B의 좌표는 $\left(\dfrac{16}{5}, \dfrac{12}{5}\right)$이다.

14 $\triangle ABC=\dfrac{1}{2}\times4\times4\times\sin(180°-120°)$

$=\dfrac{1}{2}\times4\times4\times\dfrac{\sqrt{3}}{2}=4\sqrt{3}(cm^2)$

15 $\overline{BC}=\overline{AD}=3\sqrt{2}$ cm이므로

$\square ABCD=3\sqrt{2}\times4\times\sin45°$

$=3\sqrt{2}\times4\times\dfrac{\sqrt{2}}{2}=12(cm^2)$

16 오른쪽 그림의 점 A에서 $\overline{BC}$

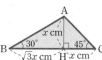

에 내린 수선의 발을 H라 하고

$\overline{AH}=x$ cm라 하면

$\overline{CH}=\dfrac{\overline{AH}}{\tan45°}=x(cm)$,

$\overline{BH}=\dfrac{\overline{AH}}{\tan30°}=\sqrt{3}x(cm)$이므로

$\overline{BC}=\overline{BH}+\overline{HC}$에서 $20=(\sqrt{3}+1)x$

$\therefore x=\dfrac{20}{\sqrt{3}+1}=10(\sqrt{3}-1)$

$\therefore \triangle ABC=\dfrac{1}{2}\times\overline{BC}\times\overline{AH}=\dfrac{1}{2}\times20\times10(\sqrt{3}-1)$

$=100(\sqrt{3}-1)(cm^2)$

17 오른쪽 그림과 같이 △AOB의

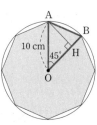

꼭짓점 A에서 $\overline{OB}$에 내린 수선의 발을 H라 하면

$\angle AOB=360°\div8=45°$이므로

$\sin45°=\dfrac{\overline{AH}}{\overline{OA}}$에서

$\overline{AH}=\overline{OA}\sin45°=10\times\dfrac{\sqrt{2}}{2}=5\sqrt{2}(cm)$

$\therefore \triangle AOB=\dfrac{1}{2}\times10\times5\sqrt{2}=25\sqrt{2}(cm^2)$

따라서 정팔각형의 넓이 S는

$S=\triangle AOB\times8=25\sqrt{2}\times8=200\sqrt{2}(cm^2)$

18 오른쪽 그림과 같이

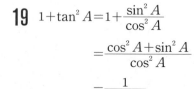

$\sin(90°-A)=\cos A=\dfrac{15}{17}$

인 직각삼각형 ABC에서

$\overline{BC}=\sqrt{17^2-15^2}=8$

$\therefore \tan A=\dfrac{\overline{BC}}{\overline{AB}}=\dfrac{8}{15}$

19 $1+\tan^2A=1+\dfrac{\sin^2A}{\cos^2A}$

$=\dfrac{\cos^2A+\sin^2A}{\cos^2A}$

$=\dfrac{1}{\cos^2A}$

20 주연이의 위치를 A, 공원의 양쪽 끝을 각각 B, C라 하면 오른쪽 그림과 같으므로

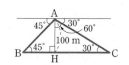

$\overline{BH}=\overline{AH}=100$ m

$\overline{CH}=\overline{AH}\tan 60°=100\sqrt{3}(m)$

$\therefore \overline{BC}=\overline{BH}+\overline{CH}=100(\sqrt{3}+1)(m)$

21 오른쪽 그림의 점 A에서 $\overline{BC}$에 내린 수선의 발을 H라 하면 점 A에서 $\overline{BC}$까지의 최단 거리는 $\overline{AH}$이다.

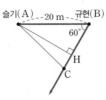

$\overline{BH}=\overline{AB}\cos 60°$

$\qquad =20\times\dfrac{1}{2}=10(m)$

따라서 규현이가 초속 1 m로 걸으므로 10초 후 가장 가까워진다.

22 오른쪽 그림의 점 C에서 $\overline{AB}$의 연장선에 내린 수선의 발을 H라 하고 $\overline{CH}=h$ m라 하면 $\angle BCH=30°,\ \angle ACH=60°$ 이므로

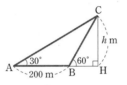

$\overline{BH}=\overline{CH}\tan 30°=\dfrac{\sqrt{3}}{3}h(m)$,

$\overline{AH}=\overline{CH}\tan 60°=\sqrt{3}h(m)$

이때 $\overline{AB}=\overline{AH}-\overline{BH}$이므로

$200=\sqrt{3}h-\dfrac{\sqrt{3}}{3}h,\ \dfrac{2\sqrt{3}}{3}h=200$

$\therefore h=100\sqrt{3}$

따라서 산의 높이는 $100\sqrt{3}$ m이다.

23 오른쪽 그림과 같이 한 변의 길이가 10 cm인 마름모 ABCD에서 135°인 각과 이웃하는 각의 크기는 $180°-135°=45°$이므로

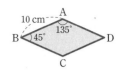

$\square ABCD=\overline{AB}\times\overline{BC}\times\sin 45°$

$\qquad =10\times10\times\dfrac{\sqrt{2}}{2}=50\sqrt{2}(cm^2)$

24 오른쪽 그림에서 $\triangle AED\equiv\triangle FED$이므로 $\overline{DF}=\overline{AD}=10$ cm 또, $\overline{CD}=\overline{AB}=8$ cm

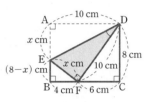

이므로 $\triangle DFC$에서

$\overline{CF}=\sqrt{\overline{DF}^2-\overline{CD}^2}=\sqrt{10^2-8^2}=6(cm)$

$\therefore \overline{BF}=\overline{BC}-\overline{CF}=10-6=4(cm)$

$\overline{AE}=\overline{EF}=x$ cm라 하면

$\overline{EB}=(8-x)$ cm이므로

$\triangle EBF$에서 $\overline{EF}^2=\overline{EB}^2+\overline{BF}^2$

$x^2=(8-x)^2+4^2,\ 16x=80\qquad \therefore x=5$

따라서 $\triangle DEF$에서

$\overline{DE}=\sqrt{\overline{EF}^2+\overline{DF}^2}=\sqrt{5^2+10^2}=5\sqrt{5}(cm)$

$\therefore \sin(\angle EDF)=\dfrac{\overline{EF}}{\overline{DE}}=\dfrac{5}{5\sqrt{5}}=\dfrac{\sqrt{5}}{5}$

1 원과 직선

1 STEP 주제별 실력다지기

33~37쪽

1 3 cm **2** 8 : 5 : 5 **3** 3 : 1 **4** $\sqrt{2}\pi$ cm **5** $\frac{8}{3}\pi$ cm **6** $\frac{225}{4}\pi$ cm^2

7 10 cm **8** $\frac{24}{5}$ cm **9** (1) 18 cm (2) 9 cm **10** (1) 6 (2) 6 **11** $4\sqrt{10}$ cm

12 $\frac{25}{8}\pi$ cm^2 **13** $x+z=y$ **14** 풀이 참조 **15** 30 cm^2

16 (1) 공통외접선 : 12 cm, 공통내접선 : $4\sqrt{3}$ cm (2) 공통외접선 : $2\sqrt{6}$ cm, 공통내접선은 없다.

17 (1), (2) 풀이 참조 (3) $6\sqrt{2}$ cm^2 **18** $6\sqrt{2}$ cm **19** $(15-10\sqrt{2})$ cm **20** $(7-2\sqrt{6})$ cm **21** 1 cm

22 $10(2\sqrt{3}-3)$ cm **23** $\frac{21}{2}$ cm **24** $\frac{64}{3}$ cm **25** 1 cm

---

최상위 NOTE 02 '원의 접선은 그 접점을 지나는 반지름과 수직이다.' 증명

원 O와 직선 l이 한 점 A에서 만날 때(접할 때), $\overline{OA}$와 직선 l이 수직이 아니라고 하자.
점 O에서 직선 l에 내린 수선의 발을 H라 하면 $\angle OHA=90°$이고 직각삼각형 OHA에서 $\overline{OH}<\overline{OA}$
그러면 $\overline{OB}=\overline{OA}$인 또 다른 한 점 B를 직선 l 위에 나타낼 수 있고 직선 l은 원과 두 점 A, B에서 만난다.
이것은 원과 접선은 한 점에서 만난다는 접선의 정의에 모순이다.
따라서 OA와 직선 l이 수직이 되어야 원과 한 점에서 만나므로 $\overline{OA}$와 직선 l은 수직이다.

최상위 NOTE 03 두 원의 위치 관계

두 원의 중심 O, O′을 지나는 직선을 중심선이라 하고, 선분 OO′의 길이를 중심거리라 한다. 또 두 원이 한 점에서 만날 때 두 원은 서로 접한다고 하고, 만나는 점을 두 원의 접점이라 한다. 이때 두 원이 서로 외부에서 접하면 두 원은 외접한다고 하고, 한 원이 다른 원의 내부에서 접하면 두 원은 내접한다고 한다. 이때 외접이든지 내접이든지 접점은 두 원의 중심선 위에 있다.

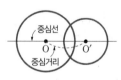

두 원 O, O′의 반지름의 길이를 각각 r, $r'(r>r')$, 중심거리를 d라 할 때, 두 원의 위치관계에 따른 r, r', d 사이의 관계는 다음과 같다.

한 원이 다른 원의 외부에 있다.	두 원이 외접한다.	두 원이 서로 다른 두 점에서 만난다.
$d>r+r'$	$d=r+r'$	$r-r'<d<r+r'$
두 원이 내접한다.	한 원이 다른 원의 내부에 있다.	두 원의 중심이 같다.
$d=r-r'$	$d<r-r'$	$d=0$

1 $\overline{OB} \parallel \overline{DC}$이므로

$\angle BOC = \angle OCD$ (엇각),

$\angle AOB = \angle ODC$ (동위각)

그런데 $\triangle OCD$는 $\overline{OC} = \overline{OD}$인 이등변

삼각형이므로

$\angle OCD = \angle ODC$

$\therefore \angle AOB = \angle BOC$

크기가 같은 두 중심각에 대한 호의 길이는 같으므로

$\overset{\frown}{AB} = \overset{\frown}{BC} = 3\,\text{cm}$

2 $\triangle OAD$는 $\overline{OA} = \overline{OD}$인 이등

변삼각형이므로

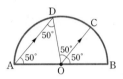

$\angle OAD = \angle ODA = 50°$

$\therefore \angle AOD = 180° - (50° + 50°)$

$\qquad\qquad = 80°$

또, $\overline{AD} \parallel \overline{OC}$이므로

$\angle BOC = \angle OAD = 50°$ (동위각)

$\angle COD = \angle ODA = 50°$ (엇각)

호의 길이는 중심각의 크기에 정비례하므로

$\overset{\frown}{AD} : \overset{\frown}{DC} : \overset{\frown}{CB} = 80° : 50° : 50° = 8 : 5 : 5$

3 $\angle BOD = \theta$라 하면

$\triangle DEO$가 $\overline{DO} = \overline{DE}$인 이등변

삼각형이므로

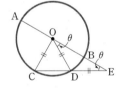

$\angle DEO = \angle DOE = \theta$

$\angle ODC$는 $\triangle DEO$의 한 외각이므로

$\angle ODC = \angle DOE + \angle DEO = 2\theta$

또, $\triangle OCD$는 $\overline{OC} = \overline{OD}$인 이등변삼각형이므로

$\angle OCD = \angle ODC = 2\theta$

$\angle AOC$는 $\triangle OCE$의 한 외각이므로

$\angle AOC = \angle OCE + \angle OEC = 2\theta + \theta = 3\theta$

호의 길이는 중심각의 크기에 정비례하므로

$\overset{\frown}{AC} : \overset{\frown}{BD} = \angle AOC : \angle BOD = 3\theta : \theta = 3 : 1$

4 $\angle AOB = x°$라 하면

$\overset{\frown}{AB} = 2\pi = 2\pi \times 8 \times \dfrac{x}{360}$

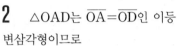
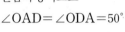
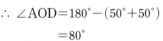

$\therefore x = 45$

따라서

$\angle CAO = 180° - (90° + 45°) = 45°$

이므로 $\triangle OAC$는 직각이등변삼각형이다.

$\overline{OA} : \overline{OC} = \sqrt{2} : 1$에서

$8 : \overline{OC} = \sqrt{2} : 1$, $\sqrt{2}\,\overline{OC} = 8$ $\quad \therefore \overline{OC} = 4\sqrt{2}\,\text{cm}$

$\therefore \overset{\frown}{CD} = 2\pi \times 4\sqrt{2} \times \dfrac{45}{360} = \sqrt{2}\pi\,(\text{cm})$

5 $\triangle OAD$와 $\triangle OCD$에서

$\overline{OA} = \overline{OC}$ (반지름), $\angle AOD = \angle COD = 60°$, $\overline{OD}$는 공통

이므로 $\triangle OAD \equiv \triangle OCD$ (SAS 합동)

$\therefore \angle ODA = \angle ODC = \dfrac{1}{2} \times 180° = 90°$, $\overline{AD} = \overline{CD}$

따라서 $\triangle OAD$는 직각삼각형이고, 세 내각의 크기가 $30°$, $60°$, $90°$이므로

$\overline{OA} : \overline{OD} = 2 : 1$에서

$\overline{OA} : 4 = 2 : 1$ $\quad \therefore \overline{OA} = 8\,\text{cm}$

$\therefore \overset{\frown}{AB} = 2\pi \times 8 \times \dfrac{60}{360} = \dfrac{8}{3}\pi\,(\text{cm})$

6 $\overline{CH}$는 현의 수직이등분선이므로

그 연장선은 원의 중심을 지난다. 즉,

원을 완성하면 오른쪽 그림과 같고, 원

의 반지름의 길이를 $r\,\text{cm}$라 하면

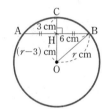

$\overline{OH} = (r-3)\,\text{cm}$

$\triangle OBH$에서

$\overline{OB}^2 = \overline{OH}^2 + \overline{BH}^2$이므로

$r^2 = (r-3)^2 + 6^2$, $6r = 45$ $\quad \therefore r = \dfrac{15}{2}$

따라서 원의 넓이는

$\pi r^2 = \pi \times \left(\dfrac{15}{2}\right)^2 = \dfrac{225}{4}\pi\,(\text{cm}^2)$

> **TIP** 현의 수직이등분선에 의한 직각삼각형이 나오면 직각삼각형 OMB에서 피타고라스 정리를 이용한다.
>
>

7 오른쪽 그림과 같이 점 O에서

$\overline{AC}$와 $\overline{BD}$에 내린 수선의 발을 각각

H, H′이라 하면

$\triangle ORH$와 $\triangle ORH'$에서

$\angle H = \angle H' = 90°$, $\overline{OR}$는 공통,

$\angle ORH = \angle ORH'$이므로

$\triangle ORH \equiv \triangle ORH'$ (RHA 합동)

$\therefore \overline{OH} = \overline{OH'}$

따라서 원의 중심에서 같은 거리에 있는 두 현의 길이는 같으므로

$\overline{BD} = \overline{AC} = 10\,\text{cm}$

8 오른쪽 그림과 같이 $\overline{AB}$와 $\overline{OO'}$의 교점을 M이라 하면

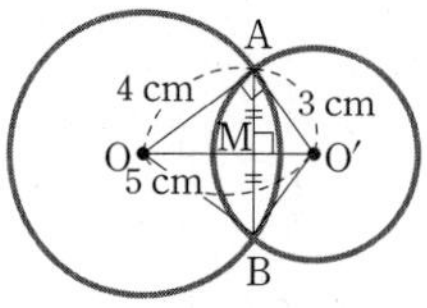

$\triangle OAO'$과 $\triangle OBO'$에서

$\overline{OA}=\overline{OB}$, $\overline{O'A}=\overline{O'B}$,

$\overline{OO'}$은 공통이므로

$\triangle OAO' \equiv \triangle OBO'$ (SSS 합동)

$\therefore \angle AOM=\angle BOM$

$\triangle OAM$과 $\triangle OBM$에서

$\overline{OA}=\overline{OB}$, $\overline{OM}$은 공통, $\angle AOM=\angle BOM$이므로

$\triangle OAM \equiv \triangle OBM$ (SAS 합동)

$\therefore \angle AMO=\angle BMO=\frac{1}{2}\times 180^\circ=90^\circ$, $\overline{AM}=\overline{BM}$

$\triangle AOO'$에서

$\angle OAO'=90^\circ$이므로

$\overline{OO'}=\sqrt{4^2+3^2}=5(\text{cm})$

또, $\overline{AO}\times\overline{AO'}=\overline{AM}\times\overline{OO'}$이므로

$4\times 3=\overline{AM}\times 5$

$\therefore \overline{AM}=\frac{12}{5}$ cm

$\therefore \overline{AB}=2\overline{AM}=2\times\frac{12}{5}=\frac{24}{5}(\text{cm})$

9 $\overline{PA}$가 원 O의 접선이므로 $\angle OAP=90^\circ$

(1) $\overline{OA}=5$ cm, $\overline{PA}=12$ cm이므로 $\triangle OAP$에서

$\overline{OP}=\sqrt{5^2+12^2}=13(\text{cm})$

$\therefore \overline{BP}=\overline{BO}+\overline{OP}=5+13=18(\text{cm})$

(2) $\overline{OA}=\overline{OB}=\overline{OC}=r$ cm라 하면

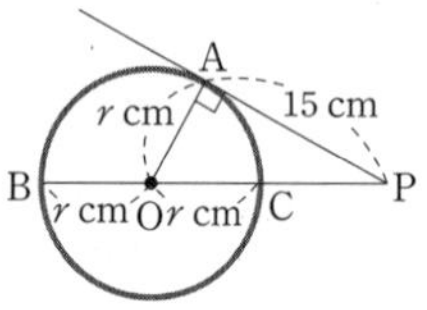

$\overline{BP}=25$ cm이므로

$\overline{OP}=(25-r)$ cm

$\overline{PA}=15$ cm이므로 $\triangle OAP$에서

$(25-r)^2=r^2+15^2$, $625-50r+r^2=r^2+225$

$50r=400 \quad \therefore r=8$

$\therefore \overline{CP}=\overline{BP}-\overline{BC}=25-2\times 8=9(\text{cm})$

10 (1) $\triangle ABC$에서

$\overline{BC}=\sqrt{8^2+6^2}=10$

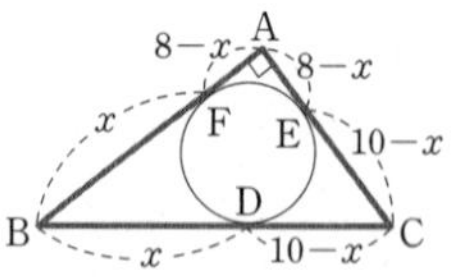

오른쪽 그림과 같이 접점을 각각 D, E, F라 하면

$\overline{BF}=\overline{BD}=x$, $\overline{AE}=\overline{AF}=8-x$,

$\overline{CE}=\overline{CD}=10-x$이므로

$\overline{AC}=\overline{AE}+\overline{CE}$

$=(8-x)+(10-x)$

$=18-2x=6$

$18-2x=6$에서 $2x=12 \quad \therefore x=6$

(2) $\overline{AB}+\overline{CD}=\overline{AD}+\overline{BC}$이므로

$7+x=5+8 \quad \therefore x=6$

11 $\overline{PD}=\overline{CD}=5$ cm이고,

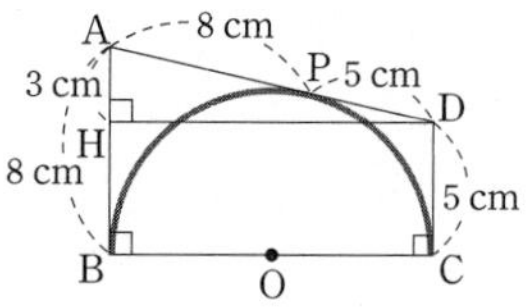

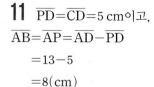

$\overline{AB}=\overline{AP}=\overline{AD}-\overline{PD}$

$=13-5$

$=8(\text{cm})$

점 D에서 $\overline{AB}$에 내린 수선의 발을 H라 하면

$\overline{AH}=\overline{AB}-\overline{BH}=\overline{AB}-\overline{CD}$

$=8-5=3(\text{cm})$

$\triangle AHD$는 직각삼각형이므로

$\overline{BC}=\overline{HD}=\sqrt{13^2-3^2}=\sqrt{160}=4\sqrt{10}(\text{cm})$

> **TIP** 반원의 지름과 길이가 같은 수선을 그어 직각삼각형을 만든 후 피타고라스 정리를 이용한다.

12 $\overline{AB}$, $\overline{AC}$를 각각 지름으로 하는 두 반원의 넓이의 합은 $\overline{BC}$를 지름으로 하는 반원의 넓이와 같으므로

$S_1+S_2=\frac{\pi}{2}\left(\frac{5}{2}\right)^2=\frac{25}{8}\pi(\text{cm}^2)$

13 오른쪽 그림의 직각삼각형 ABC에서 $\overline{AB}=c$, $\overline{AC}=b$, $\overline{BC}=a$라 하면 피타고라스 정리에 의해

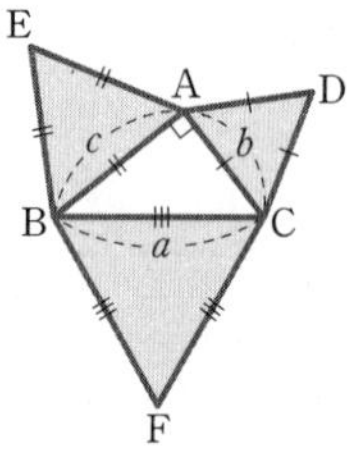

$b^2+c^2=a^2$ …… ㉠

$\triangle AEB$, $\triangle BFC$, $\triangle ACD$가 모두 정삼각형이므로

$\triangle AEB=\frac{\sqrt{3}}{4}c^2=x \quad \therefore c^2=\frac{4}{\sqrt{3}}x$ …… ㉡

$\triangle BFC=\frac{\sqrt{3}}{4}a^2=y \quad \therefore a^2=\frac{4}{\sqrt{3}}y$ …… ㉢

$\triangle ACD=\frac{\sqrt{3}}{4}b^2=z \quad \therefore b^2=\frac{4}{\sqrt{3}}z$ …… ㉣

㉡, ㉢, ㉣을 ㉠에 대입하면

$\frac{4}{\sqrt{3}}z+\frac{4}{\sqrt{3}}x=\frac{4}{\sqrt{3}}y$

$\therefore x+z=y$

14 오른쪽 그림의 $\triangle ABC$는 $\angle A=90^\circ$인 직각삼각형이므로 피타고라스 정리에 의해

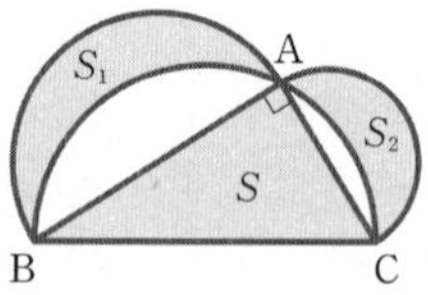

$\overline{AB}^2+\overline{AC}^2=\overline{BC}^2$ …… ㉠

세 반원으로 이루어진 도형의 넓이의 합 S_1+S_2는

$S_1+S_2=\frac{\pi}{2}\left(\frac{1}{2}\overline{AB}\right)^2+\frac{\pi}{2}\left(\frac{1}{2}\overline{AC}\right)^2+\frac{1}{2}\overline{AB}\times\overline{AC}-\frac{\pi}{2}\left(\frac{1}{2}\overline{BC}\right)^2$

$=\frac{\pi}{8}(\overline{AB}^2+\overline{AC}^2)+\frac{1}{2}\overline{AB}\times\overline{AC}-\frac{\pi}{8}\overline{BC}^2$

$=\frac{\pi}{8}\overline{BC}^2+\frac{1}{2}\overline{AB}\times\overline{AC}-\frac{\pi}{8}\overline{BC}^2$ ($\because$ ㉠)

$=\frac{1}{2}\overline{AB}\times\overline{AC}=S$

15 오른쪽 그림의 △ABC가 직각삼각형이므로 피타고라스 정리에 의해

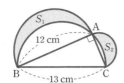

$\overline{AB}^2 + \overline{AC}^2 = \overline{BC}^2$

$12^2 + \overline{AC}^2 = 13^2$, $\overline{AC}^2 = 25$

$\therefore \overline{AC} = 5 \text{ cm} (\because \overline{AC} > 0)$

한편, $S_1 + S_2$의 값은 △ABC의 넓이와 같으므로
(14번 증명 참고)

$S_1 + S_2 = △ABC$

$\qquad = \dfrac{1}{2} \times \overline{AB} \times \overline{AC}$

$\qquad = \dfrac{1}{2} \times 12 \times 5$

$\qquad = 30 (\text{cm}^2)$

16 (1) $\overline{OO'} = 8 + 2 + 3 = 13 (\text{cm})$

(i) 오른쪽 그림과 같이 두 점 O, O'에서 공통외접선에 내린 수선의 발을 각각 P, Q라 하고 점 O'에서 $\overline{OP}$에 내린 수선의 발을 H라 하면

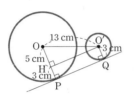

$\overline{HP} = \overline{O'Q} = 3 \text{ cm}$

$\therefore \overline{OH} = \overline{OP} - \overline{HP} = 8 - 3 = 5 (\text{cm})$

△OHO'에서 $\overline{HO'} = \sqrt{13^2 - 5^2} = 12 (\text{cm})$

따라서 공통외접선의 길이는 $\overline{PQ} = \overline{HO'} = 12 \text{ cm}$

(ii) 오른쪽 그림과 같이 두 점 O, O'에서 공통내접선에 내린 수선의 발을 각각 P, Q라 하고 점 O'에서 $\overline{OP}$의 연장선에 내린 수선의 발을 H라 하면

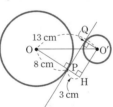

$\overline{PH} = \overline{QO'} = 3 \text{ cm}$

△OHO'에서 $\overline{HO'} = \sqrt{13^2 - 11^2} = 4\sqrt{3} (\text{cm})$

따라서 공통내접선의 길이는 $\overline{PQ} = \overline{HO'} = 4\sqrt{3} \text{ cm}$

(2) (i) 오른쪽 그림과 같이 두 점 O, O'에서 공통외접선에 내린 수선의 발을 각각 P, Q라 하고 점 O'에서 $\overline{OP}$에 내린 수선의 발을 H라 하면

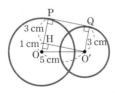

$\overline{PH} = \overline{QO'} = 3 \text{ cm}$

$\therefore \overline{HO} = \overline{OP} - \overline{PH} = 4 - 3 = 1 (\text{cm})$

△OO'H에서 $\overline{HO'} = \sqrt{5^2 - 1^2} = 2\sqrt{6} (\text{cm})$

따라서 공통외접선의 길이는 $\overline{PQ} = \overline{HO'} = 2\sqrt{6} \text{ cm}$

(ii) 공통내접선은 없다.

17 (1) 오른쪽 그림에서 $\overline{PM} = \overline{RM} = \overline{QM}$이므로 △PMR, △RMQ는 모두 이등변삼각형이다.

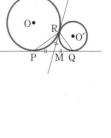

따라서 $\angle RPM = \angle PRM = \angle x$,

$\angle MRQ = \angle MQR = \angle y$라 하면

△PQR에서 $2\angle x + 2\angle y = 180°$

$\therefore \angle PRQ = \angle x + \angle y = 90°$

(2) △OPM과 △ORM에서 $\overline{OP} = \overline{OR}$, $\overline{PM} = \overline{RM}$,

$\angle OPM = \angle ORM = 90°$이므로

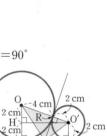

△OPM ≡ △ORM (SAS 합동)

$\therefore \angle PMO = \angle RMO \quad \cdots\cdots \ \text{㉠}$

△O'RM과 △O'QM에서

$\overline{O'R} = \overline{O'Q}$, $\overline{RM} = \overline{QM}$,

$\angle O'RM = \angle O'QM = 90°$이므로

△O'RM ≡ △O'QM (SAS 합동)

$\therefore \angle RMO' = \angle QMO' \quad \cdots\cdots \ \text{㉡}$

㉠, ㉡에서

$2(\angle RMO + \angle RMO') = 180°$

$\therefore \angle OMO' = \angle RMO + \angle RMO' = 90°$

(3) 오른쪽 그림에서 $\overline{OR} = \overline{OP} = 4 \text{ cm}$,

$\overline{O'R} = \overline{O'Q} = 2 \text{ cm}$이므로

$\overline{OO'} = \overline{OR} + \overline{O'R}$

$\qquad = 4 + 2 = 6 (\text{cm})$

점 O'에서 $\overline{OP}$에 내린 수선의 발을 H라 하면

$\overline{HP} = \overline{O'Q} = 2 \text{ cm}$

$\therefore \overline{OH} = \overline{OP} - \overline{HP} = 4 - 2 = 2 (\text{cm})$

△OHO'에서 $\overline{HO'} = \sqrt{6^2 - 2^2} = 4\sqrt{2} (\text{cm})$

따라서 공통외접선 $\overline{PQ}$의 길이는 $\overline{PQ} = \overline{HO'} = 4\sqrt{2} \text{ cm}$

$\overline{PM} = \overline{RM} = \overline{QM}$이므로

$\overline{RM} = \dfrac{1}{2}\overline{PQ} = \dfrac{1}{2} \times 4\sqrt{2} = 2\sqrt{2} (\text{cm})$

△OMO'에서 $\overline{MR} \perp \overline{OO'}$이므로

$△OMO' = \dfrac{1}{2} \times \overline{OO'} \times \overline{RM}$

$\qquad = \dfrac{1}{2} \times 6 \times 2\sqrt{2}$

$\qquad = 6\sqrt{2} (\text{cm}^2)$

18 두 원 O, O'의 반지름의 길이를 각각 $2r$ cm, $3r$ cm라 하면

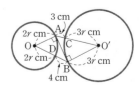

△AOB에서

$$\overline{AB}^2+(2r)^2=(2r+4)^2 \quad \cdots\cdots \text{㉠}$$
$\triangle ABO'$에서
$$\overline{AB}^2+(3r)^2=(3r+3)^2 \quad \cdots\cdots \text{㉡}$$
㉠, ㉡에서
$$(2r+4)^2-(2r)^2=(3r+3)^2-(3r)^2$$
$$2r=7 \quad \therefore r=\frac{7}{2}$$
따라서 ㉠에서
$$\overline{AB}=\sqrt{(2r+4)^2-(2r)^2}$$
$$=\sqrt{11^2-7^2}=6\sqrt{2}\,(\text{cm})$$

19 오른쪽 그림과 같이 두 원
의 중심 O와 O'을 이은 선분을
빗변으로 하는 직각삼각형
OO'H를 그리고, 원 O'의 반지
름의 길이를 r cm라 하면

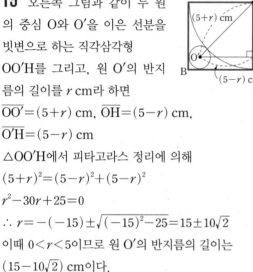

$\overline{OO'}=(5+r)$ cm, $\overline{OH}=(5-r)$ cm,
$\overline{O'H}=(5-r)$ cm
$\triangle OO'H$에서 피타고라스 정리에 의해
$$(5+r)^2=(5-r)^2+(5-r)^2$$
$$r^2-30r+25=0$$
$$\therefore r=-(-15)\pm\sqrt{(-15)^2-25}=15\pm10\sqrt{2}$$
이때 $0<r<5$이므로 원 O'의 반지름의 길이는
$(15-10\sqrt{2})$ cm이다.

20 두 원의 반지름의 길이를
r cm라 하면
$\overline{OO'}=2r$ cm,
$\overline{OH}=(8-2r)$ cm,
$\overline{O'H}=(6-2r)$ cm
$\triangle O'OH$에서 피타고라스 정리에 의해
$$(2r)^2=(8-2r)^2+(6-2r)^2$$
$$r^2-14r+25=0$$
$$\therefore r=-(-7)\pm\sqrt{(-7)^2-25}=7\pm2\sqrt{6}$$
이때 $0<r<3$이므로 원의 반지름의 길이는
$(7-2\sqrt{6})$ cm이다.

TIP 오른쪽 그림과 같이 직사각형 ABCD
의 변에 접하면서 동시에 외접하는 두 원 O,
O'의 반지름의 길이를 각각 r, $r'(r>r')$이
라 하면
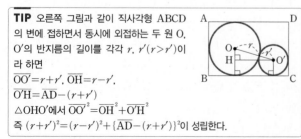
$\overline{OO'}=r+r'$, $\overline{OH}=r-r'$,
$\overline{O'H}=\overline{AD}-(r+r')$
$\triangle OHO'$에서 $\overline{OO'}^2=\overline{OH}^2+\overline{O'H}^2$
즉 $(r+r')^2=(r-r')^2+\{\overline{AD}-(r+r')\}^2$이 성립한다.

21 두 원 O'과 O의 접점을 P,
두 원 O', O와 선분 BC와의 접점
을 각각 Q, R라 하면 $\triangle OBR$에서

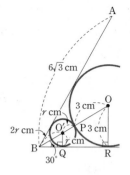

$$\angle OBR=\frac{1}{2}\angle ABC$$
$$=\frac{1}{2}\times60°$$
$$=30°$$
$$\overline{BR}=\overline{CR}=\frac{1}{2}\overline{BC}$$
$$=\frac{1}{2}\times6\sqrt{3}$$
$$=3\sqrt{3}\,(\text{cm})$$
이므로 $\overline{OR}:\overline{BO}:3\sqrt{3}=1:2:\sqrt{3}$
$\therefore \overline{OR}=3$ cm, $\overline{BO}=6$ cm
원 O'의 반지름의 길이를 r cm라 하면 $\triangle O'BQ$에서
$\overline{BO'}=2r$ cm이므로
$$\overline{BO}=\overline{BO'}+\overline{O'P}+\overline{PO}$$
$$=2r+r+3=6\,(\text{cm})$$
$$3r=3 \quad \therefore r=1$$
따라서 원 O'의 반지름의 길이는 1 cm이다.

22 오른쪽 그림과 같이 두 원 Q,
R의 교점을 H, 두 원 P, R의 교점
을 H'이라 하고, 세 원 P, Q, R의
반지름의 길이를 r cm라 하면
$\triangle PQR$는 한 변의 길이가 $2r$ cm인
정삼각형이고, $\overline{PH}$와 $\overline{QH'}$의 교점
O는 $\triangle PQR$의 무게중심이다.

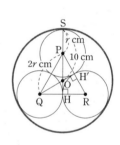

$\overline{PH}$는 한 변의 길이가 $2r$ cm인 정삼각형의 높이이므로
$$\overline{PH}=\frac{\sqrt{3}}{2}\times2r=\sqrt{3}r\,(\text{cm})$$
$$\therefore \overline{OP}=\frac{2}{3}\overline{PH}=\frac{2}{3}\times\sqrt{3}r=\frac{2\sqrt{3}}{3}r\,(\text{cm})$$
$$\overline{OS}=\overline{SP}+\overline{PO}=r+\frac{2\sqrt{3}}{3}r=10\,(\text{cm})$$이므로
$$(3+2\sqrt{3})r=30$$
$$\therefore r=10(2\sqrt{3}-3)$$
따라서 작은 원의 반지름의 길이는 $10(2\sqrt{3}-3)$ cm이다.

TIP 한 변의 길이가 a인 정삼각형의 높이 $h=\frac{\sqrt{3}}{2}a$이다.

23 $2\overline{AP}=\overline{AP}+\overline{AR}$
$$=\overline{AB}+\overline{BP}+\overline{AC}+\overline{CR}$$
$$=\overline{AB}+\overline{BQ}+\overline{CQ}+\overline{AC}$$
$$=\overline{AB}+\overline{BC}+\overline{AC}$$
$$=8+7+6=21\,(\text{cm})$$

$$\therefore \overline{AP}=\frac{21}{2}\,\text{cm}$$

24 오른쪽 그림의
△AQO와 △ARO′에서
∠OAQ는 공통,
∠AQO=∠ARO′=90°

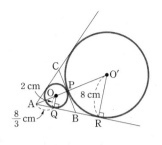

이므로
△AQO∽△ARO′
　　　　　(AA 닮음)
즉, $\overline{OQ}:\overline{O'R}=\overline{AQ}:\overline{AR}$이므로

$$2:8=\frac{8}{3}:\overline{AR}$$

$$2\overline{AR}=\frac{64}{3}\,(\text{cm})$$

$$\therefore (\triangle ABC의 \ 둘레의 \ 길이)=2\overline{AR}=\frac{64}{3}\,\text{cm}$$

25 오른쪽 그림에서
$$\overline{AP}=\frac{1}{2}(\overline{AB}+\overline{BC}+\overline{CA})$$
$$=\frac{1}{2}(7+6+6)=\frac{19}{2}\,(\text{cm})$$
$$\therefore \overline{BQ}=\overline{BP}=\frac{19}{2}-7=\frac{5}{2}\,(\text{cm})$$

$\overline{BE}=\overline{BD}=x\,\text{cm}$라 하면
$\overline{AF}=\overline{AD}=(7-x)\,\text{cm}$,
$\overline{CF}=\overline{CE}=(6-x)\,\text{cm}$이므로
$\overline{AC}=\overline{AF}+\overline{CF}=(7-x)+(6-x)=6\,(\text{cm})$
$$2x=7 \qquad \therefore x=\frac{7}{2}$$
$$\therefore \overline{QE}=\overline{BE}-\overline{BQ}=\frac{7}{2}-\frac{5}{2}=1\,(\text{cm})$$

---

2 ^{STEP} 실력 높이기

40~45쪽

1 3 cm	**2** 3 cm	**3** 20	**4** 8 cm	**5** $\dfrac{a^2}{9}$	**6** $\dfrac{169}{4}\pi$
7 $5\sqrt{3}$ cm	**8** $(110-25\pi)\,\text{cm}^2$	**9** $\dfrac{120}{13}$ cm	**10** 12 cm	**11** 3	**12** 25π
13 $\dfrac{16}{5}$ cm	**14** 15	**15** $\dfrac{576}{49}\pi\,\text{cm}^2$	**16** 144 cm²	**17** $\left(\dfrac{8}{3}\pi-4\sqrt{3}\right)\text{cm}^2$	**18** $\dfrac{3}{2}$ cm
19 $(6-4\sqrt{2})$ cm	**20** 20 cm	**21** 27 cm²	**22** 13 cm	**23** $5(\sqrt{2}-1)$ cm	

문제 풀이

1 오른쪽 그림에서 △DOP는
$\overline{DP}=\overline{DO}$인 이등변삼각형이므로
∠DOP=∠DPO=20°

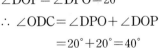
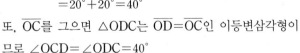

$\therefore$ ∠ODC=∠DPO+∠DOP
　　　　　 =20°+20°=40°
또, $\overline{OC}$를 그으면 △ODC는 $\overline{OD}=\overline{OC}$인 이등변삼각형이
므로 ∠OCD=∠ODC=40°
따라서 △OPC에서
∠AOC=∠OPC+∠OCP=20°+40°=60°
부채꼴의 호의 길이는 중심각의 크기에 정비례하므로
$\overparen{BD}:\overparen{AC}=20°:60°=1:3$
$\overparen{BD}:9=1:3$, $3\overparen{BD}=9$
$\therefore \overparen{BD}=3\,\text{cm}$

2 오른쪽 그림에서 △OCB는
$\overline{OC}=\overline{OB}$인 이등변삼각형이므로
∠OBC=∠OCB=30°

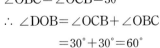
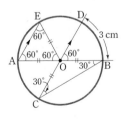

$\therefore$ ∠DOB=∠OCB+∠OBC
　　　　　 =30°+30°=60°
$\overline{EA}/\!/\overline{DO}$이므로
∠EAO=∠DOB=60°(동위각)
$\overline{OE}$를 그으면 △OEA는 $\overline{OA}=\overline{OE}$인 이등변삼각형이므로
∠OEA=∠OAE=60°
$\therefore$ ∠AOE=180°-(60°+60°)=60°
크기가 같은 두 중심각에 대한 호의 길이는 같으므로
$\overparen{AE}=\overparen{BD}=3\,\text{cm}$

3 서술형

표현 단계 $\overline{\text{OD}}$를 그으면
$\triangle\text{OAD}$는 $\overline{\text{OA}}=\overline{\text{OD}}$인 이
등변삼각형이다.

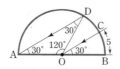

변형 단계 $\overline{\text{AD}} \parallel \overline{\text{OC}}$이므로

$\qquad \angle\text{OAD} = \angle\text{BOC} = 30°$(동위각)

$\qquad$또, $\overline{\text{OA}}=\overline{\text{OD}}$이므로

$\qquad \angle\text{ODA} = \angle\text{OAD} = 30°$

풀이 단계 $\angle\text{AOD} = 180° - (30° + 30°) = 120°$이고

$\qquad$호의 길이는 중심각의 크기에 정비례하므로

$\qquad \angle\text{BOC} : \angle\text{AOD} = \overset{\frown}{\text{BC}} : \overset{\frown}{\text{AD}}$에서

$\qquad 30° : 120° = 5 : \overset{\frown}{\text{AD}}$, $1 : 4 = 5 : \overset{\frown}{\text{AD}}$

$\qquad \therefore \overset{\frown}{\text{AD}} = 20$

4 오른쪽 그림과 같이 $\overline{\text{OA}}$를 긋고
$\overline{\text{OP}} \perp \overline{\text{AB}}$인 $\overline{\text{OP}}$를 그으면 큰 원의 현
AB는 이등분된다. 즉, $\overline{\text{AP}} = \overline{\text{BP}}$

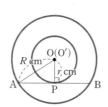

또, 큰 원의 반지름의 길이를 R cm,
작은 원의 반지름의 길이를 r cm라
하면 두 원의 넓이의 차는

$\pi R^2 - \pi r^2 = \pi(R^2 - r^2) = 16\pi$

$\therefore R^2 - r^2 = 16 \quad \cdots\cdots \bigcirc$

$\overline{\text{OA}} = R$ cm, $\overline{\text{OP}} = r$ cm이므로

$\triangle\text{OAP}$에서 $\overline{\text{AP}}^2 = \overline{\text{OA}}^2 - \overline{\text{OP}}^2 = R^2 - r^2$

$\bigcirc$에서 $\overline{\text{AP}}^2 = 16$

$\therefore \overline{\text{AP}} = 4$ cm $(\because \overline{\text{AP}} > 0)$

$\therefore \overline{\text{AB}} = 2\overline{\text{AP}} = 2 \times 4 = 8$(cm)

> **TIP** 중심이 같은 두 원
> 큰 원의 반지름의 길이를 a, 작은 원의 반지름의
> 길이를 b라 하면
>
> (1) $\overline{\text{AB}} = 2\overline{\text{AM}} = 2\sqrt{a^2 - b^2}$
> (2) (색칠한 부분의 넓이) $= \pi a^2 - \pi b^2$
> $\qquad\qquad\qquad\qquad = \pi(a^2 - b^2)$

5 서술형

표현 단계 원의 중심 O에서 현 AD에
내린 수선의 발을 H라 하자.

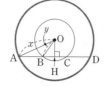

변형 단계 $\overline{\text{AD}} = a$이므로

$\qquad \overline{\text{AB}} = \overline{\text{BC}} = \overline{\text{CD}} = \dfrac{a}{3}$

$\qquad \overline{\text{BC}}$는 작은 원의 현이므로 $\overline{\text{BH}} = \overline{\text{HC}} = \dfrac{1}{2}\overline{\text{BC}} = \dfrac{a}{6}$

$\qquad$이고, $\overline{\text{AD}}$는 큰 원의 현이므로

$\qquad \overline{\text{AH}} = \overline{\text{HD}} = \dfrac{1}{2}\overline{\text{AD}} = \dfrac{a}{2}$이다.

$\overline{\text{OA}} = x$, $\overline{\text{OB}} = y$라 하면 문제의 조건에서

$x + y = 2 \quad \cdots\cdots \bigcirc$

$\triangle\text{OAH}$에서 $\overline{\text{OH}}^2 = \overline{\text{OA}}^2 - \overline{\text{AH}}^2 = x^2 - \left(\dfrac{a}{2}\right)^2$,

$\triangle\text{OBH}$에서 $\overline{\text{OH}}^2 = \overline{\text{OB}}^2 - \overline{\text{BH}}^2 = y^2 - \left(\dfrac{a}{6}\right)^2$

즉, $x^2 - \dfrac{a^2}{4} = y^2 - \dfrac{a^2}{36}$에서 $x^2 - y^2 = \dfrac{2}{9}a^2$

풀이 단계 $(x+y)(x-y) = \dfrac{2}{9}a^2$, $2(x-y) = \dfrac{2}{9}a^2 \ (\because \bigcirc)$

$\qquad \therefore x - y = \dfrac{a^2}{9}$

확인 단계 따라서 구하는 두 원의 반지름의 길이의 차는 $\dfrac{a^2}{9}$

이다.

6 서술형

표현 단계 원의 중심을 O라 하면 $\overline{\text{AB}}$는 원 O의 현이고, $\overline{\text{CH}}$
는 현의 수직이등분선이므로 원의 중심 O는 $\overline{\text{CH}}$
의 연장선 위에 있다.

변형 단계 오른쪽 그림과 같이 원을 복
원하여 $\overline{\text{OB}} = r$라 하면
$\overline{\text{OH}} = r - 4$이다.

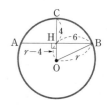

풀이 단계 $\triangle\text{OBH}$는 직각삼각형이므로

$\qquad r^2 = (r-4)^2 + 6^2$, $8r = 52$

$\qquad \therefore r = \dfrac{13}{2}$

확인 단계 따라서 구하는 청동거울의 넓이는

$\qquad \pi \times \left(\dfrac{13}{2}\right)^2 = \dfrac{169}{4}\pi$

7 오른쪽 그림과 같이 $\overline{\text{OT}}$를 그
으면

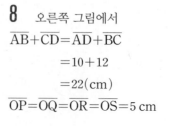

$\angle\text{PTO} = 90°$이므로

$\overline{\text{PT}} : \overline{\text{OT}} : \overline{\text{OP}} = \sqrt{3} : 1 : 2$

또, $\overline{\text{OT}} = \overline{\text{OA}}$이므로

$\overline{\text{OT}} : (\overline{\text{OT}} + 5) = 1 : 2$

$\overline{\text{OT}} + 5 = 2\overline{\text{OT}}$

$\therefore \overline{\text{OT}} = 5$ cm

$\therefore \overline{\text{PT}} = \sqrt{3} \times \overline{\text{OT}} = 5\sqrt{3}$(cm)

8 오른쪽 그림에서

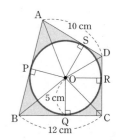

$\overline{\text{AB}} + \overline{\text{CD}} = \overline{\text{AD}} + \overline{\text{BC}}$

$\qquad\qquad = 10 + 12$

$\qquad\qquad = 22$(cm)

$\overline{\text{OP}} = \overline{\text{OQ}} = \overline{\text{OR}} = \overline{\text{OS}} = 5$ cm

$\therefore \square ABCD$

$= \triangle OAB + \triangle OBC + \triangle OCD + \triangle ODA$

$= \dfrac{1}{2} \times \overline{AB} \times \overline{OP} + \dfrac{1}{2} \times \overline{BC} \times \overline{OQ} + \dfrac{1}{2} \times \overline{CD} \times \overline{OR}$

$\qquad\qquad\qquad\qquad + \dfrac{1}{2} \times \overline{AD} \times \overline{OS}$

$= \dfrac{5}{2}(\overline{AB} + \overline{BC} + \overline{CD} + \overline{DA})$

$= \dfrac{5}{2}(\overline{AB} + \overline{CD} + \overline{BC} + \overline{DA})$

$= \dfrac{5}{2}(22 + 22)$

$= \dfrac{5}{2} \times 44$

$= 110\,(\mathrm{cm}^2)$

따라서 원 O의 넓이는 $\pi \times 5^2 = 25\pi\,(\mathrm{cm}^2)$이므로

(어두운 부분의 넓이) $= \square ABCD - (\text{원 O의 넓이})$

$\qquad\qquad\qquad\qquad = 110 - 25\pi\,(\mathrm{cm}^2)$

9 오른쪽 그림과 같이 $\overline{OA}$를 긋고 $\overline{OA}$와 $\overline{PQ}$의 교점을 M이라 하면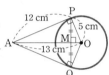
$\overline{OA} \perp \overline{PQ}$, $\overline{PM} = \overline{MQ}$

직각삼각형 PAO에서

$\overline{OA} = \sqrt{12^2 + 5^2} = 13\,(\mathrm{cm})$

또, $\overline{AP} \times \overline{OP} = \overline{PM} \times \overline{OA}$이므로

$12 \times 5 = \overline{PM} \times 13$

$\therefore \overline{PM} = \dfrac{60}{13}\,\mathrm{cm}$

$\therefore \overline{PQ} = 2\overline{PM} = 2 \times \dfrac{60}{13} = \dfrac{120}{13}\,(\mathrm{cm})$

10 오른쪽 그림에서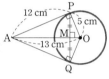
($\triangle PBQ$의 둘레의 길이)

$= \overline{BP} + \overline{PQ} + \overline{BQ}$

$= \overline{BP} + \overline{PR} + \overline{QR} + \overline{BQ}$

$= (\overline{BP} + \overline{PD}) + (\overline{QE} + \overline{BQ})$

$= \overline{BD} + \overline{BE} = 2\overline{BD}$

$\overline{BD} = \overline{BE} = x\,\mathrm{cm}$라 하면

$\overline{AF} = \overline{AD} = (10 - x)\,\mathrm{cm}$

$\overline{CF} = \overline{CE} = (11 - x)\,\mathrm{cm}$

$\overline{AC} = \overline{AF} + \overline{CF}$

$\qquad = (10 - x) + (11 - x)$

$\qquad = 21 - 2x = 9\,(\mathrm{cm})$

$2x = 12$ $\therefore x = 6$

따라서 $\triangle PBQ$의 둘레의 길이는

$2\overline{BD} = 2x = 2 \times 6 = 12\,(\mathrm{cm})$

11 서술형

표현 단계 $\triangle ABC$는 $\angle B = 90°$인 직 각삼각형이므로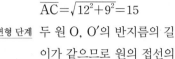
$\overline{AC} = \sqrt{12^2 + 9^2} = 15$

변형 단계 두 원 O, O′의 반지름의 길 이가 같으므로 원의 접선의 성질에 의해

$\overline{AS} = \overline{AP} = \overline{CN} = \overline{CQ} = x$라 하면

$\triangle ABC$에서 $\overline{CT} = \overline{CP} = 15 - x$, $\overline{BT} = \overline{BS} = 9 - x$

풀이 단계 따라서 $\overline{BC} = \overline{BT} + \overline{TC}$이므로

$(9 - x) + (15 - x) = 12$, $2x = 12$ $\therefore x = 6$

$\therefore \overline{PQ} = \overline{AC} - 2\overline{AP} = 15 - 2 \times 6 = 3$

12 서술형

표현 단계 정삼각형의 내접원과 외접원은 중심이 같다.

변형 단계 $\triangle ABC$의 내접원과 $\overline{AC}$의 접 점을 H라 하면

$\overline{OH} \perp \overline{AC}$이고, $\overline{AC}$는 외접원 의 현이므로

$\overline{AH} = \overline{CH} = \dfrac{1}{2}\overline{AC} = \dfrac{1}{2}\overline{AB} = \dfrac{1}{2} \times 10 = 5$

풀이 단계 따라서 어두운 부분의 넓이를 S라 하면

$S = \pi \times \overline{OA}^2 - \pi \times \overline{OH}^2$

$\quad = \pi(\overline{OA}^2 - \overline{OH}^2)$

$\quad = \pi \times \overline{AH}^2$

$\quad = \pi \times 5^2 = 25\pi$

13 $\overline{AP} = \overline{AB} = 2\,\mathrm{cm}$,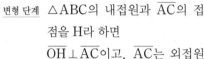
$\overline{DP} = \overline{DC} = 8\,\mathrm{cm}$이고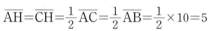
$\overline{AB} \perp \overline{BC}$, $\overline{PH} \perp \overline{BC}$, $\overline{DC} \perp \overline{BC}$

이므로

$\overline{AB} /\!/ \overline{PH} /\!/ \overline{DC}$이다.

이때 $\overline{AC}$를 긋고 $\overline{AC}$와 $\overline{PH}$의 교점을 Q라 하면

$\triangle APQ \backsim \triangle ADC$ (AA 닮음)에서

$\overline{AP} : \overline{AD} = \overline{PQ} : \overline{DC}$

$2 : 10 = \overline{PQ} : 8$

$10\overline{PQ} = 16$ $\therefore \overline{PQ} = \dfrac{8}{5}\,\mathrm{cm}$

또, $\triangle CQH \backsim \triangle CAB$ (AA 닮음)에서

$\overline{CQ} : \overline{CA} = \overline{QH} : \overline{AB}$이고

$\overline{CQ} : \overline{CA} = \overline{DP} : \overline{DA}$이므로

$\overline{QH} : \overline{AB} = \overline{DP} : \overline{DA}$에서 $\overline{QH} : 2 = 8 : 10$

$10\overline{QH} = 16$ $\therefore \overline{QH} = \dfrac{8}{5}\,\mathrm{cm}$

$\therefore \overline{PH} = \overline{PQ} + \overline{QH} = \dfrac{8}{5} + \dfrac{8}{5} = \dfrac{16}{5}\,(\mathrm{cm})$

14 서술형

표현 단계 반원 O와 $\overline{DE}$의 접점을 P라 하자.

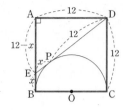

변형 단계 원 밖의 한 점에서 원에 그은 두 접선의 길이는 같으므로 $\overline{DP}=\overline{DC}=12$

$\overline{EB}=\overline{EP}=x$라 하면 $\overline{AE}=12-x$

풀이 단계 $\triangle ADE$는 직각삼각형이므로

$(x+12)^2=(12-x)^2+12^2$

$48x=144$ ∴ $x=3$

확인 단계 따라서 $\overline{DE}$의 길이는 $12+3=15$

15 오른쪽 그림과 같이 점 A에서 $\overline{BC}$에 내린 수선의 발을 H라 하고, 원 O의 반지름의 길이를 r cm라 하면

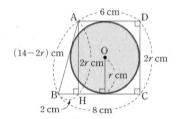

$\overline{AH}=\overline{CD}=2r$ cm

$\overline{BH}=\overline{BC}-\overline{CH}=\overline{BC}-\overline{AD}$

$=8-6=2$(cm)

또, $\overline{AD}+\overline{BC}=\overline{AB}+\overline{CD}$이므로 $6+8=\overline{AB}+2r$에서

$\overline{AB}=(14-2r)$ cm

직각삼각형 ABH에서

$(14-2r)^2=(2r)^2+2^2$, $56r=192$ ∴ $r=\dfrac{24}{7}$

따라서 원 O의 넓이는

$\pi\times\left(\dfrac{24}{7}\right)^2=\dfrac{576}{49}\pi(\text{cm}^2)$

16 $\triangle ABO$에서 $\overline{OA}=\overline{OB}=12$ cm이므로

$\overline{AB}=\sqrt{12^2+12^2}=12\sqrt{2}$(cm)

$S_1=(\overline{AB}$가 지름인 반원의 넓이$)+\triangle ABO$
$\qquad\qquad\qquad-(\text{부채꼴 OAB의 넓이})$

$=\dfrac{\pi}{2}(6\sqrt{2})^2+\dfrac{1}{2}\times12\times12-\dfrac{\pi}{4}\times12^2$

$=72(\text{cm}^2)$

$S_2=\triangle ABO=\dfrac{1}{2}\times12\times12=72(\text{cm}^2)$

∴ $S_1+S_2=72+72=144(\text{cm}^2)$

17 오른쪽 그림에서 $\overline{ON}$을 그으면

$\triangle NBM$과 $\triangle NOM$에서

$\overline{BM}=\overline{OM}$, $\angle NMB=\angle NMO$,

$\overline{NM}$은 공통이므로

$\triangle NBM \equiv \triangle NOM$ (SAS 합동)

∴ $\overline{NB}=\overline{NO}$

또, $\overline{OB}=\overline{ON}$ (∵ 부채꼴의 반지름)이므로

$\overline{NB}=\overline{NO}=\overline{OB}$

따라서 $\triangle NBO$는 정삼각형이므로 $\angle BON=60°$

한편, $\triangle NMO$에서 $\overline{OM}=2$ cm, $\overline{ON}=4$ cm이므로

$\overline{NM}=\sqrt{4^2-2^2}=2\sqrt{3}$(cm)

∴ (어두운 부분의 넓이)

$=(\text{부채꼴 ONB의 넓이})-\triangle NBO$

$=\pi\times4^2\times\dfrac{60}{360}-\dfrac{1}{2}\times4\times4\times\sin60°$

$=\dfrac{8}{3}\pi-4\sqrt{3}(\text{cm}^2)$

18 오른쪽 그림에서 $\overline{CD}=\overline{AB}=6$ cm이므로 원 O′의 반지름의 길이는

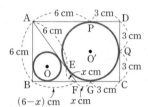

$\dfrac{1}{2}\times6=3$(cm)

따라서 $\overline{DP}=\overline{DQ}=3$ cm,

$\overline{CG}=\overline{CQ}=3$ cm이므로

$\overline{AP}=\overline{AD}-\overline{DP}=9-3=6$(cm)

∴ $\overline{AE}=\overline{AP}=6$ cm

$\overline{FG}=\overline{FE}=x$ cm라 하면

$\overline{BF}=(6-x)$ cm, $\overline{AF}=(6+x)$ cm

이므로 직각삼각형 ABF에서

$(6+x)^2=6^2+(6-x)^2$, $24x=36$ ∴ $x=\dfrac{3}{2}$

즉, $\overline{BF}=6-\dfrac{3}{2}=\dfrac{9}{2}$(cm), $\overline{AF}=6+\dfrac{3}{2}=\dfrac{15}{2}$(cm)

이므로 원 O의 반지름의 길이를 r cm라 하면 $\triangle ABF$의 넓이에서

$\dfrac{1}{2}\times\overline{AB}\times\overline{BF}$

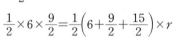

$=\dfrac{1}{2}(\overline{AB}+\overline{BF}+\overline{FA})\times r$

$\dfrac{1}{2}\times6\times\dfrac{9}{2}=\dfrac{1}{2}\left(6+\dfrac{9}{2}+\dfrac{15}{2}\right)\times r$

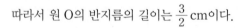

$27=18r$ ∴ $r=\dfrac{3}{2}$

따라서 원 O의 반지름의 길이는 $\dfrac{3}{2}$ cm이다.

19 $\square ABCD$가 정사각형이므로

$\triangle DBC$에서 $\overline{BD}=\sqrt{2^2+2^2}=2\sqrt{2}$(cm)

$\triangle OBF$는 직각이등변삼각형이므로 $\overline{OF}=x$ cm라 하면

$\overline{BO}=\sqrt{x^2+x^2}=\sqrt{2}x$(cm)

$\overline{BD}=\overline{BO}+\overline{OE}+\overline{ED}$이므로

$\sqrt{2}x+x+2=2\sqrt{2}$, $(\sqrt{2}+1)x=2(\sqrt{2}-1)$

∴ $x=\dfrac{2(\sqrt{2}-1)}{\sqrt{2}+1}=2(\sqrt{2}-1)^2=6-4\sqrt{2}$

따라서 $\overline{OF}$의 길이는 $(6-4\sqrt{2})$ cm이다.

20 오른쪽 그림과 같이 세 원의 접점을 각각 A, B, C라 하면

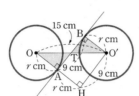

$$\overline{OP}=\overline{OA}-\overline{PA}$$
$$=10-7=3(cm)$$
$$\overline{PQ}=\overline{PB}+\overline{BQ}$$
$$=7+2=9(cm)$$
$$\overline{OQ}=\overline{OC}-\overline{QC}=10-2=8(cm)$$

따라서 △OPQ의 둘레의 길이는

$$\overline{OP}+\overline{PQ}+\overline{OQ}=3+9+8=20(cm)$$

21 오른쪽 그림과 같이 $\overline{OO'}$ 과 $\overline{AB}$의 교점을 T, 점 O'에서 $\overline{OA}$의 연장선에 내린 수선의 발을 H라 하고, 두 원의 반지름 의 길이를 r cm라 하면

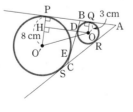

$$\overline{HO'}=\overline{AB}=9\ cm$$
$$\overline{OH}=\overline{OA}+\overline{AH}=\overline{OA}+\overline{BO'}=r+r=2r(cm)$$

△OHO'에서

$$\overline{OO'}^2=\overline{OH}^2+\overline{O'H}^2$$
$$15^2=(2r)^2+9^2$$
$$4r^2+81=225,\ r^2=36$$
$$\therefore r=6\ (\because r>0)$$

∴ (어두운 부분의 넓이)

$$=\frac{1}{2}\times\overline{OA}\times\overline{AT}+\frac{1}{2}\times\overline{O'B}\times\overline{BT}$$
$$=\frac{1}{2}\times6\times\overline{AT}+\frac{1}{2}\times6\times\overline{BT}$$
$$=3(\overline{AT}+\overline{BT})$$
$$=3\times9=27(cm^2)$$

22 오른쪽 그림에서 두 원 O, O'과 $\overline{BC}$와의 접점을 각각 D, E 라 하고, 두 원 O, O'과 $\overrightarrow{AC}$와 의 접점을 각각 R, S라 하면

$$\overline{BP}=\overline{BE},\ \overline{BQ}=\overline{BD}이므로$$
$$\overline{PQ}=\overline{PB}+\overline{BQ}=\overline{BE}+\overline{BD}\quad\cdots\cdots\ \bigcirc$$

또, $\overline{CS}=\overline{CE}$, $\overline{CR}=\overline{CD}$이므로

$$\overline{RS}=\overline{RC}+\overline{CS}=\overline{CD}+\overline{CE}\quad\cdots\cdots\ \bigcirc$$

㉠, ㉡에서

$$\overline{PQ}+\overline{RS}=(\overline{BE}+\overline{BD})+(\overline{CD}+\overline{CE})$$
$$=(\overline{BE}+\overline{CE})+(\overline{BD}+\overline{CD})$$
$$=\overline{BC}+\overline{BC}$$
$$=2\overline{BC}$$

이때 $\overline{AP}=\overline{AS}$이고 $\overline{AQ}=\overline{AR}$이므로 $\overline{PQ}=\overline{RS}$

$$2\overline{PQ}=2\overline{RS}=2\overline{BC}$$
$$\therefore \overline{PQ}=\overline{BC}=12\ cm$$

점 O에서 $\overline{O'P}$에 내린 수선의 발을 H라 하면

$$\overline{PH}=\overline{QO}=3\ cm,\ \overline{HO}=\overline{PQ}=12\ cm$$
$$\therefore \overline{O'H}=\overline{O'P}-\overline{PH}$$
$$=8-3=5(cm)$$

따라서 △OHO'에서

$$\overline{OO'}=\sqrt{5^2+12^2}=13(cm)$$

23 오른쪽 그림에서 원 O와 $\overline{PA}$, $\overline{PB}$, $\overline{AB}$의 접점을 각각 Q, R, S라 하고, $\overline{PA}=a\ cm$, $\overline{PB}=b\ cm$, 원 O의 반지름의 길이를 r cm 라 하면

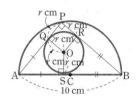

□PQOR는 정사각형이므로

$$\overline{AB}=\overline{AS}+\overline{SB}=\overline{AQ}+\overline{BR}$$
$$=(a-r)+(b-r)=10$$
$$2r+10=a+b\qquad \therefore r=\frac{a+b-10}{2}$$

점 P에서 $\overline{AB}$에 내린 수선의 발을 H라 하고, $\overline{PH}=h\ cm$ 라 하면

$$\overline{AP}\times\overline{BP}=\overline{AB}\times\overline{PH}$$
$$\therefore ab=10h$$

또, △PAB에서 $\overline{PA}^2+\overline{PB}^2=\overline{AB}^2$

즉, $a^2+b^2=10^2$이므로

$$(a+b)^2=a^2+b^2+2ab=100+2ab=100+20h$$

그러므로 $a+b$는 h가 최대일 때, 즉 점 P가 $\overparen{AB}$의 중점일 때 최대이고, $a+b$가 최대일 때 r는 최댓값을 갖는다.

점 P가 $\overparen{AB}$의 중점이면 $a=b=5\sqrt{2}$

$$r=\frac{a+b-10}{2}=\frac{5\sqrt{2}+5\sqrt{2}-10}{2}$$
$$=\frac{10\sqrt{2}-10}{2}=5\sqrt{2}-5=5(\sqrt{2}-1)$$

따라서 원의 넓이가 최대일 때 원 O의 반지름의 길이는 $5(\sqrt{2}-1)\ cm$이다.

1 $2(\sqrt{2}+2)$ cm **2** ④ **3** $96\,\mathrm{cm}^2$ **4** $\dfrac{24\sqrt{6}}{7}$ cm **5** 2 cm **6** $128\left(\sqrt{3}-\dfrac{\pi}{3}\right)\mathrm{cm}^2$

7 $\dfrac{10}{3}$ cm **8** $\dfrac{10\sqrt{3}}{3}$ cm **9** 2 cm **10** 16 cm **11** $\dfrac{10}{2n+3}$ cm **12** 6 cm

13 $\dfrac{3(5-\sqrt{5})}{8}$ cm

문제 풀이

1 오른쪽 그림에서 $\triangle$ABE
는 직각이등변삼각형이므로
$\overline{\mathrm{AE}}=\overline{\mathrm{AB}}=4$ cm,
$\overline{\mathrm{BE}}=4\sqrt{2}$ cm

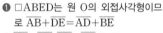

또, $\square$ABCD는 직사각형이
므로 $\overline{\mathrm{DC}}=\overline{\mathrm{AB}}=4$ cm
$\overline{\mathrm{BC}}=x$ cm라 하면 $\overline{\mathrm{ED}}=(x-4)$ cm
$\square$EBCD는 원 O에 외접하므로
$\overline{\mathrm{EB}}+\overline{\mathrm{DC}}=\overline{\mathrm{ED}}+\overline{\mathrm{BC}}$
$4\sqrt{2}+4=(x-4)+x$, $2x=4\sqrt{2}+8$
$\therefore x=2\sqrt{2}+4=2(\sqrt{2}+1)$
따라서 $\overline{\mathrm{BC}}$의 길이는 $2(\sqrt{2}+1)$ cm이다.

> **TIP** 외접사각형의 성질
> 원 O가 직사각형 ABCD의 세 변과 $\overline{\mathrm{DE}}$
> 에 접하고 네 점 P, Q, R, S가 접점일 때,
> ❶ $\square$ABED는 원 O의 외접사각형이므
>   로 $\overline{\mathrm{AB}}+\overline{\mathrm{DE}}=\overline{\mathrm{AD}}+\overline{\mathrm{BE}}$
> ❷ $\overline{\mathrm{DS}}=\overline{\mathrm{DR}}$, $\overline{\mathrm{EQ}}=\overline{\mathrm{ER}}$이므로
> $\overline{\mathrm{DE}}=\overline{\mathrm{DS}}+\overline{\mathrm{EQ}}$
> ❸ 직각삼각형 DEC에서 $\overline{\mathrm{CE}}^2+\overline{\mathrm{CD}}^2=\overline{\mathrm{DE}}^2$

2 오른쪽 그림에서
$\overline{\mathrm{CD}}=x$ cm, $\overline{\mathrm{BC}}=y$ cm라 하면
$\square$BCDF$=18\,\mathrm{cm}^2$이므로
$xy=18$ ...... ㉠

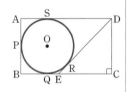

직사각형의 두 대각선의 길이는 같
으므로
$\overline{\mathrm{BD}}=\overline{\mathrm{CF}}=8$ cm
$\triangle$BCD에서
$x^2+y^2=8^2$ ...... ㉡
㉠, ㉡에서
$(x+y)^2=x^2+y^2+2xy=8^2+2\times18=100$
$\therefore x+y=10\ (\because x>0,\ y>0)$
$\overline{\mathrm{DE}}=(8-x)$ cm, $\overline{\mathrm{AB}}=(8-y)$ cm이므로
$\overline{\mathrm{AB}}+\overline{\mathrm{BD}}+\overline{\mathrm{DE}}=(8-y)+8+(8-x)$
$\qquad=24-(x+y)=24-10=14\,(\mathrm{cm})$

$\widehat{\mathrm{EA}}=2\pi\times8\times\dfrac{90}{360}=4\pi\,(\mathrm{cm})$
따라서 어두운 부분의 둘레의 길이는
$\overline{\mathrm{AB}}+\overline{\mathrm{BD}}+\overline{\mathrm{DE}}+\widehat{\mathrm{EA}}=14+4\pi\,(\mathrm{cm})$

3 오른쪽 그림과 같이
$\overline{\mathrm{AP}}=\overline{\mathrm{AR}}=x$ cm라 하면
$\square$O'PBQ가 정사각형이므로
$\overline{\mathrm{BP}}=\overline{\mathrm{BQ}}=4$ cm,
$\overline{\mathrm{CQ}}=\overline{\mathrm{CR}}=(20-x)$ cm

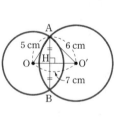

$\triangle$ABC에서 $\angle$B$=90°$이고, $\overline{\mathrm{AC}}=20$ cm,
$\overline{\mathrm{AB}}=(x+4)$ cm, $\overline{\mathrm{BC}}=(24-x)$ cm이므로
$20^2=(x+4)^2+(24-x)^2$
$x^2-20x+96=0$
$(x-8)(x-12)=0$
$\therefore x=12\ (\because 10<x<20)$
따라서 $\overline{\mathrm{AB}}=12+4=16\,(\mathrm{cm})$,
$\overline{\mathrm{BC}}=24-12=12\,(\mathrm{cm})$이므로
$\triangle\mathrm{ABC}=\dfrac{1}{2}\times\overline{\mathrm{AB}}\times\overline{\mathrm{BC}}$
$\qquad=\dfrac{1}{2}\times16\times12=96\,(\mathrm{cm}^2)$

4 오른쪽 그림에서 $\triangle$AOO'의
넓이 S는 헤론의 공식에 의하여
$s=\dfrac{5+6+7}{2}=9$이므로
$S=\sqrt{9(9-5)(9-6)(9-7)}$
$\quad=\sqrt{9\times4\times3\times2}=6\sqrt{6}\,(\mathrm{cm}^2)$
$\overline{\mathrm{AB}}$와 $\overline{\mathrm{OO'}}$의 교점을 H라 하면
$\overline{\mathrm{AB}}\perp\overline{\mathrm{OO'}}$, $\overline{\mathrm{AH}}=\overline{\mathrm{BH}}$이므로
$S=\dfrac{1}{2}\times\overline{\mathrm{OO'}}\times\overline{\mathrm{AH}}=6\sqrt{6}\,(\mathrm{cm}^2)$에서
$\dfrac{1}{2}\times7\times\overline{\mathrm{AH}}=6\sqrt{6}$
$\therefore \overline{\mathrm{AH}}=\dfrac{12\sqrt{6}}{7}\,(\mathrm{cm})$
$\therefore \overline{\mathrm{AB}}=2\overline{\mathrm{AH}}=\dfrac{24\sqrt{6}}{7}\,(\mathrm{cm})$

5 오른쪽 그림의 원 O_1의 중심에서 $\overline{AB}$에 내린 수선의 발을 H라 하고, 원 O_1의 반지름의 길이를 x cm라 하면 $\triangle O_1HO$에서

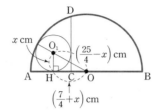

$\overline{O_1H}=x$ cm,

$\overline{O_1O}=\left(\dfrac{25}{4}-x\right)$ cm,

$\overline{HO}=\left(\dfrac{7}{4}+x\right)$ cm이므로

$\left(\dfrac{25}{4}-x\right)^2=x^2+\left(\dfrac{7}{4}+x\right)^2$

$\dfrac{625}{16}-\dfrac{25}{2}x+x^2=2x^2+\dfrac{7}{2}x+\dfrac{49}{16}$

$x^2+16x-36=0$, $(x-2)(x+18)=0$

$\therefore x=2 \ (\because x>0)$

따라서 구하는 원의 반지름의 길이는 2 cm이다.

6 오른쪽 그림에서 $\overgroup{AC}$ 와 $\overgroup{BD}$가 만나는 점을 E라 하면 $\overline{AE}=\overline{AD}=\overline{ED}=16$ cm이므로 $\triangle AED$는 정삼각형이다.

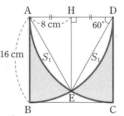

(어두운 부분의 넓이)

$=2\{(사분원의 넓이)-2S_1-\triangle AED\}$

$=2\{(사분원의 넓이)-2(S_1+\triangle AED)+\triangle AED\}$

이때 $(S_1+\triangle AED)$는 반지름의 길이가 16 cm이고 중심각의 크기가 60°인 부채꼴의 넓이이다.

$\therefore S_1+\triangle AED=\pi \times 16^2 \times \dfrac{60}{360}=\dfrac{128}{3}\pi(cm^2)$

점 E에서 $\overline{AD}$에 내린 수선의 발을 H라 하면

$\overline{AH}=\overline{DH}=\dfrac{1}{2}\overline{AD}=\dfrac{1}{2}\times 16=8(cm)$

$\triangle EAH$에서

$\overline{EH}=\sqrt{\overline{EA}^2-\overline{AH}^2}$

$\qquad =\sqrt{16^2-8^2}=\sqrt{192}$

$\qquad =8\sqrt{3}(cm)$

이므로

$\triangle AED=\dfrac{1}{2}\times \overline{AD}\times \overline{EH}$

$\qquad\quad =\dfrac{1}{2}\times 16\times 8\sqrt{3}$

$\qquad\quad =64\sqrt{3}(cm^2)$

$\therefore$ (어두운 부분의 넓이)

$=2\left(\dfrac{\pi}{4}\times 16^2-2\times \dfrac{128}{3}\pi+64\sqrt{3}\right)$

$=2\left(64\pi-\dfrac{256}{3}\pi+64\sqrt{3}\right)$

$=128\left(\sqrt{3}-\dfrac{\pi}{3}\right)(cm^2)$

7 오른쪽 그림과 같이 두 점 O_1, O_3를 지나는 선분 AB는 원 O의 지름이므로

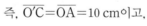

$\overline{OO_1}=\dfrac{1}{2}\overline{OA}=\dfrac{1}{2}\times 10$

$\qquad\ =5(cm)$

원 O_4의 반지름의 길이를 r cm라 하면 직각삼각형 O_1OO_4에서

$\overline{OO_4}=(10-r)$ cm, $\overline{O_1O_4}=(5+r)$ cm

이므로 피타고라스 정리에 의해

$(5+r)^2=5^2+(10-r)^2$

$30r=100 \qquad \therefore r=\dfrac{10}{3}$

따라서 원 O_4의 반지름의 길이는 $\dfrac{10}{3}$ cm이다.

8 호 PCQ를 원의 일부로 하는 원 O′을 작도하면 오른쪽 그림과 같고 원 O′의 반지름의 길이는 10 cm이다.

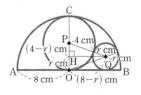

즉, $\overline{O'C}=\overline{OA}=10$ cm이고, $\angle O'OC=60$°이므로

$\overline{OC}:\overline{O'C}=1:\sqrt{3}$에서

$\overline{OC}:10=1:\sqrt{3}$

$\therefore \overline{OC}=\dfrac{10\sqrt{3}}{3}$ cm

9 오른쪽 그림에서 $\overline{OC}=\overline{OA}=8$ cm이므로

$\overline{OP}=\dfrac{1}{2}\overline{OC}=\dfrac{1}{2}\times 8$

$\qquad\ =4(cm)$

원 Q의 반지름의 길이를 r cm라 하고, 점 Q에서 $\overline{OC}$에 내린 수선의 발을 H라 하면

$\overline{PQ}=(4+r)$ cm, $\overline{OQ}=(8-r)$ cm,

$\overline{OH}=r$ cm, $\overline{PH}=(4-r)$ cm

$\triangle PHQ$와 $\triangle OHQ$에서 $\overline{PQ}^2-\overline{PH}^2=\overline{OQ}^2-\overline{OH}^2$이므로

$(4+r)^2-(4-r)^2=(8-r)^2-r^2$

$32r=64 \qquad \therefore r=2$

따라서 원 Q의 반지름의 길이는 2 cm이다.

10 오른쪽 그림과 같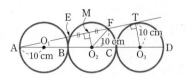
이 두 점 O_2와 O_3에서
$\overline{AT}$에 각각 수선을 내
리면

$\overline{O_2M} /\!/ \overline{O_3T}$이므로

$\triangle AO_2M \backsim \triangle AO_3T$ (AA 닮음)

$\overline{AO_2} : \overline{AO_3} = \overline{O_2M} : \overline{O_3T}$에서

$30 : 50 = \overline{O_2M} : 10$

$50\overline{O_2M} = 300 \qquad \therefore \overline{O_2M} = 6 \text{ cm}$

$\triangle O_2FM$에서

$\overline{MF} = \sqrt{10^2 - 6^2} = 8(\text{cm})$

원의 중심에서 현에 내린 수선은 그 현을 이등분하므로

$\overline{EM} = \overline{MF}$

$\therefore \overline{EF} = 2\overline{MF} = 2 \times 8 = 16(\text{cm})$

11 $\overline{BC} = \sqrt{6^2 + 8^2} = 10(\text{cm})$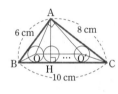
오른쪽 그림과 같이 $\triangle ABC$를 3
개의 삼각형인 $\triangle OAB$, $\triangle O'AC$,
$\triangle AOO'$과 1개의 사다리꼴
$\square OBCO'$으로 나누고, 합동인 원들의 반지름의 길이를 r cm
라 하면

$\overline{OO'} = 2(n-1)r \text{ cm}$

$\overline{AB} \times \overline{AC} = \overline{BC} \times \overline{AH}$에서

$6 \times 8 = 10 \times \overline{AH}$

$\therefore \overline{AH} = \dfrac{24}{5} \text{ cm}$

$\triangle ABC = \triangle OAB + \triangle O'AC + \triangle AOO' + \square OBCO'$

$\qquad = \left(\dfrac{1}{2} \times 6 \times r\right) + \left(\dfrac{1}{2} \times 8 \times r\right)$

$\qquad\qquad + \dfrac{1}{2} \times 2(n-1)r \times \left(\dfrac{24}{5} - r\right)$

$\qquad\qquad + \dfrac{1}{2}\{2(n-1)r + 10\} \times r$

$\qquad = 3r + 4r + (n-1)\left(\dfrac{24}{5} - r\right)r + (n-1)r^2 + 5r$

$\qquad = 12r + (n-1)r\left(\dfrac{24}{5} - r + r\right)$

$\qquad = 12r + \dfrac{24}{5}(n-1)r$

$\qquad = \dfrac{12}{5}(2n+3)r$

$\qquad = 24$

$\therefore r = \dfrac{10}{2n+3}$

따라서 반지름의 길이는 $\dfrac{10}{2n+3}$ cm이다.

12 오른쪽 그림에서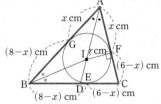
$\overline{BD} : \overline{DC} = \overline{AB} : \overline{AC}$

$\qquad\quad = 4 : 3$

$\therefore \overline{BD} = 4 \text{ cm}$,

$\quad \overline{DC} = 3 \text{ cm}$

$\angle B$의 이등분선과 $\overline{AD}$의 교점을 I라 하면

$\overline{AI} : \overline{ID} = \overline{AB} : \overline{BD} = 8 : 4 = 2 : 1 \quad \cdots\cdots \text{㉠}$

한편, 점 I는 $\triangle ABC$의 내접원의 중심이므로

원 I와 $\triangle ABC$와의 접점을 각각 E, F, G라 하고,

$\overline{IF} = r \text{ cm}$, $\overline{AF} = x \text{ cm}$라 하면

$\overline{AG} = \overline{AF} = x \text{ cm}$,

$\overline{CE} = \overline{CF} = (6-x) \text{ cm}$,

$\overline{BE} = \overline{BG} = (8-x) \text{ cm}$이므로

$\overline{BC} = \overline{BE} + \overline{CE} = (8-x) + (6-x) = 7$

$14 - 2x = 7, \ 2x = 7$

$\therefore x = \dfrac{7}{2}$

$\triangle ABC$의 넓이는 헤론의 공식에 의해

$s = \dfrac{8+6+7}{2} = \dfrac{21}{2}$이므로

$\triangle ABC = \sqrt{\dfrac{21}{2}\left(\dfrac{21}{2} - 8\right) \times \left(\dfrac{21}{2} - 6\right) \times \left(\dfrac{21}{2} - 7\right)}$

$\qquad\quad = \sqrt{\dfrac{21}{2} \times \dfrac{5}{2} \times \dfrac{9}{2} \times \dfrac{7}{2}}$

$\qquad\quad = \dfrac{21\sqrt{15}}{4}(\text{cm}^2)$

$\dfrac{r}{2}(8+6+7) = \dfrac{21\sqrt{15}}{4}$

$\dfrac{21}{2}r = \dfrac{21\sqrt{15}}{4}$

$\therefore r = \dfrac{\sqrt{15}}{2}$

직각삼각형 AIF에서

$\overline{AI} = \sqrt{\left(\dfrac{\sqrt{15}}{2}\right)^2 + \left(\dfrac{7}{2}\right)^2} = \sqrt{16} = 4(\text{cm})$

㉠에서 $\overline{AI} : \overline{ID} = 2 : 1$이므로

$4 : \overline{ID} = 2 : 1, \ 2\overline{ID} = 4 \qquad \therefore \overline{ID} = 2 \text{ cm}$

$\therefore \overline{AD} = \overline{AI} + \overline{ID} = 4 + 2 = 6(\text{cm})$

다른 풀이

점 A에서 $\overline{BC}$에 내린 수선의 발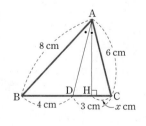
을 H라 하고 $\overline{CH} = x \text{ cm}$라 하
면

$\overline{BH} = (7-x) \text{ cm}$

$\overline{AB}^2 - \overline{BH}^2 = \overline{AC}^2 - \overline{CH}^2$에서

$8^2 - (7-x)^2 = 6^2 - x^2$

$14x = 21 \qquad \therefore x = \dfrac{3}{2}$

$$\therefore \overline{DH} = \overline{CD} - \overline{CH} = 3 - \frac{3}{2} = \frac{3}{2}(cm)$$

$\triangle ADH$와 $\triangle ACH$에서

$\overline{DH} = \overline{CH}$, $\overline{AH}$는 공통,

$\angle AHD = \angle AHC = 90°$이므로

$\triangle ADH \equiv \triangle ACH$ (SAS 합동)

$$\therefore \overline{AD} = \overline{AC} = 6\ cm$$

13 오른쪽 그림에서 두 원 O_1, O_2와 $\overline{BC}$와의 접점을 각 각 E, F, 점 O_2에서 $\overline{CD}$에 내린 수선의 발을 G, 점 O_1 에서 $\overline{CD}$, $\overline{O_2F}$에 내린 수선

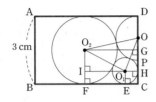

의 발을 각각 H, I 라 하고, 반 원 O와 원 O_1의 반지름의 길 이를 각각 x cm, y cm라 하자.

$\overline{OH} = (3-x-y)$ cm이므로

$\triangle OO_1H$에서

$$\overline{OO_1}^2 = \overline{OH}^2 + \overline{O_1H}^2$$

$$(x+y)^2 = (3-x-y)^2 + y^2$$

$$6x = y^2 - 6y + 9$$

$$6x = (y-3)^2 \qquad \cdots\cdots \text{㉠}$$

원 O_2의 반지름의 길이는 $\frac{3}{2}$ cm이므로

$\triangle O_1O_2I$에서

$$\overline{O_1O_2}^2 = \overline{O_2I}^2 + \overline{O_1I}^2$$

$$\left(\frac{3}{2}+y\right)^2 = \left(\frac{3}{2}-y\right)^2 + \overline{EF}^2$$

$$\overline{EF}^2 = 6y$$

$$\therefore \overline{EF} = \sqrt{6y}\ (cm)\ (\because \overline{EF}>0)$$

또, $\triangle OGO_2$에서

$$\overline{OO_2}^2 = \overline{OG}^2 + \overline{O_2G}^2$$

$$\left(x+\frac{3}{2}\right)^2 = \left(\frac{3}{2}-x\right)^2 + (y+\overline{EF})^2$$

$$6x = (y+\sqrt{6y})^2 \qquad \cdots\cdots \text{㉡}$$

㉠, ㉡에서

$$3-y = y + \sqrt{6y} \ (\because 0<y<3)$$

$$\sqrt{6y} = 3-2y$$

양변을 제곱하면

$$6y = 9 - 12y + 4y^2, \quad 4y^2 - 18y + 9 = 0$$

$$y = \frac{9 \pm \sqrt{(-9)^2 - 4 \times 9}}{4} = \frac{9 \pm 3\sqrt{5}}{4}$$

$$\therefore y = \frac{9-3\sqrt{5}}{4} \ \left(\because 0<y<3\right)$$

㉠에서

$$6x = \left(\frac{9-3\sqrt{5}}{4} - 3\right)^2 = \left\{\frac{3(1+\sqrt{5})}{4}\right\}^2$$

$$x = \frac{9(6+2\sqrt{5})}{16} \times \frac{1}{6} = \frac{9+3\sqrt{5}}{16}$$

$$\therefore \overline{CP} = 3 - 2x = 3 - 2 \times \frac{9+3\sqrt{5}}{16}$$

$$= \frac{15-3\sqrt{5}}{8} = \frac{3(5+\sqrt{5})}{8}(cm)$$

2 원과 각

51~55쪽

1^{STEP} 주제별 실력다지기

1 풀이 참조   **2** (1) 4   (2) 110   **3** $(1+\sqrt{3}) : \sqrt{6} : 2$ **4** (1) 80° (2) 50°   **5** 23°   **6** 90°

7 52.5°   **8** (1) 40° (2) 60°   **9** 32°   **10** $\frac{1}{2}$ **11** 35°   **12** (1) 75° (2) 120°

13 40°   **14** 105°   **15** $4\sqrt{5}$ cm   **16** ④

최상위 NOTE 04
접선과 현이 이루는 각의 크기

원의 접선과 그 접점을 지나는 현이 이루는 각의 크기는 그 각의 내부에 있는 호에 대한 원주각의 크기와 같다.

즉, $\angle QAB = \angle ACB$

(1) $\angle QAB$가 직각인 경우

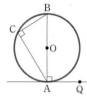

현 AB는 원 O의 지름이므로
$\angle QAB = \angle ACB = 90°$

(2) $\angle QAB$가 예각인 경우

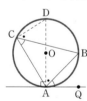

$\overline{AD}$를 그으면 $\angle QAD = \angle ACD = 90°$
∴ $\angle QAB = 90° - \angle BAD$
　　　　$= 90° - \angle BCD$
　　　　$= \angle ACB$

(3) $\angle QAB$가 둔각인 경우

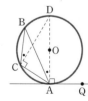

$\overline{AD}$를 그으면 $\angle QAD = \angle ACD = 90°$
∴ $\angle QAB = 90° + \angle BAD$
　　　　$= 90° + \angle BCD$
　　　　$= \angle ACB$

이 성질을 이용하여 두 원이 외부에서 접할 때, 다음과 같은 성질이 있음을 확인할 수 있다.

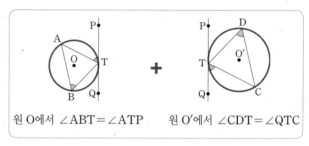

원 O에서 $\angle ABT = \angle ATP$ 원 O'에서 $\angle CDT = \angle QTC$

↓

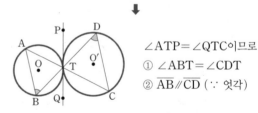

$\angle ATP = \angle QTC$이므로
① $\angle ABT = \angle CDT$
② $\overline{AB} /\!/ \overline{CD}$ (∵ 엇각)

이와 마찬가지로 오른쪽 그림과 같이 두 원이 내부에서 접할 때에도 접선과 현이 이루는 각의 크기를 이용하여 다음 성질을 확인할 수 있다.

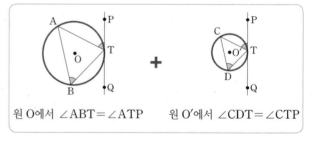

원 O에서 $\angle ABT = \angle ATP$ 원 O'에서 $\angle CDT = \angle CTP$

↓

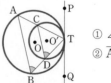

① $\angle ABT = \angle CDT$
② $\overline{AB} /\!/ \overline{CD}$ (∵ 동위각)

1 (1) ∠AOB=2θ라 하면

∠BOC=$180°-2\theta$

또, $\overline{OB}=\overline{OC}$이므로

∠OCB=$\frac{1}{2}(180°-∠BOC)=\theta$

∴ ∠ACB=$\frac{1}{2}$∠AOB

따라서 원주각의 크기는 중심각의 크기의 $\frac{1}{2}$이다.

(2) (1)에 의해 ∠ACD=$\frac{1}{2}$∠AOD,

∠BCD=$\frac{1}{2}$∠BOD이므로

∠ACB=∠ACD+∠BCD

$=\frac{1}{2}$∠AOD+$\frac{1}{2}$∠BOD

$=\frac{1}{2}$(∠AOD+∠BOD)

$=\frac{1}{2}$∠AOB

따라서 원주각의 크기는 중심각의 크기의 $\frac{1}{2}$이다.

(3) (1)에 의해 ∠DCB=$\frac{1}{2}$∠DOB,

∠DCA=$\frac{1}{2}$∠DOA이므로

∠ACB=∠DCB−∠DCA

$=\frac{1}{2}$∠DOB−$\frac{1}{2}$∠DOA

$=\frac{1}{2}$(∠DOB−∠DOA)

$=\frac{1}{2}$∠AOB

따라서 원주각의 크기는 중심각의 크기의 $\frac{1}{2}$이다.

2 (1) 한 원에서 호의 길이는 중심각의 크기에 정비례하고,
$\widehat{AE}$에 대한 중심각의 크기는 60°이므로

$3:x=45°:60°$, $3:x=3:4$ ∴ $x=4$

(2) 원주각의 크기는 호의 길이에 정비례하므로

∠BEC : ∠CAD=2 : 3

20° : ∠CAD=2 : 3

2∠CAD=60°

∴ ∠CAD=30°

$\overline{OC}$를 그으면

∠BOC=2∠BEC=2×20°=40°

∠COD=2∠CAD=2×30°=60°

이므로

∠AOB=180°−(40°+60°)=80°

∴ $x=30+80=110$

3 원주각의 크기는 호의 길이에 정비례하므로

∠C : ∠A : ∠B=$\widehat{AB}$: $\widehat{BC}$: $\widehat{CA}$=5 : 4 : 3

∴ ∠A=$180°×\frac{4}{5+4+3}=60°$

∴ ∠B=$180°×\frac{3}{5+4+3}=45°$

∴ ∠C=$180°×\frac{5}{5+4+3}=75°$

오른쪽 그림과 같이 점 C에서 $\overline{AB}$
에 내린 수선의 발을 H라 하면
∠ACH=30°, ∠HCB=45°
$\overline{AC}=a$라 하면 △AHC에서

$\overline{AH}=\frac{1}{2}\overline{AC}=\frac{1}{2}a$

$\overline{CH}=\frac{\sqrt{3}}{2}\overline{AC}=\frac{\sqrt{3}}{2}a$

△BCH에서

$\overline{BH}=\overline{CH}=\frac{\sqrt{3}}{2}a$

$\overline{BC}=\sqrt{2}\,\overline{BH}=\sqrt{2}×\frac{\sqrt{3}}{2}a=\frac{\sqrt{6}}{2}a$

∴ $\overline{AB}:\overline{BC}:\overline{CA}=\left(\frac{1}{2}+\frac{\sqrt{3}}{2}\right)a:\frac{\sqrt{6}}{2}a:a$

$=(1+\sqrt{3}):\sqrt{6}:2$

> **TIP** 오른쪽 그림의 원 O에서
> $\widehat{AB}:\widehat{BC}:\widehat{CA}=l:m:n$이면
> ⇒ ∠ACB : ∠BAC : ∠CBA
> $=l:m:n$
> ⇒ ∠ACB=$\frac{l}{l+m+n}×180°$
> ∠BAC=$\frac{m}{l+m+n}×180°$
> ∠CBA=$\frac{n}{l+m+n}×180°$

4 (1) 오른쪽 그림과 같이 $\overline{BD}$를 그
으면 반원에 대한 원주각의 크기는
90°이므로
∠ADB=90°
△DBP에서
∠ADB=∠DPB+∠DBP이므로
90°=50°+∠DBP
∴ ∠DBP=40°
∴ θ=∠COD=2∠CBD=2×40°=80°

(2) 오른쪽 그림과 같이 $\overline{BD}$를 그으면
∠ADB=∠AFB=30°,
∠DBE=∠DCE=20°
이므로 △QBD에서
θ=∠QBD+∠QDB
$=20°+30°=50°$

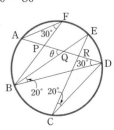

5 오른쪽 그림과 같이 $\overline{BD}$를 그

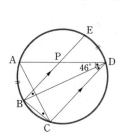

으면 $\overset{\frown}{AB}=\overset{\frown}{DE}$이므로

$\angle ADB=\angle DBE$

또, $\overline{BE}/\!/\overline{CD}$이므로

$\angle BDC=\angle DBE$ (엇각)

$\therefore \angle ADB=\angle BDC$

$\qquad\quad =\dfrac{1}{2}\angle ADC$

$\qquad\quad =\dfrac{1}{2}\times 46^\circ=23^\circ$

$\therefore \angle ACB=\angle ADB=23^\circ$

6 반원에 대한 원주각의 크기는 90°이므로 $\angle ARB=90^\circ$

$\overset{\frown}{AP}=\overset{\frown}{PQ}=\overset{\frown}{QB}$이므로

$\angle ARP=\angle PRQ=\angle QRB$

$\qquad\qquad =\dfrac{1}{3}\angle ARB=\dfrac{1}{3}\times 90^\circ=30^\circ$

$\therefore \angle ARQ=\angle ARP+\angle PRQ=30^\circ+30^\circ=60^\circ$

$\overset{\frown}{RB}=\dfrac{1}{3}\overset{\frown}{ARB}=\overset{\frown}{AP}$이므로

$\angle RAB=\angle ARP=30^\circ$

따라서 $\triangle ACR$에서

$\angle OCQ=\angle ARC+\angle RAC=60^\circ+30^\circ=90^\circ$

7 $\angle ADB=\angle a$,

$\angle CBD=\angle b$라 하면

$\triangle BPD$에서

$\angle a=\angle b+30^\circ$ $\qquad\cdots\cdots$ ㉠

원 O의 원주각의 크기의 총합은 180°이므로

$3\angle a+\angle b=180^\circ$ $\qquad\cdots\cdots$ ㉡

㉠, ㉡에서 $3(\angle b+30^\circ)+\angle b=180^\circ$, $4\angle b=90^\circ$

$\therefore \angle b=22.5^\circ$

$\therefore \angle ADB=\angle a=22.5^\circ+30^\circ=52.5^\circ$

8 (1) $\angle BAC=70^\circ$이므로 $\triangle APB$에서

$70^\circ=\theta+30^\circ$ $\qquad\therefore \theta=40^\circ$

(2) 오른쪽 그림과 같이 $\overline{AB}$를

그으면

$\angle ABC=90^\circ$이므로

$\angle BAC=\theta$,

$\angle ACB=90^\circ-\theta$

$\triangle PBC$에서

$30^\circ+(90^\circ-\theta)=\theta$, $2\theta=120^\circ$

$\therefore \theta=60^\circ$

9 $\angle ACB=x$라 하고, 오른쪽

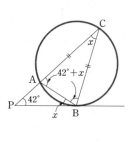

그림과 같이 $\overline{AB}$를 그으면

$\angle ABP=\angle ACB=x$

$\triangle APB$에서

$\angle BAC=\angle APB+\angle ABP$

$\qquad\quad =42^\circ+x$

또, $\overline{AC}=\overline{BC}$이므로

$\angle ABC=\angle BAC=42^\circ+x$

따라서 $\triangle ABC$에서

$(42^\circ+x)+(42^\circ+x)+x=180^\circ$

$3x=96^\circ$ $\qquad\therefore x=32^\circ$

10 $\triangle ADE$에서

$\angle DEA+\angle DAE$

$=\angle ADC=75^\circ$

접선과 현이 이루는 각의 성

질에 의해 $\angle BAC=\angle AEC$이므로

$\angle BAD=\angle BAC+\angle CAD$

$\qquad\quad =\angle AEC+\angle DAE=75^\circ$

따라서 $\triangle ABD$에서

$\angle ABD=180^\circ-2\times 75^\circ=30^\circ$

$\therefore \sin(\angle ABE)=\sin 30^\circ=\dfrac{1}{2}$

11 $\angle BAD=\angle ACB=40^\circ$

$\qquad\qquad\cdots\cdots$ ㉠

$\triangle CAB$는 이등변삼각형이므로

$\angle CAB=\angle CBA$

$\qquad\quad =\dfrac{1}{2}(180^\circ-40^\circ)$

$\qquad\quad =70^\circ$ $\qquad\cdots\cdots$ ㉡

㉠, ㉡에서

$\angle CDA=180^\circ-(40^\circ+70^\circ+40^\circ)=30^\circ$

$\triangle DEA$는 이등변삼각형이므로

$\angle DAE=\angle DEA=\dfrac{1}{2}(180^\circ-30^\circ)=75^\circ$

$\therefore \angle BAE=\angle DAE-\angle BAD$

$\qquad\qquad =75^\circ-40^\circ=35^\circ$

12 (1) $\triangle PEF$에서

$\angle PFE=180^\circ-(70^\circ+35^\circ)=75^\circ$

$\therefore \theta=\angle ABC=\angle CFE=75^\circ$

(2) 오른쪽 그림과 같이 점 P를 잡
으면

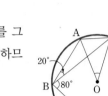

$\angle APC = \dfrac{1}{2}\angle AOC = \dfrac{\theta}{2}$

□PABC는 원 O에 내접하므로

$\angle APC + \angle ABC = \dfrac{\theta}{2} + \theta = 180°$

$\dfrac{3}{2}\theta = 180°$ ∴ $\theta = 120°$

13 오른쪽 그림과 같이 $\overline{BE}$를 그
으면 □BCDE는 원 O에 내접하므
로

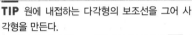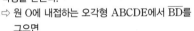

$\angle CBE + \angle CDE = 180°$

$\angle CBE + 100° = 180°$

$\angle CBE = 80°$

∴ $\angle ABE = \angle ABC - \angle CBE$
$= 100° - 80° = 20°$

∴ $\angle AOE = 2\angle ABE$
$= 2 \times 20° = 40°$

TIP 원에 내접하는 다각형의 보조선을 그어 사
각형을 만든다.

⇨ 원 O에 내접하는 오각형 ABCDE에서 $\overline{BD}$를
그으면

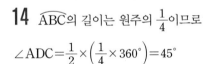

❶ □ABDE는 원 O에 내접하므로
  $\angle ABD + \angle AED = 180°$

❷ $\angle COD$는 $\overset{\frown}{CD}$에 대한 중심각이고 $\angle CBD$는 $\overset{\frown}{CD}$에 대한 원주각
  이므로 $\angle COD = 2\angle CBD$

---

14 $\overset{\frown}{ABC}$의 길이는 원주의 $\dfrac{1}{4}$이므로

$\angle ADC = \dfrac{1}{2} \times \left(\dfrac{1}{4} \times 360°\right) = 45°$

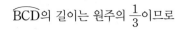

$\overset{\frown}{BCD}$의 길이는 원주의 $\dfrac{1}{3}$이므로

$\angle BAD = \dfrac{1}{2} \times \left(\dfrac{1}{3} \times 360°\right) = 60°$

□ABCD는 원에 내접하므로

$\angle ADC + \angle DCE = \angle ADC + \angle BAD$
$\qquad\qquad\qquad = 45° + 60° = 105°$

15 $\overline{AB} = 2\,\text{cm}$,

$\overline{BC} = 2 + 2 = 4(\text{cm})$이므로

$\overline{AC} = \sqrt{2^2 + 4^2} = 2\sqrt{5}(\text{cm})$

△ABC와 △DCF에서

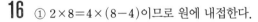

□ABDE는 원에 내접하므로

$\angle BAC = \angle CDF$

또, $\overline{AB} /\!/ \overline{FC}$이므로 $\angle ABC = \angle DCF = 90°$

$\overline{AB} = \overline{DC}$

따라서 △ABC≡△DCF (ASA 합동)이므로

$\overline{DF} = \overline{AC} = 2\sqrt{5}\,\text{cm}$

∴ $\overline{AC} + \overline{DF} = 2\sqrt{5} + 2\sqrt{5} = 4\sqrt{5}(\text{cm})$

16 ① $2 \times 8 = 4 \times (8-4)$이므로 원에 내접한다.

② $\overline{BD} = \sqrt{3^2 + 4^2} = 5$이고,
  $\overline{BD}^2 = \overline{BC}^2 + \overline{CD}^2$이므로 $\angle C = 90°$
  따라서 $\angle A + \angle C = 180°$이므로 원에 내접한다.

③ □ABCD는 등변사다리꼴이므로
  $\angle A = 180° - \angle B = 60°$
  따라서 $\angle A + \angle C = 180°$이므로 원에 내접한다.

④ $4 \times (4+5) \neq 3 \times (3+6)$이므로 원에 내접하지 않는다.

⑤ $\angle DCP = 180° - (80° + 30°) = 70°$
  따라서 $\angle A = \angle DCP$이므로 원에 내접한다.

1 $6\sqrt{3}$		**2** $100°$		**3** $12\pi - 9\sqrt{3}$		**4** $52.5°$	**5** $36°$		**6** $55°$
7 $105°$		**8** $\dfrac{\sqrt{2}+\sqrt{6}}{2}$		**9** $70°$		**10** $40°$	**11** $50°$		**12** $\dfrac{8\sqrt{3}}{9}$ cm^2
13 $95°$		**14** $\dfrac{3+\sqrt{3}}{2}$ cm^2		**15** $\dfrac{8}{3}$ cm		**16** $25°$	**17** $35°$		**18** $80°$
19 풀이 참조		**20** $90°$		**21** $85°$					

문제 풀이

1 $\sin(\angle APB) = \dfrac{\sqrt{3}}{2}$에서 $\angle APB = 60°$

원의 중심을 O라 하고 오른쪽 그림과
같이 $\overline{OA}$, $\overline{OB}$를 그으면 원주각의 성질
에 의해

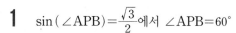

$\angle AOB = 2\angle APB = 120°$

또, $\overparen{AB} = 2\pi \times \overline{OA} \times \dfrac{120}{360} = 4\pi$에서

$\overline{OA} = 6$

$\overline{OA} = \overline{OB}$이고 $\angle AOB = 120°$이므로

$\angle OAB = \angle OBA = 30°$

$\triangle OAB$의 점 O에서 $\overline{AB}$에 내린 수선의 발을 H라 하면 점
H는 $\overline{AB}$를 수직이등분하므로

$\overline{AH} = \overline{BH}$

$\triangle OAH$에서 $\overline{AH} = \overline{OA} \cos 30° = 6 \times \dfrac{\sqrt{3}}{2} = 3\sqrt{3}$

$\therefore \overline{AB} = 2\overline{AH} = 2 \times 3\sqrt{3} = 6\sqrt{3}$

2 오른쪽 그림과 같이 $\overline{AB}$를 그으면

$\overparen{ABD} : \overparen{AD} = 2 : 1$이고,

$\overparen{AB} = \overparen{BC} = \overparen{CD}$이므로

$\angle ABD = \dfrac{1}{2} \times \left(\dfrac{1}{3} \times 360°\right) = 60°$

$\angle BAC = \dfrac{1}{2} \times \left(\dfrac{1}{3} \times \dfrac{2}{3} \times 360°\right) = 40°$

따라서 $\triangle ABE$에서

$\angle x = \angle BAE + \angle ABE = 40° + 60° = 100°$

3 서술형

표현 단계 원주각의 크기의 총합은 $180°$
이므로

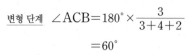

변형 단계 $\angle ACB = 180° \times \dfrac{3}{3+4+2}$

$\qquad\qquad = 60°$

$\therefore \angle AOB = 2\angle ACB = 2 \times 60° = 120°$

또, 점 O에서 $\overline{AB}$에 내린 수선의 발을 H라 하면

$\angle AOH = \angle BOH = \dfrac{1}{2}\angle AOB = \dfrac{1}{2} \times 120° = 60°$

풀이 단계 $\overline{OA} : \overline{OH} = 2 : 1$에서

$6 : \overline{OH} = 2 : 1$

$2\overline{OH} = 6$

$\therefore \overline{OH} = 3$

$\overline{OA} : \overline{AH} = 2 : \sqrt{3}$에서 $6 : \overline{AH} = 2 : \sqrt{3}$,

$2\overline{AH} = 6\sqrt{3}$ $\qquad \therefore \overline{AH} = 3\sqrt{3}$

$\overline{AB} = 2\overline{AH} = 2 \times 3\sqrt{3} = 6\sqrt{3}$이므로

$\triangle OAB = \dfrac{1}{2} \times 6\sqrt{3} \times 3 = 9\sqrt{3}$

확인 단계 $\therefore$ (어두운 부분의 넓이)

$\qquad = ($부채꼴 OAB의 넓이$) - \triangle OAB$

$\qquad = \pi \times 6^2 \times \dfrac{120}{360} - 9\sqrt{3} = 12\pi - 9\sqrt{3}$

다른 풀이

$\triangle OAB = \dfrac{1}{2} \times 6 \times 6 \times \sin(180° - 120°)$

$\qquad\quad = \dfrac{1}{2} \times 6 \times 6 \times \dfrac{\sqrt{3}}{2} = 9\sqrt{3}$

4 $\triangle APD$에서

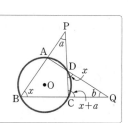

$\angle A + \angle P = \angle QDC$

$\qquad\quad = \angle ABC$(내대각)

$\triangle ABQ$에서

$\angle A + \angle Q = \angle PBC$

$\qquad\quad = \angle ADC$(내대각)

이때 $\square ABCD$는 원에 내접하므로

$\angle A + \angle P + \angle A + \angle Q = \angle ABC + \angle ADC = 180°$

$2\angle A + 30° + 45° = 180°$, $2\angle A = 105°$

$\therefore \angle BAD = 52.5°$

TIP $\square ABCD$가 원 O에 내접할 때,
❶ $\angle CDQ = \angle ABC = \angle x$
❷ $\triangle PBC$에서 $\angle DCQ = \angle x + \angle a$
$\Rightarrow \triangle DCQ$에서
$\angle x + (\angle x + \angle a) + \angle b = 180°$
$\therefore \angle x = \dfrac{1}{2} \times (180° - \angle a - \angle b)$

5 $\overset{\frown}{AB}$의 원주각의 크기를 θ라

하면 $\overset{\frown}{CD}$의 원주각의 크기는 3θ이

므로

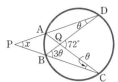

$\angle ACB = \theta$, $\angle CBD = 3\theta$

$\triangle QBC$에서 $3\theta + \theta = 72°$ $\quad\therefore \theta = 18°$

또, $\angle ADB = \angle ACB = \theta$이고

$\triangle BPD$에서 $\angle x + \theta = 3\theta$

$\therefore \angle x = 2\theta = 2 \times 18° = 36°$

---

6 서술형

표현 단계 $\square ABCD$가 원에 내접하므로

$\angle BAQ = \angle x$ (내대각)

변형 단계 $\triangle ABQ$에서

$\angle QAB + \angle AQB = \angle ABC$

이므로

$\angle ABC = \angle x + 38°$

풀이 단계 $\triangle PBC$에서

$32° + (38° + \angle x) + \angle x = 180°$

$2\angle x = 110°$ $\quad\therefore \angle x = 55°$

---

7 오른쪽 그림과 같이 $\overline{AP}$, $\overline{AQ}$를

그으면 $\overset{\frown}{AP} = \overset{\frown}{AQ}$이므로

$\angle AQP = \angle APQ$

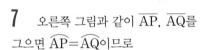

$\overline{CP}$를 그으면

$\angle AQP = \angle ACP$

($\overset{\frown}{AP}$에 대한 원주각)

$\therefore \angle APQ = \angle ACP$

또, $\angle PAB = \angle PCB$ ($\overset{\frown}{PB}$에 대한 원주각)이므로

$\triangle APR$에서

$\angle PAR + \angle APR = \angle PCB + \angle ACP$

$= \angle ACB = 75°$

$\therefore \angle ARP = 180° - (\angle PAR + \angle APR)$

$= 180° - 75° = 105°$

---

8 오른쪽 그림의 $\triangle AB'C$에서

$\overline{AC} = 2\sin 45° = 2 \times \dfrac{\sqrt{2}}{2} = \sqrt{2}$

점 C에서 $\overline{AB}$에 내린 수선의 발을

H라 하면

$\overline{AH} = \overline{AC}\cos 60° = \sqrt{2} \times \dfrac{1}{2} = \dfrac{\sqrt{2}}{2}$

$\overline{BH} = \overline{CH} = \overline{AC}\sin 60° = \sqrt{2} \times \dfrac{\sqrt{3}}{2} = \dfrac{\sqrt{6}}{2}$

$\therefore \overline{AB} = \overline{AH} + \overline{BH} = \dfrac{\sqrt{2} + \sqrt{6}}{2}$

---

9 $\overset{\frown}{ABC}$, $\overset{\frown}{CD}$의 합은 반원이므로

두 호의 원주각의 합은 $90°$이다.

$\therefore \angle CAD = 30°$, $\angle CDA = 60°$

$\angle COD = 2\angle CAD$

$= 2 \times 30° = 60°$

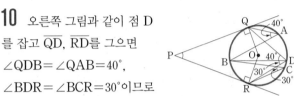

에서

$\angle BOC = 180° - (80° + 60°) = 40°$이므로

$\angle BAC = \dfrac{1}{2}\angle BOC = \dfrac{1}{2} \times 40° = 20°$

따라서 $\angle ACD = 90°$이므로

$\triangle APC$에서 $20° + \angle x = 90°$

$\therefore \angle x = 70°$

---

10 오른쪽 그림과 같이 점 D

를 잡고 $\overline{QD}$, $\overline{RD}$를 그으면

$\angle QDB = \angle QAB = 40°$,

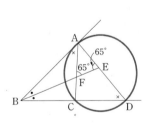

$\angle BDR = \angle BCR = 30°$이므로

$\angle QDR = \angle QDB + \angle BDR = 40° + 30° = 70°$이고

$\angle QOR = 2\angle QDR = 2 \times 70° = 140°$

두 점 Q, R는 접점이므로 $\angle PQO = \angle PRO = 90°$

$\square PROQ$에서 내각의 합은 $360°$이므로

$\angle QPR + 90° + 140° + 90° = 360°$

$\therefore \angle QPR = 40°$

---

11 접선과 현이 이루는 각의

성질에 의해

$\angle BAC = \angle ADC$

$\triangle ABF$에서

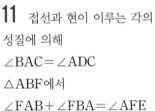

$\angle FAB + \angle FBA = \angle AFE$

$= 65°$

이므로 $\triangle EBD$에서

$\angle AEB = \angle EBD + \angle EDB$

$= \angle FBA + \angle FAB$

$= \angle AFE$

$= 65°$

따라서 $\triangle AFE$에서

$\angle EAF = 180° - (\angle AEF + \angle AFE)$

$= 180° - (65° + 65°)$

$= 180° - 130°$

$= 50°$

12 $\angle BAC=90°$이므로

직각삼각형 APB에서

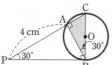

$\overline{AB}=\overline{PA}\tan 30°$

$\qquad =4\times\dfrac{\sqrt{3}}{3}=\dfrac{4\sqrt{3}}{3}$(cm)

또, $\angle PBC=90°$이고

$\angle PBA=180°-(90°+30°)=60°$이므로

$\angle ABC=90°-60°=30°$

$\triangle ABC$에서

$\overline{AC}=\overline{AB}\tan 30°=\dfrac{4\sqrt{3}}{3}\times\dfrac{\sqrt{3}}{3}=\dfrac{4}{3}$(cm)

$\therefore\ \triangle ABC=\dfrac{1}{2}\times\overline{AB}\times\overline{AC}$

$\qquad\qquad =\dfrac{1}{2}\times\dfrac{4\sqrt{3}}{3}\times\dfrac{4}{3}$

$\qquad\qquad =\dfrac{8\sqrt{3}}{9}$(cm²)

13 서술형

표현 단계 오른쪽 그림과 같이 $\overline{BC}$를 그으면

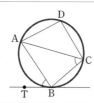

변형 단계 $\angle ACB=\angle ABP=55°$이므로

$\angle ABC=180°-(40°+55°)$

$\qquad\qquad =85°$

풀이 단계 □ABCD가 원 O에 내접하므로

$\angle ABC+\angle ADC=180°$

$85°+\angle ADC=180°$

$\therefore\ \angle ADC=180°-85°=95°$

TIP 원에 내접하는 □ABCD에서

❶ $\angle DAB+\angle DCB=180°$

$\quad\angle ADC+\angle ABC=180°$

❷ $\angle ABT=\angle ACB$

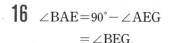

14 원주각의 크기는 호의 길이에

정비례하므로

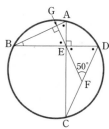

$\angle C:\angle A:\angle B$

$=\overset{\frown}{AB}:\overset{\frown}{BC}:\overset{\frown}{CA}$

$=5:3:4$

$\therefore\ \angle A=180°\times\dfrac{3}{5+3+4}=45°$,

$\quad\ \angle B=180°\times\dfrac{4}{5+3+4}=60°$

$\overline{OB},\overline{OC}$를 그으면

$\angle BOC=2\angle BAC=2\times45°=90°$

따라서 $\triangle OBC$는 직각이등변삼각형이므로

$\angle OBC=\angle OCB=45°$

$\overline{BC}=\sqrt{2}\times\overline{OB}=\sqrt{2}\times\sqrt{2}=2$(cm)

점 C에서 $\overline{AB}$에 내린 수선의 발을 H라 하면

$\triangle CHB$에서 $\overline{BC}:\overline{BH}:\overline{HC}=2:1:\sqrt{3}$이므로

$\overline{BH}=1$ cm, $\overline{HC}=\sqrt{3}$ cm

또, $\triangle AHC$에서 $\overline{AH}=\overline{CH}=\sqrt{3}$ cm

$\therefore\ \triangle ABC=\dfrac{1}{2}\times\overline{AB}\times\overline{HC}$

$\qquad\qquad =\dfrac{1}{2}\times(\sqrt{3}+1)\times\sqrt{3}$

$\qquad\qquad =\dfrac{3+\sqrt{3}}{2}$(cm²)

15 오른쪽 그림과 같이 $\overline{A'B}$를 긋고

원의 중심을 지나는 $\overline{A'C}$를 그으면

$\angle A=\angle A'$이므로

$\sin A'=\dfrac{\overline{BC}}{\overline{A'C}}=\dfrac{3}{4}$

$\overline{A'C}=\dfrac{4}{3}\overline{BC}=\dfrac{16}{3}$(cm)

따라서 원 O의 반지름의 길이는 $\dfrac{1}{2}\times\dfrac{16}{3}=\dfrac{8}{3}$(cm)

16 $\angle BAE=90°-\angle AEG$

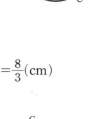

$\qquad\qquad =\angle BEG$,

$\angle BEG=\angle DEF$ (맞꼭지각),

$\angle BAC=\angle BDC$

$\qquad(\overset{\frown}{BC}$에 대한 원주각)

이므로

$\angle DEF=\angle EDF$

$\triangle FDE$에서

$\angle DEF=\angle EDF=\dfrac{1}{2}\times(180°-50°)=65°$

$\therefore\ \angle ABE=90°-\angle BAE=90°-65°=25°$

17 오른쪽 그림과 같이 $\overline{BD}$를 그으면

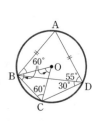

$\overline{AB}=\overline{AD}$이므로 $\overset{\frown}{AB}=\overset{\frown}{AD}$에서

$\angle ADB=\angle ABD$이고

$\overset{\frown}{BAD}$의 원주각이 $110°$이므로

$\angle ADB=(\overset{\frown}{AB}$에 대한 원주각$)$

$\qquad\qquad =\dfrac{1}{2}\times(\overset{\frown}{BAD}$에 대한 원주각$)$

$\qquad\qquad =\dfrac{1}{2}\times110°=55°$

$\overline{OC}$를 그으면 $\triangle OBC$에서 $\overline{OB}=\overline{OC}$이고 $\angle OBC=60°$이

므로 $\triangle OBC$는 정삼각형이다.

즉, $\angle BDC=\dfrac{1}{2}\angle BOC=\dfrac{1}{2}\times60°=30°$

따라서 □ABCD는 원에 내접하는 사각형이므로

$\angle B+\angle D=180°$, $(\angle ABO+\angle OBC)+\angle D=180°$

$\angle ABO+60°+(55°+38°)=180°$ $\therefore\ \angle ABO=35°$

18 오른쪽 그림과 같이 $\overline{AD}$를 그 으면 △ABD와 △ACE에서
$\overline{AB}=\overline{AC}$, $\overline{BD}=\overline{CE}$,
∠ABD=∠ACE
　　　($\overarc{AD}$에 대한 원주각)

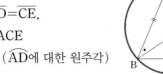

이므로
△ABD≡△ACE (SAS 합동)
□ABCD는 원에 내접하므로 ∠BAD+∠BCD=180°
∴ ∠CAE=∠BAD=180°−∠BCD
　　　　=180°−100°=80°

19 서술형

표현 단계　오른쪽 그림과 같이 $\overline{AD}$의 연장선 위의 한 점을 E라 하고, $\overline{PQ}$를 그으면

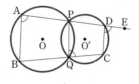

풀이 단계　□ABQP는 원 O에 내접하므로
　　　∠PAB=∠PQC(내대각)　······ ㉠
　　　또, □PQCD도 원 O′에 내접하므로
　　　∠PQC=∠CDE(내대각)　······ ㉡
　　　즉, ㉠, ㉡에서 ∠PAB=∠CDE
확인 단계　따라서 동위각의 크기가 같으므로 $\overline{AB} \parallel \overline{CD}$이다.

20 $\overline{PQ}$를 그으면
∠PQB=∠PDC
　　　=80° (내대각)
∠PQC=180°−80°=100°

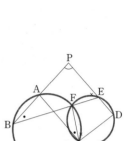

이므로
∠PEB=∠PQC=100° (내대각)
∠PAB=∠PEB=100° (원주각)
∠DPQ=∠DCS=110° (내대각)
∠RPQ=180°−∠DPQ=180°−110°=70°
□RBQP에서 ∠x=120°+80°+70°=360°
∴ ∠x=90°

21 오른쪽 그림과 같이 $\overline{CF}$를 그으면
∠ABF=∠ACF
　　　($\overarc{AF}$에 대한 원주각),
∠PEF=∠DCF(내대각)
이므로 △PBE에서
∠APE=180°−(∠PBE+∠PEB)
　　　=180°−(∠ACF+∠DCF)
　　　=180°−95°
　　　=85°

| 1 $\sqrt{2}+\sqrt{6}$ | 2 $2:(1+\sqrt{5})$ | 3 ③ | 4 6 cm | 5 120 m | 6 753.6 m |

문제 풀이

1 오른쪽 그림과 같이 원의 중심을 O라 할 때, $\overline{AO}$의 연장선과 원이 만나는 점을 B′이라 하고, $\overline{B'C}$를 그으면

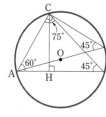

$\angle ACB'=90°$

(반원에 대한 원주각)

$\angle AB'C=\angle ABC$

$\quad=180°-(60°+75°)=45°$ ($\widehat{AC}$에 대한 원주각)

원 O의 반지름의 길이가 2이므로

$\overline{AB'}=2\times2=4$

$\therefore \overline{AC}=\overline{AB'}\sin45°=4\times\dfrac{\sqrt{2}}{2}=2\sqrt{2}$

점 C에서 $\overline{AB}$에 내린 수선의 발을 H라 하면

$\overline{AH}=\overline{AC}\cos60°=2\sqrt{2}\times\dfrac{1}{2}=\sqrt{2}$

$\overline{BH}=\overline{CH}=\overline{AC}\sin60°=2\sqrt{2}\times\dfrac{\sqrt{3}}{2}=\sqrt{6}$

$\therefore \overline{AB}=\overline{AH}+\overline{BH}=\sqrt{2}+\sqrt{6}$

2 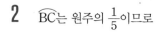 $\widehat{BC}$는 원주의 $\dfrac{1}{5}$이므로

$\angle BAC=\dfrac{1}{5}\times180°=36°$

△ABC와 △AFB에서

$\angle BCA=\angle FBA=36°$, $\angle A$는 공통

$\therefore$ △ABC∽△AFB (AA 닮음)

$\angle CFB=\angle ABF+\angle BAF=36°+36°=72°$

이므로

$\angle CBF=180°-(72°+36°)=72°$

$\therefore \overline{CB}=\overline{CF}$

$\overline{AF}=1$ cm, $\overline{FC}=x$ cm라 하면

$\overline{AB}=\overline{BC}=\overline{FC}=x$ cm이므로

$\overline{AB}:\overline{AF}=\overline{AC}:\overline{AB}$에서

$x:1=(1+x):x$

$x^2=1+x$

$x^2-x-1=0$

$\therefore x=\dfrac{1\pm\sqrt{1^2-4\times(-1)}}{2}=\dfrac{1\pm\sqrt{5}}{2}$

이때 $x>0$이므로 $x=\dfrac{1+\sqrt{5}}{2}$

$\therefore \overline{AF}:\overline{FC}=1:\dfrac{1+\sqrt{5}}{2}$

$\qquad=2:(1+\sqrt{5})$

3 $\angle ADF=\angle ABF$

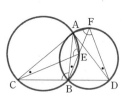

$\qquad=\angle ABE=\angle ACE$

$\angle AFD=\angle ABC$ (내대각)

$\qquad=\angle AEC$

$\therefore$ △ACE∽△ADF (AA 닮음)

4 오른쪽 그림과 같이 $\overline{BI}$를 그으면 점 I가 △ABC의 내심이므로

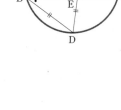

$\angle BAI=\angle CAI$

$\angle ABI=\angle CBI$

$\therefore \angle BID=\angle IAB+\angle IBA$

또, $\angle DBC=\angle DAC$

($\widehat{CD}$에 대한 원주각)이므로

$\angle DIB=\angle DBI$

따라서 △DIB는 이등변삼각형이므로

$\overline{BD}=\overline{ID}=6$ cm

5 오른쪽 그림과 같이 $\overline{PB}$의 연장선이 원 O와 만나는 점을 C라 하면 $\overline{PC}$는 원의 중심을 지난다.

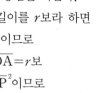

원의 반지름의 길이를 r보라 하면

$\overline{PA}$는 원의 접선이므로

$\overline{OA}\perp\overline{OP}$이고 $\overline{OA}=r$보

$\overline{OP}^2=\overline{OA}^2+\overline{AP}^2$이므로

$(r+20)^2=r^2+80^2$

$r^2+40r+400=r^2+6400$

$40r=6000$ $\therefore r=150$

따라서 원 모양의 도여니산성의 반지름의 길이는 150보이고 연수의 보폭은 80 cm이므로

$150\times80=12000(\text{cm})=120(\text{m})$

6 원의 반지름의 길이가 120 m이므로 구하는 원 모양의 도여니산성의 둘레의 길이는

$2\pi\times120=240\pi=240\times3.14=753.6(\text{m})$

1 32.5°	**2** 4 cm	**3** 5 cm	**4** 15 cm	**5** 24 cm	**6** 5 cm
7 $10(\sqrt{2}-1)$	**8** ②	**9** 6π	**10** 10°	**11** 30°	**12** $\frac{10}{3}\pi$
13 40°	**14** ④	**15** $\frac{100}{3}\pi$ cm²	**16** 105°	**17** 75°	**18** ②
19 120 cm²	**20** $\frac{128}{5}$ cm	**21** $4\sqrt{5}$ cm	**22** 2 cm	**23** $\frac{28-8\sqrt{6}}{5}$ cm	**24** ⑤
25 45°	**26** 122.5°				

문제 풀이

1 오른쪽 그림과 같이 $\overline{OA}$
를 그으면

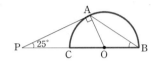

∠PAO=90°이므로

∠AOC=180°−(90°+25°)

       =65°

∴ ∠ABP=$\frac{1}{2}$∠AOC

         =$\frac{1}{2}\times65°$=32.5°

2 $\overline{AP}=\overline{AS}=2$ cm이므로

$\overline{BQ}=\overline{BP}=\overline{AB}-\overline{AP}$

      =6−2=4(cm)

3 원의 반지름의 길이를 r cm라
하면 오른쪽 그림과 같이 $\overline{CD}$는 원의
중심 O를 지나므로

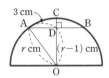

$\overline{AO}=r$ cm, $\overline{DO}=(r-1)$ cm

따라서 △AOD에서

$r^2=(r-1)^2+3^2$, $2r=10$

∴ $r=5$

따라서 원의 반지름의 길이는 5 cm이다.

4 오른쪽 그림과 같이 점 O′에서
$\overline{OA}$에 내린 수선의 발을 H라 하면

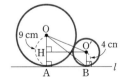

$\overline{HA}=\overline{O'B}=4$ cm이므로

$\overline{OH}=\overline{OA}-\overline{HA}$

     =9−4=5(cm)

$\overline{OO'}=9+4=13$(cm)

즉, △OHO′에서

$\overline{HO'}=\sqrt{13^2-5^2}=12$(cm)

∴ $\overline{AB}=\overline{HO'}=12$ cm

따라서 △OAB에서

$\overline{OB}=\sqrt{9^2+12^2}=15$(cm)

5 $\overline{PA}=\overline{PB}=\sqrt{13^2-5^2}=12$(cm)

$\overline{QR}$와 원 O와의 접점을 T라 하면

$\overline{QT}=\overline{QA}$, $\overline{RT}=\overline{RB}$이므로

△PQR의 둘레의 길이는

$\overline{PQ}+\overline{QR}+\overline{RP}$

=$\overline{PQ}+\overline{QT}+\overline{TR}+\overline{RP}$

=$\overline{PQ}+\overline{QA}+\overline{RB}+\overline{RP}$

=$\overline{PA}+\overline{PB}$

=12+12

=24(cm)

6 오른쪽 그림과 같이 $\overline{OQ}$를
그으면 □OPCQ는 정사각형이
므로

$\overline{QC}=\overline{PC}=1$ cm

∴ $\overline{AR}=\overline{AQ}=\overline{AC}-\overline{QC}$

       =3−1=2(cm)

$\overline{BP}=\overline{BR}=x$ cm라 하면 △ABC에서

$(x+2)^2=(x+1)^2+3^2$

$2x=6$ ∴ $x=3$

∴ $\overline{AB}=\overline{AR}+\overline{BR}=2+3=5$(cm)

7 오른쪽 그림과 같이 점 A
에서 $\overline{BC}$에 내린 수선의 발을 H
라 하자.

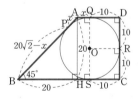

∠ABH=45°이므로 △ABH
는 직각이등변삼각형이다.

$\overline{AH}=\overline{DC}=10+10=20$이므로 $\overline{AB}=20\sqrt{2}$

$\overline{AP}=\overline{AQ}=x$라 하면 $\overline{BS}=\overline{PB}=20\sqrt{2}-x$이므로

$\overline{HS}=\overline{BS}-\overline{BH}=(20\sqrt{2}-x)-20$

또, $\overline{HS}=\overline{AQ}=x$이므로

$20\sqrt{2}-x-20=x$, $2x=20\sqrt{2}-20$

∴ $x=10\sqrt{2}-10=10(\sqrt{2}-1)$

따라서 $\overline{AP}$의 길이는 $10(\sqrt{2}-1)$이다.

8 ① 주어진 조건만으로는 원에 내접하는지 알 수 없다.

② ∠A+∠C=110°+70°=180°이므로 원에 내접한다.

③ ∠BAC≠∠BDC이므로 원에 내접하지 않는다.

④ 주어진 조건만으로는 원에 내접하는지 알 수 없고,
$\overline{AB}+\overline{CD}=\overline{AD}+\overline{BC}$이므로 원에 외접한다.

⑤ 3×4≠5×2이므로 원에 내접하지 않는다.

9 오른쪽 그림과 같이 $\overline{BC}$를 그으면

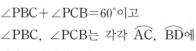

△BPC에서

∠PBC+∠PCB=60°이고

∠PBC, ∠PCB는 각각 $\widehat{AC}$, $\widehat{BD}$에

대한 원주각이므로

(원주) : $(\widehat{AC}+\widehat{BD})$=180° : 60°

에서 $2\pi \times 9$: $(\widehat{AC}+\widehat{BD})$=3 : 1

∴ $\widehat{AC}+\widehat{BD}=6\pi$

10 ∠BDC=∠BAC=20°이므로

△QCD에서 ∠ACD+∠BDC=∠AQD

즉, ∠ACD+20°=50°

∴ ∠ACD=30°

따라서 △APC에서 ∠ACD=$\angle x$+∠PAC이므로

30°=$\angle x$+20°   ∴ $\angle x$=10°

11 $\widehat{CD}$의 원주각의 크기를

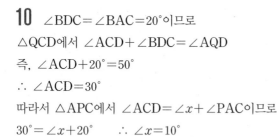

θ라 하면

$\widehat{BC}=\widehat{DA}=\widehat{CD}$이고

한 원의 원주각의 크기의 합

은 180°이므로

$\widehat{AB}$의 원주각의 크기는 180°-3θ이다.

∴ ∠ADB=180°-3θ

△BPD에서

20°+(180°-3θ)=θ, 4θ=200°   ∴ θ=50°

∴ ∠PDB=180°-3θ=180°-3×50°=30°

다른 풀이

오른쪽 그림과 같이 $\overline{AC}$를 그

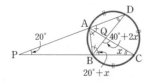

어 $\overline{BD}$와 만나는 점을 Q라 하

자.

∠ADB=x라 하면

∠ACB=∠ADB=x

△DPB에서 ∠DBC=20°+x

$\widehat{BC}=\widehat{DA}=\widehat{CD}$이므로

∠ABD=∠CAB=∠DBC=20°+x

∠CQB=(20°+x)+(20°+x)=40°+2x이므로

△QBC에서 (40°+2x)+(20°+x)+x=180°

60°+4x=180°, 4x=120°   ∴ x=30°

12 오른쪽 그림과 같이 $\overline{BE}$를 그으면

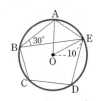

□BCDE에서 ∠EBC+∠D=180°이

므로

∠ABE=210°$-$180°=30°

즉, ∠AOE=2∠ABE=2×30°=60°

∴ $\widehat{AE}=2\pi \times 10 \times \dfrac{60}{360}=\dfrac{10}{3}\pi$

13 오른쪽 그림과 같이 $\overline{AT}$를 그으면

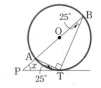

$\overline{AB}$가 원 O의 지름이므로 ∠ATB=90°

이고,

∠ATP=∠ABT=25°이다.

따라서 △BPT에서

$\angle x$+(25°+90°)+25°=180°

∴ $\angle x$=40°

14 ① ∠AFH+∠AEH=90°+90°=180°

따라서 한 쌍의 대각의 크기의 합이 180°이므로 원에 내

접한다.

② ∠BFC=∠BEC=90°

따라서 두 각은 같은 호에 대한 원주각이므로 원에 내접

한다.

③ ∠HDC+∠HEC=90°+90°=180°

따라서 한 쌍의 대각의 크기의 합이 180°이므로 원에 내

접한다.

⑤ ∠ADB=∠AEB=90°

따라서 두 각은 같은 호에 대한 원주각이므로 원에 내접

한다.

15 △ABC의 외접원의 중심을 O

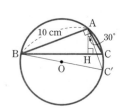

라 할 때, $\overline{BO}$의 연장선과 원이 만

나는 점을 C′이라 하면

∠AC′B=∠ACB

=180°$-$(90°+30°)

=60°

또, ∠BAC′=90°이므로

$\sin C'=\dfrac{\overline{AB}}{\overline{BC'}}$에서 $\sin 60°=\dfrac{10}{\overline{BC'}}$

∴ $\overline{BC'}=\dfrac{10}{\sin 60°}=10\div\dfrac{\sqrt{3}}{2}=\dfrac{20}{\sqrt{3}}=\dfrac{20\sqrt{3}}{3}$(cm)

따라서 원의 반지름의 길이는 $\dfrac{1}{2}\overline{BC'}=\dfrac{10\sqrt{3}}{3}$(cm)이므로

구하는 원의 넓이 S는

$S=\pi \times \left(\dfrac{10\sqrt{3}}{3}\right)^2=\dfrac{100}{3}\pi$(cm²)

16 오른쪽 그림과 같이 점 B에서 원에 접선을 그어 $\overline{PA}$, $\overline{QC}$와의 교점을 각각 E, F라 하면 $\overline{EA}=\overline{EB}$이므로

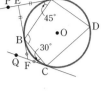

$$\angle EBA=\angle EAB=45°$$

또, $\overline{FB}=\overline{FC}$이므로

$$\angle FBC=\angle FCB=30°$$

$$\therefore \angle ABC=180°-(45°+30°)=105°$$

다른 풀이

오른쪽 그림과 같이 $\overline{BD}$를 그으면 접선과 현이 이루는 각의 성질에 의해

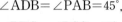

$$\angle ADB=\angle PAB=45°,$$
$$\angle BDC=\angle BCQ=30°$$
$$\therefore \angle ADC=\angle ADB+\angle BDC$$
$$=45°+30°=75°$$

□ABCD는 원에 내접하므로

$$\angle ABC+\angle ADC=180°에서$$
$$\angle ABC+75°=180°$$
$$\therefore \angle ABC=105°$$

17 오른쪽 그림과 같이 $\overline{PQ}$를 그으면 내대각의 크기는 같으므로

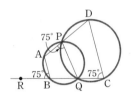

$$\angle BCD=\angle APQ=\angle ABR$$
$$=75°$$

18 오른쪽 그림과 같이 $\overline{BC}$를 그으면 △BCE에서

$$\angle ACB+\angle CBD=90°이므로$$

$\overset{\frown}{AB}$의 중심각과 $\overset{\frown}{CD}$의 중심각의 크기의 합은 180°이다.

따라서 $\overset{\frown}{AB}+\overset{\frown}{CD}=a+c$는

원주의 $\frac{1}{2}$이므로 $\frac{1}{2}\times 2\pi r=\pi r$이다.

TIP 마찬가지로 $\overset{\frown}{AB}+\overset{\frown}{CD}=b+d$도 πr이다.

19 $\overline{BE}=\overline{BD}=x$ cm라 하면

$$\overline{CE}=\overline{CF}=(26-x)\,\text{cm}$$

$\overline{AD}=\overline{AF}=4$ cm이므로

$$\overline{AB}=(x+4)\,\text{cm}$$
$$\overline{AC}=4+(26-x)=30-x\,(\text{cm})$$

△ABC에서 $\overline{AB}^2+\overline{AC}^2=\overline{BC}^2$이므로

$$(x+4)^2+(30-x)^2=26^2$$

$$x^2-26x+120=0$$
$$(x-6)(x-20)=0$$
$$\therefore x=6 \text{ 또는 } x=20$$

$$\therefore \triangle ABC=\frac{1}{2}\times\overline{AB}\times\overline{AC}$$
$$=\frac{1}{2}\times 24\times 10$$
$$=120\,(\text{cm}^2)$$

20 점 O′에서 $\overline{OP}$에 내린 수선의 발을 H라 하면 $\overline{HP}=4$ cm 이므로

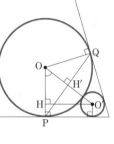

$$\overline{OH}=16-4=12\,(\text{cm})$$
$$\overline{OO'}=16+4=20\,(\text{cm})$$

이므로 △OHO′에서

$$\overline{O'H}=\sqrt{20^2-12^2}=16\,(\text{cm})$$

$\overline{OO'}$과 $\overline{PQ}$의 교점을 H′이라 하면

△OH′P≡△OH′Q이므로

$$\overline{OO'}\perp\overline{PQ},\ \overline{PH'}=\overline{QH'}$$

△OHO′과 △OH′P에서

$$\angle OHO'=\angle OH'P=90°,\ \angle O는 공통이므로$$

△OHO′∽△OH′P (AA 닮음)

$$\overline{OO'}:\overline{OP}=\overline{O'H}:\overline{PH'}에서$$
$$20:16=16:\overline{PH'}$$
$$20\overline{PH'}=256$$
$$\therefore \overline{PH'}=\frac{64}{5}\,\text{cm}$$
$$\therefore \overline{PQ}=2\overline{PH'}=2\times\frac{64}{5}=\frac{128}{5}\,(\text{cm})$$

21 오른쪽 그림과 같이 $\overline{BO}=\overline{OC}=x$ cm라 하면

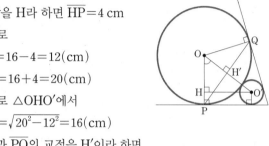

$$\overline{AB}=2x\,\text{cm}$$

$\overline{OA}$를 그으면 $\overline{OA}=10$ cm이므로

△ABO에서

$$10^2=x^2+(2x)^2,\ x^2=20$$
$$\therefore x=2\sqrt{5}\ (\because x>0)$$

따라서 정사각형 ABCD의 한 변의 길이는 $4\sqrt{5}$ cm이다.

22 점 O는 △ABC의 내심이므로

$$\angle DAC=\angle DAB$$
$$\therefore \overline{AB}:\overline{AC}=\overline{DB}:\overline{DC}=5:3$$

즉, $\overline{AB}=5x$ cm, $\overline{AC}=3x$ cm라 하면

$$(5x)^2=(3x)^2+8^2,\ 16x^2=64$$
$$x^2=4 \quad \therefore x=2\ (\because x>0)$$
$$\therefore \overline{AB}=10\,\text{cm},\ \overline{AC}=6\,\text{cm}$$

따라서 원 O와 △ABC의
접점을 P, Q, R라 하고,
원 O의 반지름의 길이를
r cm라 하면

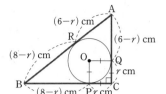

$\overline{CP}=\overline{CQ}=r$ cm,
$\overline{AR}=\overline{AQ}=(6-r)$ cm,
$\overline{BR}=\overline{BP}=(8-r)$ cm
이므로
$\overline{AB}=\overline{AR}+\overline{BR}=(6-r)+(8-r)=10$
$2r=4$ ∴ $r=2$
따라서 원 O의 반지름의 길이는 2 cm이다.

23 오른쪽 그림에서 두 원 O, O′
의 반지름의 길이를 각각 $3x$ cm,
$2x$ cm라 하면

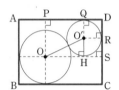

$\overline{OH}=\overline{PQ}=(8-5x)$ cm,
$\overline{O'H}=\overline{RS}=(6-5x)$ cm,
$\overline{OO'}=3x+2x=5x$(cm)
이므로 △OHO′에서
$(5x)^2=(8-5x)^2+(6-5x)^2$
$25x^2-140x+100=0$
$5x^2-28x+20=0$
∴ $x=\dfrac{14\pm\sqrt{(-14)^2-5\times20}}{5}=\dfrac{14\pm\sqrt{96}}{5}=\dfrac{14\pm4\sqrt{6}}{5}$

그런데 $6-5x>0$에서 $5x<6$이므로 $x=\dfrac{14-4\sqrt{6}}{5}$

따라서 원 O′의 반지름의 길이는
$2x=\dfrac{28-8\sqrt{6}}{5}$(cm)

24 ① $\angle CBD=\angle CAD$ ($\overparen{CD}$에 대한 원주각)
   ∴ $\angle CBP=\angle PAD$
② $\angle APF=\angle CPE=90°-\angle PCE=\angle CBP$
      $=\angle PAF$
③ $\angle FPD=\angle BPE=90°-\angle CPE$
      $=\angle ECP=\angle FDP$
④ $\angle APF=\angle PAF$이므로 $\overline{AF}=\overline{PF}$
   또, $\angle FPD=\angle FDP$이므로 $\overline{PF}=\overline{DF}$
      ∴ $\overline{AF}=\overline{FD}$

25 오른쪽 그림과 같이 $\overline{AT}$
를 그으면

$\angle PTB$
$=\angle PTA+\angle ATB$
$=\angle ABT+\angle ATB$
$=30°+90°=120°$
이므로 △TPB에서
$\angle TPB=180°-(30°+120°)=30°$
∴ $\angle TPC=\angle CPB=\dfrac{1}{2}\angle TPB$
      $=\dfrac{1}{2}\times30°=15°$
따라서 △CPB에서
$\angle PCT=\angle CPB+\angle CBP=15°+30°=45°$

다른 풀이

오른쪽 그림과 같이 $\overline{OT}$를 그
으면
$\angle PTO=90°$
$\angle AOT=2\angle ABT$
      $=2\times30°=60°$
△TPO에서
$\angle TPO=180°-(90°+60°)=30°$
∴ $\angle TPC=\angle CPB=\dfrac{1}{2}\angle TPO$
      $=\dfrac{1}{2}\times30°=15°$
따라서 △CPB에서
$\angle PCT=\angle CPB+\angle CBP=15°+30°=45°$

26 두 원은 반지름의 길이가 같으므로 두 점 P, Q를 지나
는 두 호의 길이가 같다. 길이가 같은 호에 대한 원주각의
크기는 같으므로
$\angle PAQ=\angle PBQ$
      $=\dfrac{1}{2}(180°-65°)=57.5°$
$\square$AQCP는 원에 내접하므로
$\angle PCQ=180°-\angle PAQ$
      $=180°-57.5°=122.5°$

1 대푯값과 산포도

1^{STEP} 주제별 실력다지기

71~74쪽

1 3	**2** ①	**3** 7	**4** 13	**5** 평균 : 19회, 분산 : 5.2
6 2.8시간	**7** 3	**8** 18	**9** 16	**10** (1) 3 (2) 16 (3) 4
11 표는 풀이 참조, 평균 : 77, 분산 : 81, 표준편차 : 9			**12** (1) 70점 (2) 8점	

최상위 05 NOTE

평균은 자료의 변량을 모두 더하고 이를 자료의 개수로 나눈 값이므로 모든 자료의 변량을 평균으로 생각할 수 있다. 예를 들어 어떤 자료의 평균이 10이면 그 자료의 모든 변량을 10으로 볼 수 있다. 따라서 모든 변량이 10이고, 평균이 10이므로 편차는 0이고 편차의 총합은 항상 0이다.

이를 식으로 증명해 보자.

n개의 자료의 변량을 각각 x_1, x_2, x_3, $\cdots$, x_n이라 하고 평균을 M이라 하면

$$M = \frac{x_1 + x_2 + x_3 + \cdots + x_n}{n}$$

양변에 n을 곱하면

$$Mn = x_1 + x_2 + x_3 + \cdots + x_n \quad \cdots\cdots \text{㉠}$$

이때 편차는 각각 $x_1 - M$, $x_2 - M$, $x_3 - M$, $\cdots$, $x_n - M$이므로 편차의 합은

$$(x_1 - M) + (x_2 - M) + (x_3 - M) + \cdots + (x_n - M)$$
$$= \underbrace{(x_1 + x_2 + x_3 + \cdots + x_n)}_{\text{㉠}} - Mn$$
$$= Mn - Mn$$
$$= 0$$

1 a, b, c, d, e의 평균이 5이므로

$$\frac{a+b+c+d+e}{5}=5$$

$$\therefore a+b+c+d+e=25$$

따라서 $13-2a$, $13-2b$, $13-2c$, $13-2d$, $13-2e$의 평균은

$$\frac{(13-2a)+(13-2b)+(13-2c)+(13-2d)+(13-2e)}{5}$$

$$=\frac{13\times 5-2(a+b+c+d+e)}{5}$$

$$=\frac{65-2\times 25}{5}$$

$$=3$$

다른 풀이

a, b, c, $\cdots$의 평균이 m일 때, $pa+q$, $pb+q$, $pc+q$, $\cdots$
의 평균은 $pm+q$이므로 주어진 자료의 평균은
$p=-2$, $q=13$, $m=5$에서

$$13-2\times 5=3$$

2 ① 사람의 염색체는 일반적으로 46개이지만 45개 또
는 47개인 사람도 있다.
따라서 사람의 염색체의 개수의 평균이 46개라고 볼 수
없고, 가장 많이 나오는 값이어서 대푯값이 된 최빈값이
라고 보는 것이 옳다.

③ 자료의 개수가 짝수이므로 중앙에 있는 두 값 4와 6의
평균 $\frac{4+6}{2}=5$가 주어진 자료의 중앙값이다.

④ 9와 15가 모두 두 번씩 가장 많이 나왔으므로 최빈값은
9와 15이다.

⑤ 다수 득표로 선출하는 방법은 모두 대푯값으로 최빈값
을 사용한 것이다.

3 주어진 자료를 크기순으로 나열하면

2, 2, 5, 5, 7, 9, 9, 9

이므로

$$a=\frac{2+2+5+5+7+9+9+9}{8}=\frac{48}{8}=6$$

자료의 개수가 짝수이므로 중앙값은 4번째 값 5와 5번째
값 7의 평균이다.

$$\therefore b=\frac{5+7}{2}=6$$

주어진 자료에서 9가 3번으로 가장 많이 나왔으므로

$c=9$

따라서 a, b, c의 평균은

$$\frac{a+b+c}{3}=\frac{6+6+9}{3}=7$$

4 나머지 한 개의 변량의 편차를 x라 하면 편차의 총합
은 항상 0이어야 하므로

$$(-2)+1+4+x=0 \qquad \therefore x=-3$$

따라서 (편차)=(변량)−(평균)에서
(변량)=(편차)+(평균)이므로
(나머지 한 개의 변량)=$(-3)+16=13$

5 $(평균)=\frac{17+17+18+20+23}{5}=\frac{95}{5}=19(회)$

따라서 주어진 자료의 편차는 차례로 -2회, -2회,
-1회, 1회, 4회이므로

$$(분산)=\frac{(-2)^2+(-2)^2+(-1)^2+1^2+4^2}{5}$$

$$=\frac{26}{5}=5.2$$

6 편차의 총합은 항상 0이어야 하므로

$$(-2)+4+0+2+x=0 \qquad \therefore x=-4$$

따라서 분산은

$$\frac{(-2)^2+4^2+0^2+2^2+(-4)^2}{5}=\frac{40}{5}=8$$이므로

$$(표준편차)=\sqrt{(분산)}=\sqrt{8}=2\sqrt{2}$$

$$=2\times 1.4=2.8(시간)$$

7 $(평균)=\frac{2+5+7+7+x+11}{6}=7$에서

$$x+32=42 \qquad \therefore x=10$$

따라서 각 변량의 편차는 -5, -2, 0, 0, 3, 4이므로

$$(분산)=\frac{(-5)^2+(-2)^2+0^2+0^2+3^2+4^2}{6}$$

$$=\frac{54}{6}=9$$

$$\therefore (표준편차)=\sqrt{(분산)}=\sqrt{9}=3$$

8 세 변량 a, b, c의 평균이 4이므로

$$\frac{a+b+c}{3}=4에서 a+b+c=12$$

세 변량 a, b, c의 분산이 2이므로

$$\frac{(a-4)^2+(b-4)^2+(c-4)^2}{3}=2에서$$

$$(a^2-8a+16)+(b^2-8b+16)+(c^2-8c+16)=6$$

$$a^2+b^2+c^2-8(a+b+c)+48=6$$

$$a^2+b^2+c^2-8\times 12+48=6$$

$$\therefore a^2+b^2+c^2=54$$

따라서 각 변량을 제곱한 수 a^2, b^2, c^2의 평균은

$$\frac{a^2+b^2+c^2}{3}=\frac{54}{3}=18$$

9 (평균)$=\dfrac{4+x+6+y+5}{5}=5$(회)에서

$x+y+15=25$ ∴ $x+y=10$ ······ ㉠

또, (분산)$=$(표준편차)$^2=2^2=4$이므로

$\dfrac{(4-5)^2+(x-5)^2+(6-5)^2+(y-5)^2+(5-5)^2}{5}=4$

$\dfrac{x^2+y^2-10(x+y)+52}{5}=4$

$x^2+y^2-10\times10+52=20(∵ ㉠)$ ∴ $x^2+y^2=68$

따라서 $(x+y)^2=x^2+y^2+2xy$에서

$10^2=68+2xy,\ 2xy=32$ ∴ $xy=16$

10 a, b, c의 평균이 2이므로

$\dfrac{a+b+c}{3}=2$ ∴ $a+b+c=6$ ······ ㉠

a, b, c의 분산이 4이므로

$\dfrac{(a-2)^2+(b-2)^2+(c-2)^2}{3}=4$

∴ $(a-2)^2+(b-2)^2+(c-2)^2=12$ ······ ㉡

(1) $2a-1$, $2b-1$, $2c-1$의 평균은

$\dfrac{(2a-1)+(2b-1)+(2c-1)}{3}$

$=\dfrac{2(a+b+c)-3}{3}$

$=\dfrac{2\times6-3}{3}=3(∵ ㉠)$

(2) $2a-1$, $2b-1$, $2c-1$의 분산은

$\dfrac{(2a-1-3)^2+(2b-1-3)^2+(2c-1-3)^2}{3}$

$=\dfrac{(2a-4)^2+(2b-4)^2+(2c-4)^2}{3}$

$=\dfrac{\{2(a-2)\}^2+\{2(b-2)\}^2+\{2(c-2)\}^2}{3}$

$=\dfrac{4(a-2)^2+4(b-2)^2+4(c-2)^2}{3}$

$=\dfrac{4\{(a-2)^2+(b-2)^2+(c-2)^2\}}{3}$

$=\dfrac{4\times12}{3}=16(∵ ㉡)$

(3) (표준편차)$=\sqrt{(분산)}=\sqrt{16}=4$

다른 풀이

$x_i(i=1,\ 2,\ \cdots,\ n)$의 평균이 m, 분산이 V, 표준편차가 s일 때, $ax_i+b(i=1,\ 2,\ \cdots,\ n)$에 대하여

(평균)$=am+b$, (분산)$=a^2V$, (표준편차)$=|a|s$이다.

즉, 세 변량 a, b, c의 평균이 2, 분산이 4일 때, 세 변량 $2a-1$, $2b-1$, $2c-1$에 대하여

(1) (평균)$=2\times2-1=3$

(2) (분산)$=2^2\times4=16$

(3) (표준편차)$=|2|\times\sqrt{4}=4$

11

계급	도수	계급값	(계급값)$\times$(도수)	편차	(편차)$^2\times$(도수)
55$^{이상}\sim$65^{미만}	1	60	60	-17	$(-17)^2\times1=289$
65 $\sim$75	3	70	210	-7	$(-7)^2\times3=147$
75 $\sim$85	4	80	320	3	$3^2\times4=36$
85 $\sim$95	2	90	180	13	$13^2\times2=338$
합계	10		㉠ 770		㉡ 810

㉠에서 (평균)$=\dfrac{770}{10}=77$

㉡에서 (분산)$=\dfrac{810}{10}=81$

(표준편차)$=\sqrt{(분산)}=\sqrt{81}=9$

12

수학 성적 (점)	도수 (명)	계급값 (점)	(계급값)$\times$(도수)	편차 (점)	(편차)$^2\times$(도수)
45$^{이상}\sim$55^{미만}	2	50	100	-20	$(-20)^2\times2=800$
55 $\sim$65	9	60	540	-10	$(-10)^2\times9=900$
65 $\sim$75	27	70	1890	0	$0^2\times27=0$
75 $\sim$85	11	80	880	10	$10^2\times11=1100$
85 $\sim$95	1	90	90	20	$20^2\times1=400$
합계	50		㉠ 3500		㉡ 3200

(1) ㉠에서 (평균)$=\dfrac{3500}{50}=70$(점)

(2) ㉡에서 (분산)$=\dfrac{3200}{50}=64$이므로

(표준편차)$=\sqrt{(분산)}=\sqrt{64}=8$(점)

1 93점   **2** (1) A반 : 150 cm, B반 : 153 cm, C반 : 154 cm   (2) 153 cm   **3** $\dfrac{5x-2y}{3}$점   **4** 6.1권

5 3 : 4   **6** ①, ⑤   **7** ②   **8** $\sqrt{11}$ **9** 51 kg   **10** 1.04

11 15   **12** 4   **13** 4   **14** 평균 : 171.5 cm, 표준편차 : $2\sqrt{6}$ cm   **15** 은정, 현정, 나연

16 (1) 합 : 18, 제곱의 합 : 84   (2) 4   (3) 7   **17** $\sqrt{41}$

문제 풀이

1 나연이가 3회에 걸쳐 본 시험 점수의 총합은
$89 \times 3 = 267$(점)
이므로 마지막 시험 점수를 x점이라 하면
(4회까지의 평균 점수)$= \dfrac{267+x}{4}$(점)
$\dfrac{267+x}{4} \geq 90$ $\therefore x \geq 93$
따라서 마지막 시험에서 받아야 하는 최저 점수는 93점이다.

2 서술형
표현 단계 A반의 평균 키를 a cm, B반의 평균 키를 b cm, C반의 평균 키를 c cm라 하면
변형 단계 A, B반의 평균 키가 152 cm이므로
$$\frac{10a+20b}{10+20}=152 \text{에서 } a+2b=456 \quad \cdots\cdots ㉠$$
A, C반의 평균 키가 153 cm이므로
$$\frac{10a+30c}{10+30}=153 \text{에서 } a+3c=612 \quad \cdots\cdots ㉡$$
B, C반의 평균 키가 153.6 cm이므로
$$\frac{20b+30c}{20+30}=153.6 \text{에서 } 2b+3c=768 \quad \cdots\cdots ㉢$$
풀이 단계 (1) ㉠+㉡+㉢을 하면 $a+2b+3c=918$
$\quad \therefore a=150, b=153, c=154$
따라서 A반의 평균 키는 150 cm, B반의 평균 키는 153 cm, C반의 평균 키는 154 cm이다.
(2) (세 반의 평균 키)
$$=\frac{10 \times 150+20 \times 153+30 \times 154}{10+20+30}$$
$$=\frac{1500+3060+4620}{60}=\frac{9180}{60}=153(\text{cm})$$

3 현정이의 10과목 전체 점수의 총합은 $10x$점이고, 국어, 영어, 수학, 과학 4과목의 점수의 총합은 $4y$점이므로
(나머지 6과목의 점수의 총합)$=10x-4y$(점)
$\therefore$ (나머지 6과목의 평균 점수)$=\dfrac{10x-4y}{6}$
$$=\frac{5x-2y}{3}(\text{점})$$

4 (각 계급의 도수)$=$(각 계급의 상대도수)$\times$(총인원)
이므로 주어진 자료를 도수분포표로 나타내면 다음과 같다.

읽은 책의 권수(권)	상대도수	도수(명)	계급값(권)	(계급값)×(도수)
1^{이상}~ 3^{미만}	0.1	2	2	4
3 ~ 5	0.3	6	4	24
5 ~ 7	0.2	4	6	24
7 ~ 9	0.25	5	8	40
9 ~11	0.15	3	10	30
합계	1	20		122

$\therefore$ (평균)$=\dfrac{122}{20}=6.1$(권)

5 서술형
표현 단계

반	평균 점수(점)	학생 수(명)
A	63	a
B	70	b

변형 단계 A반의 학생 수를 a명, B반의 학생 수를 b명이라 하면 두 반의 평균 점수가 67점이므로
$$\frac{63a+70b}{a+b}=67$$
풀이 단계 즉, $63a+70b=67a+67b$, $4a=3b$
$\quad \therefore a : b = 3 : 4$

6 ① (반례) 두 자료
A : 1, 2, 3, 4, 5
B : 0.5, 3, 3, 3, 5.5
에서 A, B의 평균을 각각 구하면
A : $\dfrac{1+2+3+4+5}{5}=3$
B : $\dfrac{0.5+3+3+3+5.5}{5}=3$
두 자료 A, B의 편차는 각각
A : $-2, -1, 0, 1, 2$
B : $-2.5, 0, 0, 0, 2.5$
이므로 두 자료 A, B의 편차의 절댓값의 총합은
A : $|-2|+|-1|+0+1+2=6$
B : $|-2.5|+0+0+0+2.5=5$

또, 두 자료 A, B의 표준편차는

A : $\sqrt{\dfrac{(-2)^2+(-1)^2+0^2+1^2+2^2}{5}}=\sqrt{2}$

B : $\sqrt{\dfrac{(-2.5)^2+0^2+0^2+0^2+2.5^2}{5}}=\sqrt{2.5}$

따라서 자료 A의 편차의 절댓값의 총합이 더 크지만 표준편차는 더 작다.

⑤ 편차의 총합은 항상 0이므로 음수가 될 수 없다.

따라서 옳지 않은 것은 ①, ⑤이다.

7 세 자료 A, B, C의 평균은 각각 25.5, 75.5, 50.5이므로 각 자료의 편차는

A : $-24.5, -23.5, \cdots, -0.5, 0.5, \cdots, 24.5$

B : $-24.5, -23.5, \cdots, -0.5, 0.5, \cdots, 24.5$

C : $-49.5, -48.5, \cdots, -0.5, 0.5, \cdots, 49.5$

따라서 각 자료의 분산을 구하면

$a=\dfrac{2\{(0.5)^2+(1.5)^2+\cdots+(24.5)^2\}}{50}$

$b=\dfrac{2\{(0.5)^2+(1.5)^2+\cdots+(24.5)^2\}}{50}$

$c=\dfrac{2\{(0.5)^2+(1.5)^2+\cdots+(49.5)^2\}}{100}$

$\therefore a=b<c$

8 서술형

표현 단계 $(평균)=\dfrac{(변량)의 총합}{(변량)의 개수}$

$\qquad\qquad =\dfrac{2+3+4+5+6+6+9+13}{8}=\dfrac{48}{8}=6$

변형 단계 각 변량의 편차는 (변량)−(평균)이므로

$\qquad -4, -3, -2, -1, 0, 0, 3, 7$

풀이 단계 $\therefore (분산)=\dfrac{(편차)^2의 총합}{(변량)의 개수}$

$\qquad\qquad =\dfrac{(-4)^2+(-3)^2+(-2)^2+(-1)^2+0^2+0^2+3^2+7^2}{8}$

$\qquad\qquad =\dfrac{88}{8}=11$

확인 단계 $\therefore (표준편차)=\sqrt{(분산)}=\sqrt{11}$

9 수정이의 몸무게의 편차를 x kg이라 하면 편차의 총합은 항상 0이어야 하므로 $4+0+3+0+x+(-5)=0$

$2+x=0 \qquad \therefore x=-2$

이때 (편차)=(변량)−(평균)에서

(변량)=(평균)+(편차)이므로

(수정이의 몸무게)$=50+(-2)=48$(kg)

또, 전체 가족의 몸무게의 분산은

$\dfrac{4^2+0^2+3^2+0^2+(-2)^2+(-5)^2}{6}=\dfrac{54}{6}=9$이므로

$(표준편차)=\sqrt{(분산)}=\sqrt{9}=3$(kg)

따라서 수정이의 몸무게와 전체 가족의 몸무게의 표준편차의 합은

$48+3=51$(kg)

10

점수(점)	도수(명)	(점수)×(도수)	편차(점)	(편차)²×(도수)
7	2	14	−1.6	$(-1.6)^2×2=5.12$
8	2	16	−0.6	$(-0.6)^2×2=0.72$
9	4	36	0.4	$0.4^2×4=0.64$
10	2	20	1.4	$1.4^2×2=3.92$
합계	10	㉠ 86		㉡ 10.4

㉠에서 $(평균)=\dfrac{86}{10}=8.6$(점)

㉡에서 $(분산)=\dfrac{10.4}{10}=1.04$

11 세 수 a, b, c의 평균이 4이므로

$\dfrac{a+b+c}{3}=4 \qquad \therefore a+b+c=12$

또, 세 수 a, b, c의 표준편차가 $\sqrt{2}$이므로

$\dfrac{(a-4)^2+(b-4)^2+(c-4)^2}{3}=(\sqrt{2})^2$

$a^2+b^2+c^2-8(a+b+c)+48=6$

$a^2+b^2+c^2-8×12+48=6$

$\therefore a^2+b^2+c^2=54$

$(a+b+c)^2=a^2+b^2+c^2+2(ab+bc+ca)$이므로

$12^2=54+2(ab+bc+ca)$

$2(ab+bc+ca)=90$

$\therefore ab+bc+ca=45$

따라서 세 수 ab, bc, ca의 평균은

$\dfrac{ab+bc+ca}{3}=\dfrac{45}{3}=15$

12 10개의 변량을 각각 $x_1, x_2, \cdots, x_{10}$이라 하면

$x_1+x_2+\cdots+x_{10}=10,$

$x_1{}^2+x_2{}^2+\cdots+x_{10}{}^2=170$

이므로

$(평균)=\dfrac{x_1+x_2+\cdots+x_{10}}{10}=\dfrac{10}{10}=1$

$(분산)=\dfrac{(x_1-1)^2+(x_2-1)^2+\cdots+(x_{10}-1)^2}{10}$

$\qquad\quad =\dfrac{(x_1{}^2+x_2{}^2+\cdots+x_{10}{}^2)-2(x_1+x_2+\cdots+x_{10})+10}{10}$

$\qquad\quad =\dfrac{170-2×10+10}{10}$

$\qquad\quad =16$

$\therefore (표준편차)=\sqrt{(분산)}=\sqrt{16}=4$

13 네 변량 a, b, c, d의 평균이 2이므로

$$\frac{a+b+c+d}{4}=2 \qquad \therefore a+b+c+d=8$$

네 변량 a, b, c, d의 표준편차가 2이므로

$$\frac{(a-2)^2+(b-2)^2+(c-2)^2+(d-2)^2}{4}=2^2$$

$$\therefore (a-2)^2+(b-2)^2+(c-2)^2+(d-2)^2=16$$

따라서 네 변량 $5-2a$, $5-2b$, $5-2c$, $5-2d$에 대하여

$$(\text{평균})=\frac{(5-2a)+(5-2b)+(5-2c)+(5-2d)}{4}$$

$$=\frac{5\times4-2(a+b+c+d)}{4}$$

$$=\frac{20-2\times8}{4}$$

$$=1$$

$$(\text{분산})=\frac{1}{4}\{(5-2a-1)^2+(5-2b-1)^2$$

$$+(5-2c-1)^2+(5-2d-1)^2\}$$

$$=\frac{(4-2a)^2+(4-2b)^2+(4-2c)^2+(4-2d)^2}{4}$$

$$=\frac{\{2(2-a)\}^2+\{2(2-b)\}^2+\{2(2-c)\}^2+\{2(2-d)\}^2}{4}$$

$$=\frac{4(2-a)^2+4(2-b)^2+4(2-c)^2+4(2-d)^2}{4}$$

$$=\frac{4\{(a-2)^2+(b-2)^2+(c-2)^2+(d-2)^2\}}{4}$$

$$=(a-2)^2+(b-2)^2+(c-2)^2+(d-2)^2$$

$$=16$$

$$\therefore (\text{표준편차})=\sqrt{(\text{분산})}=\sqrt{16}=4$$

다른 풀이

$x_i(i=1, 2, \cdots, n)$의 표준편차가 s일 때,
$ax_i+b(i=1, 2, \cdots, n)$의 표준편차는 $|a|s$이다.
네 변량 a, b, c, d의 표준편차가 2이므로 네 변량
$5-2a$, $5-2b$, $5-2c$, $5-2d$의 표준편차는
$|-2|\times2=4$

14

키(cm)	도수 (명)	계급값 (cm)	(계급값) ×(도수)	편차 (cm)	(편차)² ×(도수)
160^{이상}~165^{미만}	2	162.5	325	-9	$(-9)^2\times2=162$
165 ~170	5	167.5	837.5	-4	$(-4)^2\times5=80$
170 ~175	9	172.5	1552.5	1	$1^2\times9=9$
175 ~180	3	177.5	532.5	6	$6^2\times3=108$
180 ~185	1	182.5	182.5	11	$11^2\times1=121$
합계	20		㉠ 3430		㉡ 480

㉠에서 $(\text{평균})=\dfrac{3430}{20}=171.5(\text{cm})$

㉡에서 $(\text{분산})=\dfrac{480}{20}=24$

$$\therefore (\text{표준편차})=\sqrt{(\text{분산})}=\sqrt{24}=2\sqrt{6}(\text{cm})$$

15 세 사람의 음악 감상 시간의 평균을 각각 구하면

$$(\text{은정이의 평균})=\frac{3+2+4}{3}=3(\text{시간})$$

$$(\text{나연이의 평균})=\frac{4+2+6}{3}=4(\text{시간})$$

$$(\text{현정이의 평균})=\frac{1+4+1}{3}=2(\text{시간})$$

이므로 각각의 편차는 다음 표와 같다.

	은정	나연	현정
1일	0시간	0시간	-1시간
2일	-1시간	-2시간	2시간
3일	1시간	2시간	-1시간

따라서 세 사람의 분산을 각각 구하면

$$(\text{은정이의 분산})=\frac{0^2+(-1)^2+1^2}{3}=\frac{2}{3}$$

$$(\text{나연이의 분산})=\frac{0^2+(-2)^2+2^2}{3}=\frac{8}{3}$$

$$(\text{현정이의 분산})=\frac{(-1)^2+2^2+(-1)^2}{3}=2$$

분산이 작을수록 음악 감상 시간이 고르므로 음악 감상 시간이 고른 순서대로 나열하면 은정, 현정, 나연이다.

16 서술형

표현 단계 (1) $(\text{평균})=\dfrac{x_1+x_2+\cdots+x_6}{6}=3$이므로

$$x_1+x_2+\cdots+x_6=18$$

$$(\text{분산})=\frac{(x_1-3)^2+(x_2-3)^2+\cdots+(x_6-3)^2}{6}$$

$$=5$$

이므로

$$(x_1^2+x_2^2+\cdots+x_6^2)$$

$$-6(x_1+x_2+\cdots+x_6)+6\times3^2$$

$$=30$$

$$(x_1^2+x_2^2+\cdots+x_6^2)-6\times18+54=30$$

$$\therefore x_1^2+x_2^2+\cdots+x_6^2=84$$

(2) $(\text{평균})=\dfrac{(x_1+x_2+\cdots+x_6)+x_7+x_8}{8}$

$$=\frac{18+8+6}{8}$$

$$=\frac{32}{8}=4$$

(3) $(\text{분산})=\dfrac{(x_1-4)^2+(x_2-4)^2+\cdots+(x_8-4)^2}{8}$

$$=\frac{(x_1^2+x_2^2+\cdots+x_8^2)-8(x_1+x_2+\cdots+x_8)+8\times4^2}{8}$$

$$=\frac{(84+x_7^2+x_8^2)-8\times32+128}{8}$$

$$=\frac{(84+8^2+6^2)-128}{8}$$

$$=\frac{56}{8}=7$$

17 $x_1, x_2, \cdots, x_{10}$의 평균이 10이므로

$$\frac{x_1+x_2+\cdots+x_{10}}{10}=10$$

$\therefore x_1+x_2+\cdots+x_{10}=100$

$y_1, y_2, \cdots, y_{20}$의 평균이 10이므로

$$\frac{y_1+y_2+\cdots+y_{20}}{20}=10$$

$\therefore y_1+y_2+\cdots+y_{20}=200$

따라서 $x_1, x_2, \cdots, x_{10}, y_1, y_2, \cdots, y_{20}$의 평균은

$$\frac{x_1+x_2+\cdots+x_{10}+y_1+y_2+\cdots+y_{20}}{30}$$

$$=\frac{100+200}{30}=10$$

$x_1, x_2, \cdots, x_{10}$의 표준편차는 5이므로

$$\frac{(x_1-10)^2+(x_2-10)^2+\cdots+(x_{10}-10)^2}{10}=5^2$$

$\therefore (x_1-10)^2+(x_2-10)^2+\cdots+(x_{10}-10)^2=250$

또, $y_1, y_2, \cdots, y_{20}$의 표준편차는 7이므로

$$\frac{(y_1-10)^2+(y_2-10)^2+\cdots+(y_{20}-10)^2}{20}=7^2$$

$\therefore (y_1-10)^2+(y_2-10)^2+\cdots+(y_{20}-10)^2=980$

따라서 $x_1, x_2, \cdots, x_{10}, y_1, y_2, \cdots, y_{20}$의 분산은

$$\frac{1}{30}\{(x_1-10)^2+(x_2-10)^2+\cdots+(x_{10}-10)^2$$
$$+(y_1-10)^2+(y_2-10)^2+\cdots+(y_{20}-10)^2\}$$

$$=\frac{250+980}{30}$$

$$=\frac{1230}{30}=41$$

$\therefore (\text{표준편차})=\sqrt{(\text{분산})}=\sqrt{41}$

> **TIP** $x_1, x_2, \cdots, x_{10}$과 $y_1, y_2, \cdots, y_{20}$의 평균이 모두 10이므로 $x_1, x_2, \cdots,$ $x_{10}, y_1, y_2, \cdots, y_{20}$의 평균도 10임을 알 수 있다.

3 STEP 최고 실력 완성하기

1 5   **2** ③, ⑤   **3** 6   **4** 11.67   **5** 변량, 평균

6 분산, $\dfrac{\{(\text{변량})-(\text{평균})\}^2\text{의 총합}}{\text{총 도수}}$ 또는 $\dfrac{(\text{편차})^2\text{의 총합}}{\text{총 도수}}$

7 표준편차, $\sqrt{\dfrac{\{(\text{변량})-(\text{평균})\}^2\text{의 총합}}{\text{총 도수}}}$ 또는 $\sqrt{\dfrac{(\text{편차})^2\text{의 총합}}{\text{총 도수}}}$

8 고르다

문제 풀이

1 연속하는 4개의 홀수를 $2n-3, 2n-1, 2n+1,$ $2n+3$(n은 2 이상의 자연수)이라 하면

$$(\text{평균})=\frac{(2n-3)+(2n-1)+(2n+1)+(2n+3)}{4}$$

$$=\frac{8n}{4}=2n$$

$$(\text{분산})=\frac{1}{4}\{(2n-3-2n)^2+(2n-1-2n)^2$$
$$+(2n+1-2n)^2+(2n+3-2n)^2\}$$

$$=\frac{(-3)^2+(-1)^2+1^2+3^2}{4}=\frac{20}{4}=5$$

> **TIP** 연속하는 4개의 홀수를 $(1, 3, 5, 7), (3, 5, 7, 9), \cdots$ 등의 구체적인 수로 놓고 풀어도 된다.
>
> ⑩ 1, 3, 5, 7에서
> $$(\text{평균})=\frac{1+3+5+7}{4}=\frac{16}{4}=4$$
> $$(\text{분산})=\frac{(1-4)^2+(3-4)^2+(5-4)^2+(7-4)^2}{4}$$
> $$=\frac{20}{4}=5$$

2 두 선수 A, B의 패스 성공 횟수의 평균을 각각 구하면

$$(\text{A의 평균})=\frac{2+13+10+4+11}{5}=8(\text{회})$$

$$(\text{B의 평균})=\frac{4+8+6+6+11}{5}=7(\text{회})$$

분산을 각각 구하면

$$(\text{A의 분산})=\frac{(-6)^2+5^2+2^2+(-4)^2+3^2}{5}=18$$

$$(\text{B의 분산})=\frac{(-3)^2+1^2+(-1)^2+(-1)^2+4^2}{5}=5.6$$

① 패스 성공 횟수의 평균은 A 선수가 B 선수보다 높다.

② A 선수의 패스 성공 횟수의 분산은 18이다.

④ $(\text{패스 성공률})=\dfrac{(\text{성공한 패스의 개수})}{(\text{전체 패스의 개수})}$인데 전체 패스의 개수를 모르므로 성공률은 두 선수 모두 알 수 없다.

⑤ 분산이 작을수록 패스 성공 횟수가 고르므로 B 선수가 A 선수보다 고른 패스 성공 횟수를 보인다.

따라서 알 수 있는 사실은 ③, ⑤이다.

3 $x_1+x_2+\cdots+x_{10}=20$, $x_1{}^2+x_2{}^2+\cdots+x_{10}{}^2=130$
이므로 $2x_1+1$, $2x_2+1$, $\cdots$, $2x_{10}+1$에 대하여

$$(\text{평균})=\frac{(2x_1+1)+(2x_2+1)+\cdots+(2x_{10}+1)}{10}$$
$$=\frac{2(x_1+x_2+\cdots+x_{10})+10}{10}$$
$$=\frac{2\times20+10}{10}=5$$

$$(\text{분산})=\frac{(2x_1+1-5)^2+(2x_2+1-5)^2+\cdots+(2x_{10}+1-5)^2}{10}$$
$$=\frac{(2x_1-4)^2+(2x_2-4)^2+\cdots+(2x_{10}-4)^2}{10}$$
$$=\frac{\{2(x_1-2)\}^2+\{2(x_2-2)\}^2+\cdots+\{2(x_{10}-2)\}^2}{10}$$
$$=\frac{4\{(x_1-2)^2+(x_2-2)^2+\cdots+(x_{10}-2)^2\}}{10}$$
$$=\frac{4\{x_1{}^2+x_2{}^2+\cdots+x_{10}{}^2-4(x_1+x_2+\cdots+x_{10})+4\times10\}}{10}$$
$$=\frac{4(130-4\times20+40)}{10}=36$$

$\therefore (\text{표준편차})=\sqrt{(\text{분산})}=\sqrt{36}=6$

4 자료 A의 변량을 x_1, x_2, $\cdots$, x_{10}, 자료 B의 변량을
y_1, y_2, $\cdots$, y_{20}이라 하면
자료 A의 평균은 7이므로
$$\frac{x_1+x_2+\cdots+x_{10}}{10}=7$$
$\therefore x_1+x_2+\cdots+x_{10}=70$
자료 A의 분산은 11이므로
$$\frac{(x_1-7)^2+(x_2-7)^2+\cdots+(x_{10}-7)^2}{10}=11$$
$$(x_1{}^2+x_2{}^2+\cdots+x_{10}{}^2)-14(x_1+x_2+\cdots+x_{10})+49\times10$$
$$=110$$
$$(x_1{}^2+x_2{}^2+\cdots+x_{10}{}^2)-14\times70+490=110$$
$\therefore x_1{}^2+x_2{}^2+\cdots+x_{10}{}^2=600$

또, 자료 B의 평균은 4이므로
$$\frac{y_1+y_2+\cdots+y_{20}}{20}=4$$
$\therefore y_1+y_2+\cdots+y_{20}=80$
자료 B의 분산은 9이므로
$$\frac{(y_1-4)^2+(y_2-4)^2+\cdots+(y_{20}-4)^2}{20}=9$$
$$(y_1{}^2+y_2{}^2+\cdots+y_{20}{}^2)-8(y_1+y_2+\cdots+y_{20})+16\times20=180$$
$$(y_1{}^2+y_2{}^2+\cdots+y_{20}{}^2)-8\times80+320=180$$
$\therefore y_1{}^2+y_2{}^2+\cdots+y_{20}{}^2=500$
두 자료 A, B의 변량을 합한 x_1, x_2, $\cdots$, x_{10}, y_1, y_2, $\cdots$,
y_{20}에 대하여

$$(\text{평균})=\frac{x_1+x_2+\cdots+x_{10}+y_1+y_2+\cdots+y_{20}}{30}$$
$$=\frac{70+80}{30}$$
$$=5$$

$$(\text{분산})=\frac{1}{30}\{(x_1-5)^2+(x_2-5)^2+\cdots+(x_{10}-5)^2$$
$$+(y_1-5)^2+(y_2-5)^2+\cdots+(y_{20}-5)^2\}$$
$$=\frac{1}{30}\{(x_1{}^2+x_2{}^2+\cdots+x_{10}{}^2+y_1{}^2+y_2{}^2+\cdots+y_{20}{}^2)$$
$$-10(x_1+x_2+\cdots+x_{10}+y_1+y_2+\cdots+y_{20})$$
$$+25\times10+25\times20\}$$
$$=\frac{(600+500)-10(70+80)+750}{30}$$
$$=\frac{350}{30}$$
$$=11.666\cdots$$

따라서 소수 셋째 자리에서 반올림하여 분산을 나타내면
11.67이다.

2 상관관계

1STEP 주제별 실력다지기

82~85쪽

1 ②, ⑤	**2** ①, ⑤	**3** 80점	**4** 35 %	**5** ②, ⑤	**6** ⑤
7 (1) 양의 상관관계 (2) 30 % (3) 30점		**8** 풀이 참조, 양의 상관관계		**9** ②	**10** 12
11 75점	**12** 5명				

최상위 06 NOTE

상관표는 두 변량의 도수분포표를 함께 나타내어 서로의 관계를 알아보기 쉽게 만든 표이다. 상관표는 두 변량의 분포 상태를 알 수 있고, 산점도와 마찬가지로 두 변량의 상관관계를 알 수 있다. 상관관계의 정도만 알고 싶다면 시각적으로 한 번에 나타나는 산점도가 편하고, 상관표는 도수를 확실히 알 수 있어 평균 등을 구해야 할 때 편리하다.

상관표가 나오면 기준선을 그어서 생각한다.

(1) 이상, 이하, 초과, 미만 등의 말이 나올 경우

　예) x는 3 이상 y는 4 이상 ⇨ 상관표의 어두운 부분

y＼x	1	2	3	4	5	합계
5						
4						
3						
2						
1						
합계						

(2) 높은, 낮은, 같은 등의 비교의 말이 나올 경우

　예) $x=y$일 경우 ⇨ $x=y$가 지나는 부분 (대각선이 지나는 부분)
　$x>y$일 경우 ⇨ $x=y$의 아래쪽 부분
　$x<y$일 경우 ⇨ $x=y$의 위쪽 부분

y＼x	1	2	3	4	5	합계
5					$x=y$	
4		$x<y$				
3						
2				$x>y$		
1						
합계						

1 A는 여가 시간이 적고 그 대신 학교 성적은 높다. 반면에 B는 학교 성적은 중간인데 비해서 여가 시간은 많은 편이다. 또한, A, B를 비교하면 A는 B보다 학교 성적은 높고, 여가 시간은 적다.

⑤ 여가 시간이 많을수록 점들이 아래로 분포하므로 학교 성적이 떨어지는 경향이 있음을 알 수 있다.

따라서 옳은 것은 ②, ⑤이다.

2 ② D는 C보다 과학 성적이 높다.

③ C는 과학 성적과 사회 성적이 같다.

④ D는 사회 성적보다 과학 성적이 높다.

따라서 옳은 것은 ①, ⑤이다.

3 중간 고사 성적보다 기말 고사 성적이 향상된 학생은 점 $(0, 0)$과 점 $(100, 100)$을 잇는 대각선 위쪽에 있는 점으로 도수분포표를 그려 보면

기말고사 성적(점)	60	70	80	90	100	합계
도수(명)	1	2	1	2	1	7

따라서 구하는 평균은

$$\frac{60 \times 1 + 70 \times 2 + 80 \times 1 + 90 \times 2 + 100 \times 1}{7}$$

$$= \frac{560}{7} = 80(점)$$

4 주어진 조건을 만족하는 학생의
(넓이뛰기 기록, 100 m 달리기 기록)은
$(5, 12)$, $(5, 13)$, $(5, 14)$, $(6, 12)$, $(6, 13)$, $(6, 14)$, $(7, 12)$의 7명이므로

전체의 $\frac{7}{20} \times 100 = 35(\%)$이다.

5 ① 상관관계가 없다.

② 일반적으로 기온이 높아지면 음료수 판매량은 증가한다. 즉, 양의 상관관계이다.

③ 일반적으로 물건값이 오르면 소비는 줄어든다. 즉, 음의 상관관계이다.

④ 일반적으로 기온이 올라가면 난방비는 줄어든다. 즉, 음의 상관관계이다.

⑤ 일반적으로 수요가 늘어나면 공급도 늘어난다. 즉, 양의 상관관계이다.

따라서 양의 상관관계가 있는 것은 ②, ⑤이다.

6 ⑤ 도시가 넓으면 인구가 많아지는 경향이 있으므로 양의 상관관계이다.

따라서 옳지 않은 것은 ⑤이다.

7 (2) 해당되는 학생은 오른쪽 그림에서 어두운 부분이므로 6명이다.

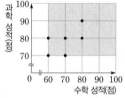

$\therefore \frac{6}{20} \times 100 = 30(\%)$

(3) 과학 성적이 50점 미만인 학생들의
(수학 성적, 과학 성적)은
$(20, 30)$, $(30, 30)$, $(30, 40)$, $(40, 40)$
이므로 수학 성적의 평균은

$$\frac{20 + 30 + 30 + 40}{4}$$

$$= \frac{120}{4} = 30(점)$$

8 산점도를 그려 보면 다음 그림과 같고, 약한 양의 상관관계가 있다고 할 수 있다.

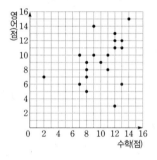

9 산점도를 그려 보면 다음 그림과 같으므로 약한 양의 상관관계가 있다고 볼 수 있다.

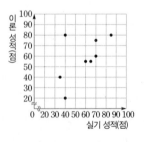

10 $A + 2 + 1 = 4$ $\therefore A = 1$

$A + 3 + 5 + B = 11$ $\therefore B = 2$

$1 + 6 + B = C$ $\therefore C = 9$

$\therefore A + B + C = 1 + 2 + 9 = 12$

11 주어진 조건의 도수분포표를 그려 보면

영어 성적(점)	도수(명)	계급값(점)	(계급값)×(도수)
80^{이상}~90^{미만}	1	85	85
70 ~80	5	75	375
60 ~70	1	65	65
합계	7		525

$$\therefore (평균)=\frac{85+375+65}{7}$$
$$=\frac{525}{7}=75(점)$$

12 상관표에서 굵은 선안에 있는 자료는 국어 성적과 영어 성적의 합이 130점 미만인 자료이고, 어두운 곳의 자료는 국어 성적과 영어 성적의 합이 130점 미만이 될 수도 있고, 130점 이상이 될 수도 있는 자료이다.

국어(점) 영어(점)	40^{이상}~50^{미만}	50~60	60~70	70~80	80~90	90~100	합계
90^{이상}~100^{미만}					1	1	2
80 ~ 90			1	1	6	1	9
70 ~ 80		1	3	5	2		11
60 ~ 70	1	2	2	1			6
50 ~ 60		1					1
40 ~ 50	1						1
합계	2	4	6	7	9	2	30

따라서 최소한 5명은 두 과목의 성적의 합이 130점 미만이다.

2^{STEP} 실력 높이기

86~90쪽

1 ④ **2** ④ **3** (1) 35 % (2) 6.5점 **4** (1) 풀이 참조 (2) 풀이 참조, 80점

5 (1) 12명 (2) 66점 **6** 풀이 참조 (1) 2명 (2) 1.37 **7** (1) 2 (2) 8.6점 (3) 8명 (4) 31명

8 (1) 63점 (2) 4명 (3) ㄴ **9** 80점 **10** (1) 양의 상관관계 (2) 24 (3) 83.6점 **11** B반

문제 풀이

1 마른 편인 학생은 키에 비해 몸무게가 적게 나가는 학생이다.
따라서 가장 마른 편인 학생은 ④ D이다.

2 ④ 실기 점수와 필기 점수의 합이 70점 이상인 학생의 (실기 점수, 필기 점수)는
(35, 35), (35, 40), (40, 30), (40, 35), (40, 45),
(45, 40)으로 6명이다.
⑤ 실기 점수가 25점 미만이면서 필기 점수가 30점 미만인 학생의 (실기 점수, 필기 점수)는 (10, 10), (10, 20),
(15, 10), (15, 20), (20, 20)으로 5명이다.
즉, 실기 점수가 25점 이상 또는 필기 점수가 30점 이상인 학생은 20−5=15(명)이다.
따라서 옳지 않은 것은 ④이다.

3 서술형
(1) 변형 단계 두 과목의 성적의 차가 2점 이상인 학생의 성적을 (수학 점수, 영어 점수)의 순서쌍으로 나타내면
(5, 8), (6, 8), (6, 9), (7, 4), (7, 9),
(8, 5), (9, 7)이므로 7명이다.
풀이 단계 $\therefore \frac{7}{20}\times100=35(\%)$
(2) 표현 단계 영어 성적보다 수학 성적이 우수한 학생은 오른쪽 위로 향하는 대각선의 아래쪽에 있는 학생이다.
풀이 단계 $\therefore (평균)=\frac{4+5+6+7+8+9}{6}$
$$=\frac{39}{6}$$
$$=6.5(점)$$

4 (1) 미술 과목의 실기 성적이 위로 올라갈수록 계급값이 커져야 하는데 작아지고 있다. 따라서 올바른 상관표는 다음과 같다.

이론 성적(점) / 실기 성적(점)	50	60	70	80	90	100	합계
100					1	3	4
90			1	2	6		9
80	1		7	10			18
70		3	2	3			8
60	1						1
합계	2	3	10	15	7	3	40

(2) 위의 상관표에서 어두운 부분은 이론 성적과 실기 성적이 같은 자료이다. 따라서 조건에 맞는 도수분포표는 다음과 같다.

실기 성적(점)	도수(명)	(계급값)×(도수)
100	1	100
90	3	270
80	8	640
70	3	210
60	1	60
합계	16	1280

$$\therefore (평균)=\frac{1280}{16}=80(점)$$

5 (1) $3+4+2+3=12(명)$

(2) 도수분포표를 그려 보면

수학 성적(점)	도수(명)	계급값(점)	(계급값)×(도수)
$50^{이상}\sim60^{미만}$	3	55	165
60 ~70	3	65	195
70 ~80	4	75	300
합계	10		660

$$\therefore (평균)=\frac{660}{10}=66(점)$$

6 상관표를 그려서 구한다.

시력 / 청력(db)	$1.20^{이상}\sim1.30^{미만}$	1.30 ~1.40	1.40 ~1.50	1.50 ~1.60	합계
$60^{이상}\sim70^{미만}$				1	1
50 ~60	1		2		3
40 ~50		4	1		5
30 ~40	1				1
합계	2	4	3	1	10

(1) 시력이 1.40 이상 1.50 미만이고 청력이 50 db 이상 60 db 미만인 학생은 위의 어두운 부분이므로 2명이다.

(2) 도수분포표를 그려 보면

시력	도수(명)	계급값	(계급값)×(도수)
$1.30^{이상}\sim1.40^{미만}$	4	1.35	5.40
1.40 ~1.50	1	1.45	1.45
합계	5		6.85

$$\therefore (평균)=\frac{6.85}{5}=1.37$$

7 서술형

풀이 단계 (1) $E=40-(1+4+5+7+9+4)=10$
$C=40-(4+9+8+6+4+2)=7$
$A=7-2=5$ $\therefore B=10-(2+5+1)=2$

(2) $D=9-(3+2+1)=3$이므로
$$(평균)=\frac{7\times3+8\times5+9\times9+10\times3}{20}$$
$$=\frac{172}{20}=8.6(점)$$

(3) 수학 성적이 6점 미만인 학생이 5명, 과학 성적이 6점 미만인 학생이 6명, 수학 성적과 과학 성적이 동시에 6점 미만인 학생은 3명이므로
$5+6-3=8(명)$

(4) |(수학 점수)−(과학 점수)|=0인 학생은
$1+2+3+5+2=13(명)$이고,
|(수학 점수)−(과학 점수)|=1인 학생은
$(1+2+3+2+2)+(1+3+2+2)=18(명)$이다.
$\therefore 13+18=31(명)$

8 (1) 도수분포표를 그려 보면

수학 성적(점)	도수(명)	(성적)×(도수)
100	1	100
90	2	180
70	2	140
60	1	60
50	1	50
40	2	80
20	1	20
합계	10	630

$$\therefore (평균)=\frac{630}{10}=63(점)$$

(2) 국어 성적과 수학 성적이 모두 70점 이상인 학생은 오른쪽 그림의 어두운 부분에 있는 학생 4명이다.

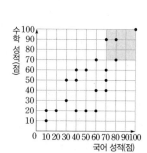

(3) ㄱ. 국어 성적보다 수학 성적이 더 좋은 학생이 8명, 수학 성적보다 국어 성적이 더 좋은 학생이 8명, 국어와 수학 성적이 같은 학생이 4명이므로 국어 성적보다 수학 성적이 좋은 학생이 더 많다고 볼 수 없다.

ㄴ. 양의 상관관계이므로 수학 성적이 좋은 학생이 대체로 국어 성적도 좋다.

ㄷ. 국어와 수학 중에서 어느 과목을 더 잘하는지는 도수분포표를 각각 작성하여 평균을 구해 보면 된다.

따라서 옳은 것은 ㄴ이다.

9 서술형

표현 단계 중간 고사 수학 성적보다 기말 고사 수학 성적이 더 좋은 학생 수는 오른쪽 위로 향하는 대각선의 위쪽에 있는 점의 개수와 같다.

변형 단계 도수분포표로 나타내면

기말고사 수학 성적(점)	60	70	80	90	100	합계
학생 수(명)	1	2	1	2	1	7

풀이 단계 ∴ (평균)

$$= \frac{60 \times 1 + 70 \times 2 + 80 \times 1 + 90 \times 2 + 100 \times 1}{7}$$

$$= \frac{560}{7}$$

$$= 80(점)$$

10
(2) $2+11+E+4+3+3=30$ $\therefore E=7$

$1+2+B+3=11$ $\therefore B=5$

$1+C+1=A$ $\therefore A=C+2$ ……㉠

$1+C+1+A+1=E$ $\therefore A+C=4$ ……㉡

㉠, ㉡에서 $A=3$, $C=1$

따라서 $B+A=D$에서 $D=8$

$\therefore A+B+C+D+E=24$

(2) 도수분포표를 그려 보면

수학 성적(점)	도수(명)	계급값(점)	(계급값)×(도수)
$90^{이상}{\sim}100^{미만}$	2	95	190
80 ~ 90	8	85	680
70 ~ 80	4	75	300
합계	14		1170

$\therefore$ (평균)$=\dfrac{1170}{14}=83.57\cdots≒83.6$(점)

11
A, B반의 산점도를 각각 그려본다. B반의 산점도를 그릴 때 영어와 수학의 축을 바꾸어 그린다.

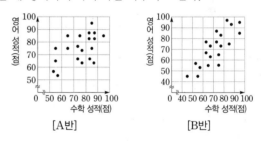

[A반]   [B반]

따라서 A반보다는 B반의 성적 분포가 더 강한 양의 상관관계를 이룬다.

1 (1) 4, 30 (2) 6명 **2** 8개 **3** 풀이 참조

문제 풀이

1 (1) 중간 고사 성적이 80점인 자료로부터

$1+(x-1)^2+(x-1)=3x+1$

$x^2-4x=0$, $x(x-4)=0$ ∴ $x=0$ 또는 $x=4$

그런데 $x-2>0$이므로 $x=4$

$1+(x-2)+(x-1)^2+1=A$ ∴ $A=13$

$1+(x-1)+x+2=B$ ∴ $B=10$

$(x-2)+x+1=C$ ∴ $C=7$

∴ $A+B+C=7+10+13=30$

(2) 중간 고사 성적과 기말 고사 성적이 같은 곳을 연결하면 기울기가 양수인 직선이 나타나고, 주어진 조건을 만족하는 자료는 그 직선의 위쪽에 위치하는 자료이므로 학생 수는

$1+1+(x-2)+2=x+2=6$(명)

2 표의 가로에서 나오는 식은

$d+a+6=b$ ······ ㉠

$2+3+e+c+7+4=40$ ······ ㉡

표의 세로에서 나오는 식은

$d+7+1=e$ ······ ㉢

$a+10+3=c$ ······ ㉣

$4+b+18+8+1=40$ ∴ $b=9$ ······ ㉤

한편, 턱걸이를 7개 한 학생들의 팔굽혀펴기 개수의 평균은

$\dfrac{9d+56+7}{e}=8.1$에서

$9d+63=8.1\times e$ ······ ㉥

㉢에서 $e=d+8$을 ㉥에 대입하면

$9d+63=8.1(d+8)$

$0.9d=1.8$ ∴ $d=2$, $e=10$

따라서 ㉠에서 $a=1$, ㉣에서 $c=14$

도수분포표를 그려보면

팔굽혀펴기 개수(개)	도수(명)	(개수)×(도수)
10	1	10
9	3	27
8	8	64
7	3	21
6	1	6
합계	16	128

∴ (평균)$=\dfrac{128}{16}=8$(개)

3 산점도에 나타난 자료의 개수가 18개이므로 2개의 자료를 구하면 된다.

(ⅰ) 두 명의 올해 수학 성적을 x점, y점($x\leq y$)이라 놓으면 지난해 수학 성적보다 올해 수학 성적이 좋은 학생들의 올해 수학 성적은 20점, 30점, 40점, 40점, 60점, x점, y점이므로 평균은

$\dfrac{x+y+190}{7}=50$

∴ $x+y=160$

그런데 찢겨진 부분이 70점 이상 100점 이하이므로 가능한 x, y의 값은

$x=70$, $y=90$ 또는 $x=y=80$의 두 가지이다.

(ⅱ) 두 명의 지난해 수학 성적을 a점, b점($a\leq b$)이라 놓으면 지난해 수학 성적보다 올해 수학 성적이 좋은 학생들의 지난해 수학 성적은 10점, 10점, 20점, 30점, 50점, a점, b점이므로 평균은

$\dfrac{a+b+120}{7}=30$

∴ $a+b=90$

그런데 찢겨진 부분이 20점 이상 70점 이하이므로 가능한 a, b의 값은

$a=20$, $b=70$ 또는 $a=30$, $b=60$ 또는 $a=40$, $b=50$의 세 가지이다.

(ⅰ), (ⅱ)에서 (올해 수학 성적, 지난해 수학 성적)의 순서쌍을 찾으면

① (70, 20), (90, 70)

② (70, 70), (90, 20) : 부적합

③ (70, 30), (90, 60)

④ (70, 60), (90, 30) : 부적합

⑤ (70, 40), (90, 50)

⑥ (70, 50), (90, 40)

⑦ (80, 20), (80, 70) : 부적합

⑧ (80, 30), (80, 60)

⑨ (80, 40), (80, 50)

따라서 구하는 자료는 ①, ③, ⑤, ⑥, ⑧, ⑨ 6가지가 가능하다.

1 평균 : 95.25 cm, 중앙값 : 94.5 cm, 최빈값 : 95 cm　　**2** 92점　　**3** 6　　**4** ④

5 228점　　　　**6** ①

7 (1) A : 5점, B : 5점, C : 5점, D : 5점　(2) A : $\sqrt{3}$점, B : $\sqrt{7}$점, C : $\sqrt{6}$점, D : $\sqrt{8.4}$점　(3) A, C, B, D, 풀이 참조

8 ㅅ, ㄹ, ㅂ, ㅁ, ㄷ　　**9** ④　　　　**10** ①　　　　**11** 평균 : 34회, 표준편차 : 13.7회　　**12** 7

13 70　　　　**14** ②　　　　**15** $x=8$, $y=7$　　**16** ④　　　　**17** ⑤　　　　**18** ④

19 ⑤　　　　　　**20** (1) 40 %　(2) 81점　**21** (1) 양의 상관관계　(2) 19명　　　　**22** 양의 상관관계

23 (1) 45 %　(2) 4명　**24** 양의 상관관계　**25** (1) 29　(2) 양의 상관관계　(3) 16대　(4) 12대　(5) 7.1 km/l

문제 풀이

1 주어진 자료를 크기순으로 나열하면

90 cm, 91 cm, 92 cm, 94 cm, 95 cm, 95 cm, 100 cm, 105 cm

이므로

$$(평균) = \frac{90+91+92+94+95+95+100+105}{8}$$

$$= \frac{762}{8} = 95.25 \text{(cm)}$$

또, 자료의 개수가 짝수이므로 중앙값은 4번째 값 94 cm와 5번째 값 95 cm의 평균이다.

$$\therefore (중앙값) = \frac{94+95}{2} = 94.5 \text{(cm)}$$

주어진 자료에서 95 cm가 2번으로 가장 많이 나왔으므로 최빈값은 95 cm이다.

2 세 학생 A, B, C의 시험 점수를 각각 a점, b점, c점이라 하면

$$\frac{a+b}{2} = 92, \quad \frac{b+c}{2} = 87, \quad \frac{a+c}{2} = 97$$

이므로

$a+b=184$, $b+c=174$, $a+c=194$

위의 세 식을 변끼리 더하면

$2(a+b+c)=552$

$\therefore a+b+c=276$

따라서 A, B, C의 시험 점수의 평균은

$$\frac{a+b+c}{3} = \frac{276}{3} = 92(점)$$

3 주어진 자료의 평균이 5이므로

$$\frac{9+x+3+6+10+y+0}{7} = 5$$

$x+y+28=35$

$\therefore x+y=7$

또, 주어진 자료의 최빈값이 6이므로 정수 x, y 중 적어도 하나는 6이어야 한다.

따라서 $x=6$, $y=1$이라 하여 주어진 자료를 크기순으로 나열하면

0, 1, 3, 6, 6, 9, 10

이므로 중앙값은 4번째 값인 6이다.

4 변량 x_1, x_2, x_3, $\cdots$, x_n의 평균이 m이므로

$$\frac{x_1+x_2+\cdots+x_n}{n} = m$$

$$\therefore x_1+x_2+\cdots+x_n = mn$$

따라서 변량 $\dfrac{x_1-a}{b}$, $\dfrac{x_2-a}{b}$, $\cdots$, $\dfrac{x_n-a}{b}$의 평균은

$$\frac{\dfrac{x_1-a}{b}+\dfrac{x_2-a}{b}+\cdots+\dfrac{x_n-a}{b}}{n}$$

$$= \frac{(x_1+x_2+\cdots+x_n)-an}{bn}$$

$$= \frac{mn-an}{bn} = \frac{m-a}{b}$$

다른 풀이

$x_i(i=1, 2, \cdots, n)$의 평균이 m일 때,

$ax_i+b(i=1, 2, \cdots, n)$의 평균은 $am+b$이므로

$\dfrac{x_i-a}{b}(i=1, 2, \cdots, n)$의 평균은 $\dfrac{m-a}{b}$이다.

5 남학생 수를 x명이라 하면 여학생 수는 $2x$명이므로

(여학생의 점수의 총합)

=(여학생의 평균 점수)×(여학생 수)

$=225 \times 2x = 450x$(점)

(남학생의 점수의 총합)

=(남학생의 평균 점수)×(남학생 수)

$=234 \times x = 234x$(점)

따라서 전체 학생의 평균 점수는

$$\frac{(여학생의 점수의 총합)+(남학생의 점수의 총합)}{(전체 학생 수)}$$

$$= \frac{450x+234x}{3x} = \frac{684x}{3x} = 228(점)$$

6 ①, ②, ③, ④의 평균은 모두 3이고, ⑤의 평균은 4이므로 각각의 분산은 다음과 같다.

① $\dfrac{5(1-3)^2+5(5-3)^2}{10}=4$

② $\dfrac{3(1-3)^2+3(5-3)^2+4(3-3)^2}{10}=2.4$

③ $\dfrac{5(2-3)^2+5(4-3)^2}{10}=1$

④ $\dfrac{3(2-3)^2+3(4-3)^2+4(3-3)^2}{10}=0.6$

⑤ $\dfrac{10(4-4)^2}{10}=0$

따라서 분산이 클수록 분포가 고르지 않으므로 분포가 가장 고르지 않은 것은 ①이다.

다른 풀이

각각의 분산을 구하지 않더라도 직관적으로 볼 때, ①의 변량들이 평균을 중심으로 가장 멀리 흩어져 있으므로 ①의 분포가 가장 고르지 않다.

7 (1) 4명이 맞힌 점수를 크기순으로 각각 나열하면

A : 2, 3, 4, 4, 5, 5, 6, 6, 7, 8

B : 1, 2, 2, 4, 5, 5, 6, 8, 8, 9

C : 1, 2, 3, 4, 5, 5, 6, 7, 8, 9

D : 1, 1, 2, 4, 5, 5, 6, 8, 9, 9

자료의 개수가 모두 10개로 짝수이므로 구하는 중앙값은 5번째와 6번째 변량의 평균이다. 따라서 A, B, C, D의 중앙값은 모두 5점이다.

(2) A, B, C, D의 평균이 모두 5점이므로 각각의 편차는

A : $-3, -2, -1, -1, 0, 0, 1, 1, 2, 3$

B : $-4, -3, -3, -1, 0, 0, 1, 3, 3, 4$

C : $-4, -3, -2, -1, 0, 0, 1, 2, 3, 4$

D : $-4, -4, -3, -1, 0, 0, 1, 3, 4, 4$

따라서 A, B, C, D의 분산을 각각 구하면

(A의 분산)

$=\dfrac{(-3)^2+(-2)^2+(-1)^2\times2+0^2\times2+1^2\times2+2^2+3^2}{10}$

$=\dfrac{30}{10}=3$

(B의 분산)

$=\dfrac{(-4)^2+(-3)^2\times2+(-1)^2+0^2\times2+1^2+3^2\times2+4^2}{10}$

$=\dfrac{70}{10}=7$

(C의 분산)

$=\dfrac{(-4)^2+(-3)^2+(-2)^2+(-1)^2+0^2\times2+1^2+2^2+3^2+4^2}{10}$

$=\dfrac{60}{10}=6$

(D의 분산)

$=\dfrac{(-4)^2\times2+(-3)^2+(-1)^2+0^2\times2+1^2+3^2+4^2\times2}{10}$

$=\dfrac{84}{10}=8.4$

이므로 A, B, C, D의 표준편차는 각각 $\sqrt{3}$점, $\sqrt{7}$점, $\sqrt{6}$점, $\sqrt{8.4}$점이다.

(3) 표준편차가 작을수록 분포가 고르므로 점수가 고른 사람부터 차례로 나열하면 A, C, B, D이다.

8 도수분포표에서 표준편차를 구하는 순서는 다음과 같다.

ㅅ. 각 계급의 계급값을 구한다.

ㄹ. 평균을 구한다.

ㅂ. 각 계급의 편차를 구한다.

ㅁ. 편차의 제곱의 평균인 분산을 구한다.

ㄷ. 분산의 양의 제곱근을 구한다.

따라서 올바른 순서대로 나열하면 ㅅ, ㄹ, ㅂ, ㅁ, ㄷ이다.

9 (편차)=(변량)−(평균)에서 (평균)=(변량)−(편차)이므로

(평균)=(11일의 컴퓨터 이용 시간)−(11일의 편차)

$=3-(-1)=4$(시간)

또, 편차의 총합은 항상 0이어야 하므로 14일의 컴퓨터 이용 시간의 편차를 x시간이라 하면

$(-1)+3+(-4)+x+2=0$ ∴ $x=0$

따라서 은정이의 컴퓨터 이용 시간의 분산은

$\dfrac{(-1)^2+3^2+(-4)^2+0^2+2^2}{5}=\dfrac{30}{5}=6$

∴ (표준편차)=$\sqrt{(분산)}$=$\sqrt{6}$(시간)

10 연속하는 5개의 정수를 $x-2, x-1, x, x+1, x+2$ (단, x는 정수)라 하면

(평균)$=\dfrac{(x-2)+(x-1)+x+(x+1)+(x+2)}{5}$

$=\dfrac{5x}{5}=x$

이므로

(분산)$=\dfrac{(-2)^2+(-1)^2+0^2+1^2+2^2}{5}$

$=\dfrac{10}{5}=2$

∴ (표준편차)=$\sqrt{(분산)}$=$\sqrt{2}$

다른 풀이

연속하는 5개의 정수를 (0, 1, 2, 3, 4), (1, 2, 3, 4, 5), … 등의 구체적인 수로 정하여 풀어도 된다.

(예) 0, 1, 2, 3, 4에서

$$(평균) = \frac{0+1+2+3+4}{5} = 2$$

$$(분산) = \frac{(-2)^2 + (-1)^2 + 0^2 + 1^2 + 2^2}{5} = 2$$

$$\therefore (표준편차) = \sqrt{(분산)} = \sqrt{2}$$

11

윗몸일으키기 횟수(회)	도수(명)	계급값(회)	(계급값)×(도수)	편차(회)	(편차)²×(도수)
10^{이상}~20^{미만}	8	15	120	-19	$(-19)^2 \times 8 = 2888$
20 ~30	12	25	300	-9	$(-9)^2 \times 12 = 972$
30 ~40	0	35	0	1	$1^2 \times 0 = 0$
40 ~50	16	45	720	11	$11^2 \times 16 = 1936$
50 ~60	4	55	220	21	$21^2 \times 4 = 1764$
합계	40		㉠ 1360		㉡ 7560

㉠에서 $(평균) = \dfrac{1360}{40} = 34(회)$

㉡에서 $(분산) = \dfrac{7560}{40} = 189$

$\therefore (표준편차) = \sqrt{(분산)} = \sqrt{189} = \sqrt{1.89 \times 100}$
$$= 10\sqrt{1.89} = 10 \times 1.37 = 13.7(회)$$

12 $\dfrac{a+b+c+d+e+f}{6} = 25$이므로

$a+b+c+d+e+f = 150$

또, $\dfrac{(a-25)^2 + (b-25)^2 + \cdots + (f-25)^2}{6} = 7^2$이므로

$(a-25)^2 + (b-25)^2 + \cdots + (f-25)^2 = 294$

따라서 $a-2, b-2, c-2, d-2, e-2, f-2$에 대하여

$(평균) = \dfrac{(a-2) + (b-2) + \cdots + (f-2)}{6}$

$(평균) = \dfrac{(a+b+\cdots+f) - 2 \times 6}{6}$

$(평균) = \dfrac{150 - 12}{6} = 23$

$(분산) = \dfrac{(a-2-23)^2 + (b-2-23)^2 + \cdots + (f-2-23)^2}{6}$

$\qquad = \dfrac{(a-25)^2 + (b-25)^2 + \cdots + (f-25)^2}{6}$

$\qquad = \dfrac{294}{6}$

$\qquad = 49$

$\therefore (표준편차) = \sqrt{(분산)} = \sqrt{49} = 7$

다른 풀이

$x_i (i = 1, 2, \cdots, n)$의 표준편차가 s일 때,

$ax_i + b(i = 1, 2, \cdots, n)$의 표준편차는 $|a|s$이므로 구하는 표준편차는

$|1| \times 7 = 7$

13 세 수 x_1, x_2, x_3의 평균이 8이므로

$\dfrac{x_1 + x_2 + x_3}{3} = 8$

$\therefore x_1 + x_2 + x_3 = 24$

또, 세 수 x_1, x_2, x_3의 표준편차가 $\sqrt{6}$이므로

$\dfrac{(x_1 - 8)^2 + (x_2 - 8)^2 + (x_3 - 8)^2}{3} = (\sqrt{6})^2$

$x_1^2 + x_2^2 + x_3^2 - 16(x_1 + x_2 + x_3) + 3 \times 8^2 = 18$

$x_1^2 + x_2^2 + x_3^2 - 16 \times 24 + 192 = 18$

$\therefore x_1^2 + x_2^2 + x_3^2 = 210$

따라서 세 수 x_1^2, x_2^2, x_3^2의 평균은

$\dfrac{x_1^2 + x_2^2 + x_3^2}{3} = \dfrac{210}{3} = 70$

14 ㉮ 각 과목에 대한 (현정이의 성적)−(학급 평균)이 국어는 $76 - 70 = 6$(점), 수학은 $74 - 56 = 18$(점), 영어는 $78 - 64 = 14$(점)이므로 현정이는 다른 과목에 비해 수학 성적이 우수하다고 할 수 있다.

㉯ 표준편차가 작을수록 분포가 고르므로 이 학급에서 성적이 가장 고른 과목은 국어라고 할 수 있다.

15 $(평균) = \dfrac{16 + 14 + x + 10 + y}{5} = 11$이므로

$40 + x + y = 55 \qquad \therefore x + y = 15 \quad \cdots\cdots$ ㉠

$(분산)$

$= \dfrac{(16-11)^2 + (14-11)^2 + (x-11)^2 + (10-11)^2 + (y-11)^2}{5}$

$= 12$

이므로 $5^2 + 3^2 + (x-11)^2 + (-1)^2 + (y-11)^2 = 60$

$\therefore (x-11)^2 + (y-11)^2 = 25 \quad \cdots\cdots$ ㉡

㉠을 y에 대하여 풀면 $y = 15 - x$

$y = 15 - x$를 ㉡에 대입하면

$(x-11)^2 + (15 - x - 11)^2 = 25$

$(x-11)^2 + (4-x)^2 = 25$

$x^2 - 22x + 121 + x^2 - 8x + 16 = 25$

$2x^2 - 30x + 112 = 0, \quad x^2 - 15x + 56 = 0$

$(x-7)(x-8) = 0 \qquad \therefore x = 7$ 또는 $x = 8$

따라서 $x = 7$이면 $y = 8$이고, $x = 8$이면 $y = 7$이다.

그런데 $x > y$이므로 $x = 8$, $y = 7$

16 일반적으로 통학 거리가 멀면 버스를 타는 시간도 많다. 즉, 양의 상관관계이다.

17 ①, ② 양의 상관관계

③, ④ 상관관계가 없다.

⑤ 일반적으로 소비가 늘면 대체로 저축은 줄어든다. 즉, 음의 상관관계이다.

18 ①, ②, ⑤ 양의 상관관계

③ 음의 상관관계

따라서 상관관계가 없다고 판단되는 것은 ④이다.

19 E는 일주일 학습 시간은 적지만 성적은 높은 편이다.

20 (1) 순서쌍 (국어 성적, 영어 성적)으로 나타낼 때,

국어 성적이 더 좋은 순서쌍은 12개이므로

$$\frac{12}{30} \times 100 = 40(\%)$$

(2) 국어 성적과 영어 성적의 총점이 140점 이상인 순서쌍

(국어 성적, 영어 성적)은

$(100, 90), (90, 100), (90, 90), (90, 80), (90, 70),$

$(90, 60), (80, 80), (80, 70), (70, 90), (60, 80)$

이므로 이들의 영어 성적 분포는

영어 성적(점)	60	70	80	90	100	합계
도수(명)	1	2	3	3	1	10

∴ (평균)

$$= \frac{60 \times 1 + 70 \times 2 + 80 \times 3 + 90 \times 3 + 100 \times 1}{10}$$

$$= \frac{810}{10} = 81(점)$$

21 (1) 연습 시간이 늘어나면 대체적으로 타율이 좋아진다.

따라서 양의 상관관계가 있다.

(2) 구하는 인원은 전체 인원에서 다음 표의 인원을 제외하

면 되므로

타율(할) 연습 시간(시간)	1^{이상} ~1.5^{미만}	1.5 ~2	2 ~2.5	2.5 ~3
5^{이상}~6^{미만}				3
4 ~5	1	2	5	

$30 - (3 + 1 + 2 + 5) = 19(명)$

22 x가 증가할 때, y도 증가하므로 양의 상관관계를 이루고 있다.

23 (1) 3학년 때 성적이 향상된 학생의 성적을 나타내는

점은 점 $(10, 10)$, 점 $(20, 20)$, …을 지나는 직선 위쪽

에 있다. 따라서 9명이다.

$$∴ \frac{9}{20} \times 100 = 45(\%)$$

(2) 전체의 상위 30 %는 $20 \times 0.3 = 6(명)$이다. 2학년 때 6

등 안에 들었던 학생은 80점 이상이고, 3학년 때 6등 안

에 든 학생도 80점 이상이다. 따라서 2학년과 3학년 때

모두 80점 이상인 학생은 4명이다.

24 상관표를 작성해 보면 다음과 같다.

음악 성적(점) 미술 성적(점)	5	6	7	8	9	합계
9				2	1	3
8			2		1	3
7		1	3	2		6
6		2				2
5	1					1
합계	1	3	5	4	2	15

따라서 양의 상관관계가 있다.

25 (1) 세로 칸을 계산하면

$5 + a + 4 = 15$ ∴ $a = 6$

$3 + b + e = f$ …… ㉠

$1 + 2 + c = 4$ ∴ $c = 1$

$1 + 15 + d + 8 + 3 = 40$ ∴ $d = 13$

가로 칸을 계산하면

$4 + a + b + c = d$ ∴ $b = 2$ $(∵ a = 6, c = 1, d = 13)$

$2 + 1 + 4 + e = 8$ ∴ $e = 1$

따라서 ㉠에서 $f = 6$ $(∵ b = 2, e = 1)$

∴ $a + b + c + d + e + f = 29$

(2) 다음 상관표에서 나타나듯이 양의 상관관계를 이룬다.

1차(km/l) 2차(km/l)	5	6	7	8	9	합계
9					1	1
8		5	5	3	2	15
7		4	6	2	1	13
6	2	1	4	1		8
5	1	2				3
합계	3	12	15	6	4	40

(3) 위의 상관표에서 어두운 부분의 윗부분에 있는 자료가

문제의 조건을 만족한다.

$2 + 4 + 5 + 5 = 16$ 즉, 16대이다.

(4) 위의 상관표에서 굵은 선 안에 있는 자료들이 문제의 조

건을 만족한다.

$5 + 6 + 1 = 12$ 즉, 12대이다.

(5) 도수분포표를 그려 보면

2차 연비(km/l)	도수(대)	(계급값)×(도수)
8	13	104
7	12	84
6	6	36
5	2	10
합계	33	234

$$∴ (평균) = \frac{234}{33} = 7.09 \cdots ≒ 7.1(km/l)$$

1 (1) $\dfrac{7}{5}$ cm (2) $\dfrac{84}{25}$ cm² **2** $\dfrac{84}{125}$ cm **3** $5\sqrt{5}$ cm **4** 244 **5** $\sqrt{5}$ cm

6 4억 2천만 원 **7** $\sqrt{7}$ cm **8** 11 **9** $\sqrt{129}$ cm **10** 90 **11** 풀이 참조

12 $\dfrac{\sqrt{46}}{2}$ cm **13** 81 **14** 60 **15** $\dfrac{15\sqrt{7}}{4}$ cm² **16** $2\sqrt{34}$ cm **17** 21 cm²

18 (1) $\dfrac{58}{7}$ cm² (2) $2\sqrt{5}$ cm **19** $\dfrac{14\sqrt{5}}{3}$ cm² **20** $3\sqrt{15}$ cm² **21** (1) $\dfrac{7}{4}$ cm (2) $\dfrac{75}{4}$ cm²

22 $6\sqrt{10}$ cm **23** $\sqrt{5}$ cm **24** 4 cm **25** $\dfrac{5\sqrt{2}}{2}$ cm **26** $\dfrac{4\sqrt{30}}{5}$ cm

27 (1) $50\sqrt{3}$ cm² (2) $\dfrac{10\sqrt{3}}{3}$ cm **28** $4\sqrt{3}$ cm **29** $\sqrt{6}$ cm² **30** (1) $2\sqrt{2}$ cm² (2) $\dfrac{\sqrt{14}}{4}$ cm (3) $\dfrac{2\sqrt{7}}{3}$ cm³

31 $50\sqrt{6}$ cm² **32** $\sqrt{3}:1$ **33** 풀이 참조 **34** $5\sqrt{2}$ cm **35** (1) $\dfrac{25\sqrt{11}}{4}$ cm² (2) $\dfrac{125\sqrt{2}}{2}$ cm³

36 ② **37** $\dfrac{5\sqrt{11}}{4}$ cm² **38** $48\pi(7\sqrt{6}+12\sqrt{3}+12\sqrt{2}-3)$ cm³ **39** $6\sqrt{66}$ cm³ **40** $40\sqrt{3}$ cm³

41 $36\sqrt{2}$ cm³ **42** $\dfrac{27\sqrt{11}}{4}$ cm² **43** $\dfrac{12\sqrt{7}}{7}$ cm **44** $\dfrac{3500\sqrt{2}}{3}$ cm³ **45** $4\sqrt{3}$ cm **46** 24 cm, 800π cm³

47 $9\sqrt{3}\pi$ cm³ **48** $\dfrac{2\sqrt{10}}{5}$ **49** $\sqrt{55}$ cm **50** $\dfrac{3}{2}$ cm **51** 15 cm **52** 45°

53 $\sqrt{65}$ **54** 20 cm **55** $2\sqrt{97}$ cm **56** 10 cm **57** $8\sqrt{2}$ cm **58** $10\sqrt{3}$ cm

59 25 cm **60** (1) $15\sqrt{5}$ cm (2) 5 cm **61** $2\sqrt{13}$ cm **62** 13π cm **63** 50 cm

64 $6\sqrt{5}$ cm **65** (1) 25 cm (2) 2 cm **66** $5\sqrt{13}$ cm **67** $5\sqrt{5}$ cm **68** $\dfrac{10\sqrt{21}}{3}$ cm

69 $x=3$ 또는 $x=4$ **70** 2 cm **71** $\dfrac{4}{5}$ cm **72** 3 cm **73** 21 : 4 **74** 6 cm

75 8 cm **76** 3 **77** 6 cm **78** $3\sqrt{2}$ cm **79** $\sqrt{5}$ cm **80** $\dfrac{16}{3}$ cm

81 36 **82** 4 **83** 2 cm **84** 10 cm **85** $2\sqrt{15}$ cm **86** $\dfrac{14}{3}$ cm

87 6 cm **88** $4\sqrt{3}$ cm **89** $\dfrac{5\sqrt{5}}{2}$ cm **90** 4 cm **91** $\dfrac{15}{8}$ cm **92** $\dfrac{24}{5}$ cm

93 $\dfrac{32}{5}$ cm **94** 5 cm **95** 7 cm **96** $10(2\sqrt{3}-3)$ cm **97** $2\sqrt{6}$

1 (1) 오른쪽 그림의 △ABC는 직각삼각형이므로

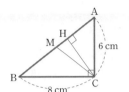

$\overline{AB}=\sqrt{8^2+6^2}=10(\text{cm})$

직각삼각형의 외심은 빗변의 중점이므로

$\overline{AM}=\overline{BM}=\dfrac{1}{2}\overline{AB}$

$\qquad =\dfrac{1}{2}\times 10=5(\text{cm})$

또, $\overline{AC}^2=\overline{AH}\times\overline{AB}$이므로

$6^2=\overline{AH}\times 10$에서

$\overline{AH}=\dfrac{18}{5}(\text{cm})$

$\therefore \overline{MH}=\overline{AM}-\overline{AH}$

$\qquad =5-\dfrac{18}{5}=\dfrac{7}{5}(\text{cm})$

(2) $\overline{AC}\times\overline{BC}=\overline{CH}\times\overline{AB}$ 이므로

$6\times 8=\overline{CH}\times 10$

$\therefore \overline{CH}=\dfrac{24}{5}(\text{cm})$

$\therefore \triangle CHM=\dfrac{1}{2}\times\overline{MH}\times\overline{CH}$

$\qquad =\dfrac{1}{2}\times\dfrac{7}{5}\times\dfrac{24}{5}$

$\qquad =\dfrac{84}{25}(\text{cm}^2)$

2 오른쪽 그림의 △ABC는 직각삼각형이므로 피타고라스 정리에 의해

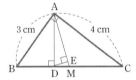

$\overline{BC}=\sqrt{3^2+4^2}=5(\text{cm})$

$\overline{AB}\times\overline{AC}=\overline{AD}\times\overline{BC}$이므로

$3\times 4=\overline{AD}\times 5$

$\therefore \overline{AD}=\dfrac{12}{5}(\text{cm})$

$\overline{AB}^2=\overline{BD}\times\overline{BC}=(\overline{BM}-\overline{DM})\times\overline{BC}$

$3^2=\left(\dfrac{5}{2}-\overline{DM}\right)\times 5$

$\dfrac{5}{2}-\overline{DM}=\dfrac{9}{5}$

$\therefore \overline{DM}=\dfrac{5}{2}-\dfrac{9}{5}=\dfrac{7}{10}(\text{cm})$

한편, 점 M은 빗변의 중점이므로 직각삼각형 ABC의 외심이다.

$\therefore \overline{AM}=\overline{BM}=\overline{CM}=\dfrac{5}{2}\ \text{cm}$

또, △ADM 에서

$\overline{DM}\times\overline{DA}=\overline{DE}\times\overline{AM}$ 이므로

$\dfrac{7}{10}\times\dfrac{12}{5}=\overline{DE}\times\dfrac{5}{2}$

$\therefore \overline{DE}=\dfrac{84}{125}(\text{cm})$

3 오른쪽 그림에서

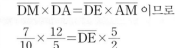

△ABC∽△DBA∽△DAC

이고, $\overline{BC}^2=\overline{AB}^2+\overline{AC}^2$

이므로

$(\triangle ABC\text{의 둘레의 길이})^2$

$=(\triangle ABD\text{의 둘레의 길이})^2$

$\qquad +(\triangle ADC\text{의 둘레의 길이})^2$

$=5^2+10^2=125$

$\therefore (\triangle ABC\text{의 둘레의 길이})=5\sqrt{5}(\text{cm})$

4 오른쪽 그림과 같이 $\overline{AD}$와 $\overline{BC}$를 각각 그으면 □ABCD의 두 대각선이 서로 수직이므로

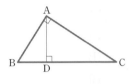

$\overline{AD}^2+\overline{BC}^2=\overline{AB}^2+\overline{CD}^2$

$\qquad =12^2+10^2$

$\qquad =244$

5 오른쪽 그림과 같이 △ABO를 △DCO′으로 평행 이동하면 □DOCO′의 두 대각 선은 서로 수직이므로

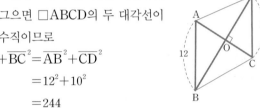

$6^2+\overline{OC}^2=5^2+4^2$

$\overline{OC}^2=5$

$\therefore \overline{OC}=\sqrt{5}(\text{cm})\ (\because \overline{OC}>0)$

6 오른쪽 그림에서 공사비는 거리에 비례하므로

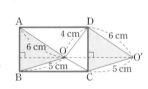

$\overline{OA}=3a,\ \overline{OB}=4a,\ \overline{OC}=5a$

(단, a는 상수)라 하면

$\overline{OA}^2+\overline{OC}^2=\overline{OB}^2+\overline{OD}^2$이므로

$(3a)^2+(5a)^2=(4a)^2+\overline{OD}^2$

$\overline{OD}^2=18a^2$

$\therefore \overline{OD}=3\sqrt{2}a\ (\because \overline{OD}>0)$

D 도시를 연결하는 데 드는 공사비를 x원이라 하면

$3a:3\text{억}=3\sqrt{2}a:x$

$\therefore x=3\text{억}\times\sqrt{2}=3\text{억}\times 1.4$

$\qquad =4\text{억 }2\text{천만(원)}$

7 오른쪽 그림에서
$\overline{AD}=\overline{BC}=2\sqrt{3}$ cm이므로
△ABD에서

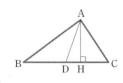

$\overline{BD}=\sqrt{\overline{AB}^2+\overline{AD}^2}$
$\quad=\sqrt{2^2+(2\sqrt{3})^2}=4\,(\text{cm})$

△ABD∽△EBA이고 닮음비는
$\overline{BD}:\overline{BA}=4:2=2:1$이므로
$\overline{AB}:\overline{EB}=2:1$에서
$2:\overline{EB}=2:1$ ∴ $\overline{BE}=1\,(\text{cm})$

△ABE에서
$\overline{AE}=\sqrt{2^2-1^2}=\sqrt{3}\,(\text{cm})$
$\overline{AE}^2+\overline{CE}^2=\overline{BE}^2+\overline{DE}^2$이므로
$(\sqrt{3})^2+\overline{CE}^2=1^2+3^2$
$\overline{CE}^2=7$
∴ $\overline{CE}=\sqrt{7}\,(\text{cm})$ ($\because \overline{CE}>0$)

8 오른쪽 그림과 같이 △ABP
를 △DCP′으로 평행이동하면
□DQCP′의 두 대각선은 서로
수직이므로

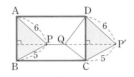

$\overline{DQ}^2+\overline{CP'}^2=\overline{DP'}^2+\overline{CQ}^2$
∴ $\overline{DQ}^2-\overline{CQ}^2=\overline{DP'}^2-\overline{CP'}^2$
$\qquad\qquad\quad=6^2-5^2=11$

9 $\overline{DE}^2+\overline{BC}^2=\overline{BE}^2+\overline{CD}^2$이므로
$4^2+\overline{BC}^2=8^2+9^2$
$\overline{BC}^2=129$
∴ $\overline{BC}=\sqrt{129}\,(\text{cm})$ ($\because \overline{BC}>0$)

10 $\overline{DE}\,/\!/\,\overline{BC}$ 이므로
△ADE∽△ABC이고,
$\overline{AD}:\overline{DB}=1:2$에서 두 삼각
형의 닮음비는 1 : 3이다.

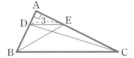

즉, $\overline{AD}:\overline{AB}=\overline{DE}:\overline{BC}$이므로
$1:3=3:\overline{BC}$
∴ $\overline{BC}=9$
∴ $\overline{CD}^2+\overline{BE}^2=(\overline{AD}^2+\overline{AC}^2)+(\overline{AE}^2+\overline{AB}^2)$
$\qquad\qquad\qquad=(\overline{AD}^2+\overline{AE}^2)+(\overline{AC}^2+\overline{AB}^2)$
$\qquad\qquad\qquad=\overline{DE}^2+\overline{BC}^2$
$\qquad\qquad\qquad=3^2+9^2=90$

11 오른쪽 그림의 △ABH에서
$\overline{AB}^2=\overline{AH}^2+\overline{BH}^2$
$\quad=\overline{AH}^2+(\overline{BD}+\overline{DH})^2$
$\qquad\qquad\qquad\qquad\quad$ …… ㉠

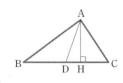

또, △ACH 에서
$\overline{AC}^2=\overline{AH}^2+\overline{CH}^2$
$\quad=\overline{AH}^2+(\overline{CD}-\overline{DH})^2$
$\quad=\overline{AH}^2+(\overline{BD}-\overline{DH})^2$ ($\because \overline{CD}=\overline{BD}$) …… ㉡
㉠+㉡을 하면
$\overline{AB}^2+\overline{AC}^2=2(\overline{AH}^2+\overline{DH}^2+\overline{BD}^2)$
$\qquad\qquad\qquad=2(\overline{AD}^2+\overline{BD}^2)$
$\qquad(\because$ △ADH 에서 $\overline{AD}^2=\overline{AH}^2+\overline{DH}^2)$

12 오른쪽 그림의 △ABC에서
$\overline{BD}=\overline{CD}$ 이므로 중선 정리에 의해
$\overline{AB}^2+\overline{AC}^2=2(\overline{AD}^2+\overline{BD}^2)$

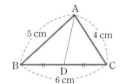

$5^2+4^2=2(\overline{AD}^2+3^2)$
$41=2\overline{AD}^2+18$
$2\overline{AD}^2=23$
$\overline{AD}^2=\dfrac{23}{2}$
∴ $\overline{AD}=\dfrac{\sqrt{46}}{2}\,(\text{cm})$ ($\because \overline{AD}>0$)

13 오른쪽 그림에서 $\overline{BD}=\overline{DE}$
이므로 △ABE에서 중선 정리
를 이용하면

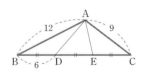

$\overline{AB}^2+\overline{AE}^2=2(\overline{AD}^2+\overline{BD}^2)$
$12^2+\overline{AE}^2=2(\overline{AD}^2+6^2)$
∴ $2\overline{AD}^2-\overline{AE}^2=72$ …… ㉠
또, $\overline{DE}=\overline{CE}$ 이므로 △ADC에서 중선 정리를 이용하면
$\overline{AD}^2+\overline{AC}^2=2(\overline{AE}^2+\overline{DE}^2)$
$\overline{AD}^2+9^2=2(\overline{AE}^2+6^2)$
∴ $2\overline{AE}^2-\overline{AD}^2=9$ …… ㉡
따라서 ㉠+㉡을 하면
$\overline{AD}^2+\overline{AE}^2=81$

14 오른쪽 그림과 같이 세 변의 길이가 13, 13, 24인 △ABC의 꼭짓점 A에서 $\overline{BC}$에 내린 수선의 발을 H라 하면 △ABC는 이등변삼각형이므로

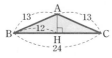
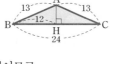

$$\overline{BH}=\overline{CH}=\frac{1}{2}\times 24=12$$

△ABH에서

$$\overline{AH}=\sqrt{13^2-12^2}=5$$

$$\therefore \triangle ABC=\frac{1}{2}\times 24\times 5=60$$

다른 풀이

삼각형의 세 변의 길이가 13, 13, 24이므로 헤론의 공식을 이용하면

$$s=\frac{13+13+24}{2}=25$$

따라서 삼각형의 넓이 S는

$$S=\sqrt{25(25-13)(25-13)(25-24)}$$
$$=\sqrt{25\times 12\times 12\times 1}$$
$$=60$$

15 오른쪽 그림과 같이 점 A에서 $\overline{BC}$에 내린 수선의 발을 H 라 하면 △ABH에서 $\overline{AB}^2=\overline{AH}^2+\overline{BH}^2$이고 △ACH에서 $\overline{AC}^2=\overline{AH}^2+\overline{CH}^2$이므로

$$\overline{AB}^2-\overline{BH}^2=\overline{AC}^2-\overline{CH}^2$$

이때 $\overline{BH}=x$ cm라 하면 $\overline{CH}=(6-x)$ cm이므로

$$4^2-x^2=5^2-(6-x)^2$$
$$16-x^2=25-36+12x-x^2$$
$$27=12x$$
$$\therefore x=\frac{9}{4}$$

△ABH에서

$$4^2=\overline{AH}^2+\left(\frac{9}{4}\right)^2,\ \overline{AH}^2=\frac{175}{16}$$

$$\therefore \overline{AH}=\frac{5\sqrt{7}}{4}(\text{cm})\ (\because \overline{AH}>0)$$

$$\therefore \triangle ABC=\frac{1}{2}\times\overline{BC}\times\overline{AH}$$
$$=\frac{1}{2}\times 6\times\frac{5\sqrt{7}}{4}$$
$$=\frac{15\sqrt{7}}{4}(\text{cm}^2)$$

16 오른쪽 그림의 점 D에서 $\overline{BC}$에 내린 수선의 발을 E라 하면

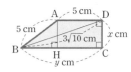

$$\overline{BE}=\overline{AD}=2\ \text{cm},$$
$$\overline{DE}=\overline{AB}=6\ \text{cm}$$

△CDE에서

$$\overline{CE}=\sqrt{\overline{CD}^2-\overline{DE}^2}$$
$$=\sqrt{10^2-6^2}=8(\text{cm})$$

$$\therefore \overline{BC}=\overline{BE}+\overline{EC}$$
$$=2+8=10(\text{cm})$$

따라서 △ABC에서

$$\overline{AC}=\sqrt{\overline{AB}^2+\overline{BC}^2}$$
$$=\sqrt{6^2+10^2}=2\sqrt{34}(\text{cm})$$

17 오른쪽 그림과 같이 점 A에서 $\overline{BC}$에 내린 수선의 발을 H라 하고, $\overline{CD}=x$ cm, $\overline{BC}=y$ cm 라 하면

$$\overline{AH}=\overline{CD}=x\ \text{cm},$$
$$\overline{BH}=\overline{BC}-\overline{CH}$$
$$=\overline{BC}-\overline{AD}=y-5(\text{cm})$$

△BCD에서

$$x^2+y^2=90 \quad\quad \cdots\cdots\ \text{㉠}$$

△ABH 에서

$$5^2=(y-5)^2+x^2 \quad\quad \cdots\cdots\ \text{㉡}$$

㉠에서 $x^2=90-y^2$을 ㉡에 대입하면

$$25=y^2-10y+25+90-y^2,\ 10y=90$$
$$\therefore y=9$$

㉠에 $y=9$를 대입하면 $x^2+9^2=90$

$$x^2=9 \quad\quad \therefore x=3$$

따라서 □ABCD의 넓이 S는

$$S=\frac{1}{2}\times(5+9)\times 3=21(\text{cm}^2)$$

18 (1) 오른쪽 그림의 점 D에서 $\overline{BC}$에 내린 수선의 발을 H라 하면

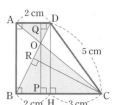

$$\overline{BH}=\overline{AD}=2\ \text{cm},$$
$$\overline{CH}=5-2=3(\text{cm})$$

△DHC에서

$$\overline{DH}=\sqrt{\overline{DC}^2-\overline{CH}^2}$$
$$=\sqrt{5^2-3^2}=4(\text{cm})$$

점 O에서 $\overline{BC}$, $\overline{AD}$에 내린 수선의 발을 각각 P, Q라 하면

$\overline{OP}+\overline{OQ}=\overline{DH}=4\,\text{cm}$

$\triangle OAD \backsim \triangle OCB$이고 닮음비가 $2:5$이므로

$\overline{OP}=\dfrac{5}{5+2}\times\overline{DH}$

$\quad\ =\dfrac{5}{7}\times4=\dfrac{20}{7}(\text{cm})$

$\overline{OQ}=\dfrac{2}{5+2}\times\overline{DH}$

$\quad\ =\dfrac{2}{7}\times4=\dfrac{8}{7}(\text{cm})$

$\therefore$ (어두운 부분의 넓이)

$\quad =\triangle OBC+\triangle OAD$

$\quad =\dfrac{1}{2}\times\overline{BC}\times\overline{OP}+\dfrac{1}{2}\times\overline{AD}\times\overline{OQ}$

$\quad =\dfrac{1}{2}\times5\times\dfrac{20}{7}+\dfrac{1}{2}\times2\times\dfrac{8}{7}$

$\quad =\dfrac{50}{7}+\dfrac{8}{7}=\dfrac{58}{7}(\text{cm}^2)$

(2) $\triangle ABD$에서

$\overline{BD}=\sqrt{\overline{AD}^2+\overline{AB}^2}$

$\quad\ =\sqrt{2^2+4^2}=2\sqrt5(\text{cm})$

점 C에서 $\overline{BD}$에 내린 수선의 발을 R라 하면

$\triangle CDB$는 이등변삼각형이므로

$\overline{BR}=\overline{DR}=\dfrac{1}{2}\times2\sqrt5=\sqrt5(\text{cm})$

따라서 $\triangle BCR$에서

$\overline{CR}=\sqrt{5^2-(\sqrt5)^2}$

$\quad\ =2\sqrt5(\text{cm})$

19 오른쪽 그림의 점 A와 점 D에서 $\overline{BC}$에 내린 수선의 발을 각각 P, Q라 하고, $\overline{BP}=x\,\text{cm}$라 하면

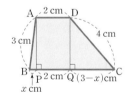

$\overline{PQ}=\overline{AD}=2\,\text{cm}$,

$\overline{QC}=(3-x)\,\text{cm}$이므로

$\triangle ABP$에서

$\overline{AP}^2=\overline{AB}^2-\overline{BP}^2$

$\quad\ =3^2-x^2$

$\quad\ =9-x^2 \quad\cdots\cdots\ \text{㉠}$

$\triangle DQC$에서

$\overline{DQ}^2=\overline{DC}^2-\overline{QC}^2$

$\quad\ =4^2-(3-x)^2$

$\quad\ =7+6x-x^2 \quad\cdots\cdots\ \text{㉡}$

㉠, ㉡에서 $\overline{AP}^2=\overline{DQ}^2$이므로

$9-x^2=7+6x-x^2,\ 6x=2$

$\therefore x=\dfrac{1}{3}$

$\therefore \overline{AP}=\sqrt{9-\left(\dfrac{1}{3}\right)^2}=\dfrac{4\sqrt5}{3}(\text{cm})$

따라서 $\square ABCD$의 넓이 S는

$S=\dfrac{1}{2}\times(\overline{AD}+\overline{BC})\times\overline{AP}$

$\quad =\dfrac{1}{2}\times(2+5)\times\dfrac{4\sqrt5}{3}$

$\quad =\dfrac{14}{3}\sqrt5(\text{cm}^2)$

20 오른쪽 그림의 두 점 A와 D에서 $\overline{BC}$와 그 연장선에 내린 수선의 발을 각각 H와 H′이라 하고, $\overline{HB}=a\,\text{cm}$라 하면

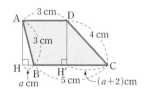

$\overline{CH'}=\overline{BC}-\overline{BH'}$

$\quad\ =5-(3-a)$

$\quad\ =a+2(\text{cm})$

$\triangle AHB$에서

$\overline{AH}^2=\overline{AB}^2-\overline{BH}^2=3^2-a^2$

$\triangle DH'C$에서

$\overline{DH'}^2=\overline{DC}^2-\overline{CH'}^2$

$\quad\ =4^2-(a+2)^2$

$\overline{AH}=\overline{DH'}$이므로 $\overline{AH}^2=\overline{DH'}^2$

$9-a^2=16-(a+2)^2$

$9=16-4a-4$

$4a=3 \qquad \therefore a=\dfrac{3}{4}$

따라서

$\overline{AH}=\sqrt{3^2-a^2}=\sqrt{9-\left(\dfrac{3}{4}\right)^2}$

$\quad\ =\sqrt{\dfrac{135}{16}}=\dfrac{3\sqrt{15}}{4}(\text{cm})$

이므로 구하는 $\square ABCD$의 넓이 S는

$S=\dfrac{1}{2}\times(\overline{AD}+\overline{BC})\times\overline{AH}$

$\quad =\dfrac{1}{2}\times(3+5)\times\dfrac{3\sqrt{15}}{4}$

$\quad =3\sqrt{15}(\text{cm}^2)$

21 (1) 오른쪽 그림에서

$\angle EBD=\angle CBD$ (접은 각)

$\angle CBD=\angle EDB$ (엇각)

$\therefore \angle EBD=\angle EDB$

즉, $\triangle EBD$는 $\overline{EB}=\overline{ED}$인 이등변삼각형이다.

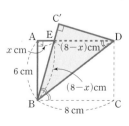

$\overline{AE}=x$ cm라 하면

$\overline{EB}=\overline{ED}=(8-x)$ cm이므로 △BAE에서

$\overline{BE}^2=\overline{AE}^2+\overline{AB}^2$, $(8-x)^2=x^2+6^2$

$16x=28$ ∴ $x=\dfrac{7}{4}$(cm)

따라서 $\overline{AE}$의 길이는 $\dfrac{7}{4}$ cm이다.

(2) $\triangle EBD=\dfrac{1}{2}\times\overline{ED}\times\overline{AB}$

$=\dfrac{1}{2}\times\left(8-\dfrac{7}{4}\right)\times 6$

$=\dfrac{75}{4}$(cm^2)

22 오른쪽 그림과 같이

$\overline{EB'}=\overline{EB}=18-8=10$(cm)

이므로 △AEB'에서

$\overline{AB'}=\sqrt{\overline{EB'}^2-\overline{AE}^2}$

$=\sqrt{10^2-8^2}$

$=6$(cm)

∴ $\overline{B'D}=18-6=12$(cm)

$\triangle EB'A\varpropto\triangle B'GD$ (AA 닮음)이므로

$\overline{AB'}:\overline{DG}=\overline{EA}:\overline{B'D}$ 에서

$6:\overline{DG}=8:12=2:3$

$2\overline{DG}=18$

∴ $\overline{DG}=9$(cm)

또, $\overline{EB'}:\overline{B'G}=2:3$ 에서

$10:\overline{B'G}=2:3$

$2\overline{B'G}=30$

∴ $\overline{B'G}=15$(cm)

또, $\triangle B'DG\varpropto\triangle FC'G$ (AA 닮음)이고

$\overline{GC'}=\overline{B'C'}-\overline{B'G}$

$=18-15=3$(cm)

이므로

$\overline{GD}:\overline{GC'}=\overline{DB'}:\overline{C'F}$ 에서

$9:3=12:\overline{C'F}$

$9\overline{C'F}=36$

∴ $\overline{C'F}=4$(cm)

점 F에서 $\overline{AB}$에 내린 수선의 발을 H라 하면 △EHF에서

$\overline{EH}=\overline{EB}-\overline{HB}=10-4=6$(cm),

$\overline{FH}=\overline{BC}=18$ cm

이므로

$\overline{EF}=\sqrt{\overline{EH}^2+\overline{FH}^2}$

$=\sqrt{6^2+18^2}$

$=6\sqrt{10}$(cm)

23 오른쪽 그림에서

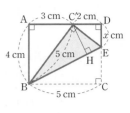

$\overline{BC'}=\overline{BC}=5$ cm이고

$\overline{AB}=4$ cm이므로

△ABC'에서

$\overline{AC'}=\sqrt{\overline{BC'}^2-\overline{AB}^2}$

$=\sqrt{5^2-4^2}=3$(cm)

∴ $\overline{C'D}=\overline{AD}-\overline{AC'}$

$=5-3=2$(cm)

$\overline{DE}=x$ cm라 하면

$\overline{EC'}=\overline{EC}=(4-x)$ cm

△C'ED에서 $\overline{EC'}^2=\overline{DE}^2+\overline{C'D}^2$

$(4-x)^2=x^2+2^2$

∴ $x=\dfrac{3}{2}$

$\overline{DE}=\dfrac{3}{2}$ cm이므로

$\overline{C'E}=4-x=4-\dfrac{3}{2}=\dfrac{5}{2}$(cm)

한편, △C'BE에서

$\overline{BE}=\sqrt{\overline{BC'}^2+\overline{C'E}^2}$

$=\sqrt{5^2+\left(\dfrac{5}{2}\right)^2}$

$=\dfrac{5\sqrt{5}}{2}$(cm)

이때 $\overline{BC'}\times\overline{C'E}=\overline{BE}\times\overline{C'H}$이므로

$5\times\dfrac{5}{2}=\dfrac{5\sqrt{5}}{2}\times\overline{C'H}$

∴ $\overline{C'H}=\sqrt{5}$(cm)

24 오른쪽 그림에서

$\overline{BC}=a$ cm라 하면

$\triangle QBC\equiv\triangle QBP$이므로

$\overline{BP}=\overline{BC}=a$ cm

또한,

$\angle ABP=\angle PBQ$

$=\angle QBC$

$=\dfrac{1}{3}\times 90°=30°$

이므로 $\overline{BA}=\dfrac{\sqrt{3}}{2}a$ cm

$a\times\dfrac{\sqrt{3}}{2}a=8\sqrt{3}$에서

$a^2=16$ ∴ $a=4$ ($\because a>0$)

∴ $\overline{BC}=4$ cm

25 △EFG에서

$\overline{EG}=\sqrt{\overline{EF}^2+\overline{FG}^2}$

$\quad=\sqrt{3^2+4^2}=5(\mathrm{cm})$

$\overline{AG}$는 직육면체의 대각선이므로

$\overline{AG}=\sqrt{3^2+4^2+5^2}$

$\quad=5\sqrt{2}(\mathrm{cm})$

오른쪽 그림과 같이 △AEG에서

$\overline{AE}\times\overline{EG}=\overline{AG}\times\overline{EI}$이므로

$5\times5=5\sqrt{2}\times\overline{EI}$

$\therefore \overline{EI}=\dfrac{5\sqrt{2}}{2}(\mathrm{cm})$

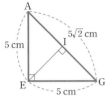

26 오른쪽 그림의 △HEG에서

$\overline{EG}=\sqrt{\overline{EH}^2+\overline{HG}^2}$

$\quad=\sqrt{2^2+4^2}$

$\quad=2\sqrt{5}(\mathrm{cm})$

또, $\overline{HE}\times\overline{HG}=\overline{EG}\times\overline{HI}$

이므로

$2\times4=2\sqrt{5}\times\overline{HI}$

$\therefore \overline{HI}=\dfrac{4\sqrt{5}}{5}(\mathrm{cm})$

따라서 △DHI에서

$\angle DHI=90°$이므로

$\overline{DI}=\sqrt{\overline{DH}^2+\overline{HI}^2}$

$\quad=\sqrt{4^2+\left(\dfrac{4\sqrt{5}}{5}\right)^2}$

$\quad=\sqrt{\dfrac{96}{5}}=\dfrac{4\sqrt{30}}{5}(\mathrm{cm})$

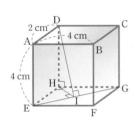

27 (1) $\overline{BD}=\overline{BG}=\overline{DG}$

$\quad=\sqrt{10^2+10^2}$

$\quad=10\sqrt{2}(\mathrm{cm})$

이므로 한 변의 길이가

$10\sqrt{2}\,\mathrm{cm}$인 정삼각형

BDG의 넓이 S는

$S=\dfrac{\sqrt{3}}{4}\times(10\sqrt{2})^2=50\sqrt{3}(\mathrm{cm}^2)$

(2) 사면체 $C-BDG$의 부피 V는

$V=\dfrac{1}{3}\times\triangle BCD\times\overline{CG}$

$\quad=\dfrac{1}{3}\times\left(\dfrac{1}{2}\times10\times10\right)\times10$

$\quad=\dfrac{1}{3}\times50\times10$

$\quad=\dfrac{500}{3}(\mathrm{cm}^3)$

또, $V=\dfrac{1}{3}\times\triangle BDG\times\overline{CI}$

$\quad=\dfrac{1}{3}\times50\sqrt{3}\times\overline{CI}$

$\dfrac{50}{3}\sqrt{3}\times\overline{CI}=\dfrac{500}{3}$

$\therefore \overline{CI}=\dfrac{10\sqrt{3}}{3}(\mathrm{cm})$

28 오른쪽 그림과 같이 $\overline{DQ}$, $\overline{AE}$, $\overline{BP}$의 연장선은 한 점 R에서 만나고, $\triangle REQ\infty\triangle RAD$이므로 $\overline{EQ}=\dfrac{1}{2}\overline{AD}$이고

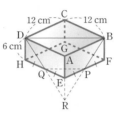

$\overline{AE}=\overline{ER}$, $\overline{DQ}=\overline{QR}$

따라서 $\overline{AD}=\overline{AB}=\overline{AR}=12\,\mathrm{cm}$,

$\overline{BD}=\overline{DR}=\overline{BR}=12\sqrt{2}\,\mathrm{cm}$가 되므로 사면체 $A-BDR$의 부피를 V라 하고, 점 A에서 △BDR에 내린 수선의 길이를 $h\,\mathrm{cm}$라 하면

$V=\dfrac{1}{3}\times\triangle ABD\times\overline{AR}$

$\quad=\dfrac{1}{3}\times\triangle BDR\times h$

이때 △BDR는 한 변의 길이가 $12\sqrt{2}\,\mathrm{cm}$인 정삼각형이므로 그 넓이는

$\dfrac{\sqrt{3}}{4}\times(12\sqrt{2})^2=72\sqrt{3}(\mathrm{cm}^2)$

$\dfrac{1}{3}\times\left(\dfrac{1}{2}\times12\times12\right)\times12=\dfrac{1}{3}\times72\sqrt{3}\times h$

$\therefore h=4\sqrt{3}$

따라서 수선의 길이는 $4\sqrt{3}\,\mathrm{cm}$이다.

29 △APD에서

$\overline{AP}=\sqrt{\overline{AD}^2+\overline{PD}^2}$

$\quad=\sqrt{2^2+1^2}=\sqrt{5}(\mathrm{cm})$

△CGP에서

$\overline{PG}=\sqrt{\overline{PC}^2+\overline{CG}^2}$

$\quad=\sqrt{1^2+2^2}=\sqrt{5}(\mathrm{cm})$

또, $\overline{AG}$는 정육면체의 대각선이므로

$\overline{AG}=\sqrt{2^2+2^2+2^2}$

$\quad=2\sqrt{3}(\mathrm{cm})$

오른쪽 그림과 같이 △PAG는 이등변삼각형이므로 점 P에서 $\overline{AG}$에 내린 수선의 발을 Q라 하면

$\overline{AQ}=\overline{GQ}=\dfrac{1}{2}\times2\sqrt{3}=\sqrt{3}(\mathrm{cm})$

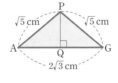

△PAQ에서

$$\overline{PQ}=\sqrt{\overline{PA}^2-\overline{AQ}^2}$$
$$=\sqrt{(\sqrt{5})^2-(\sqrt{3})^2}=\sqrt{2}\,(cm)$$

따라서 △PAG의 넓이 S는

$$S=\frac{1}{2}\times2\sqrt{3}\times\sqrt{2}=\sqrt{6}\,(cm^2)$$

30 (1) 오른쪽 그림에서

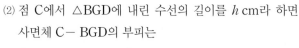

$$\overline{BD}=\sqrt{(\sqrt{2})^2+(\sqrt{2})^2}$$
$$=2\,(cm)$$
$$\overline{GB}=\overline{GD}=\sqrt{(\sqrt{2})^2+(\sqrt{7})^2}$$
$$=3\,(cm)$$

이므로 헤론의 공식을 이용하면

$$s=\frac{2+3+3}{2}=4$$이므로

△BGD의 넓이 S는

$$S=\sqrt{4(4-2)(4-3)(4-3)}$$
$$=\sqrt{8}$$
$$=2\sqrt{2}\,(cm^2)$$

(2) 점 C에서 △BGD에 내린 수선의 길이를 h cm라 하면 사면체 C−BGD의 부피는

$$\frac{1}{3}\times\triangle BCD\times\overline{GC}=\frac{1}{3}\times\triangle BGD\times h$$
$$\frac{1}{3}\times\left(\frac{1}{2}\times\sqrt{2}\times\sqrt{2}\right)\times\sqrt{7}=\frac{1}{3}\times2\sqrt{2}\times h$$
$$\therefore h=\frac{\sqrt{14}}{4}$$

따라서 수선의 길이는 $\frac{\sqrt{14}}{4}$ cm이다.

(3) (사면체 E−BGD의 부피)
= (직육면체의 부피)
  − (사면체 C−BGD의 부피)
  − (사면체 A−BDE의 부피)
  − (사면체 F−BEG의 부피)
  − (사면체 H−DEG의 부피)
= (직육면체의 부피) − 4 × (사면체 C−BGD의 부피)
$$=\sqrt{2}\times\sqrt{2}\times\sqrt{7}-4\times\frac{1}{3}\times\frac{1}{2}\times\sqrt{2}\times\sqrt{2}\times\sqrt{7}$$
$$=2\sqrt{7}-\frac{4\sqrt{7}}{3}=\frac{2\sqrt{7}}{3}\,(cm^3)$$

31 $\overline{AG}$ 는 정육면체의 대각선이므로

$$\overline{AG}=\sqrt{10^2+10^2+10^2}=10\sqrt{3}\,(cm)$$
$$\overline{MN}=\overline{FH}=\sqrt{10^2+10^2}=10\sqrt{2}\,(cm)$$

□AMGN은 마름모이므로 넓이 S는

$$S=\frac{1}{2}\times\overline{AG}\times\overline{MN}$$
$$=\frac{1}{2}\times10\sqrt{3}\times10\sqrt{2}=50\sqrt{6}\,(cm^2)$$

참고

대각선이 서로 수직인 사각형의 넓이 S는

$$S=\frac{1}{2}\times\overline{AC}\times\overline{BD}$$

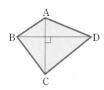

32 정육면체의 한 모서리의 길이를 a라 하면 정사면체 B−DEG의 겉넓이 S는

$$S=4\times(한\ 변의\ 길이가\ \sqrt{2}a인\ 정삼각형의\ 넓이)$$
$$=4\times\left(\frac{\sqrt{3}}{4}\times2a^2\right)$$
$$=2\sqrt{3}a^2$$

또, 정육면체의 겉넓이는 $6a^2$이므로 겉넓이의 비는

$$6a^2:2\sqrt{3}a^2=3:\sqrt{3}=\sqrt{3}:1$$

33 오른쪽 그림의 꼭짓점 A에서 밑면 BCD에 내린 수선의 발을 H라 하고 $\overline{DH}$의 연장선이 $\overline{BC}$와 만나는 점을 M이라 하면 점 H는 △BCD 의 무게중심이므로

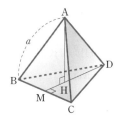

$$\overline{DH}:\overline{HM}=2:1$$

또, $\overline{BM}=\overline{MC}$이므로 $\overline{DM}$은 △BCD의 높이가 되어

$$\overline{DM}=\frac{\sqrt{3}}{2}a$$
$$\therefore \overline{DH}=\frac{2}{3}\overline{DM}$$
$$=\frac{2}{3}\times\frac{\sqrt{3}}{2}a=\frac{\sqrt{3}}{3}a$$

△AHD에서

$$\overline{AH}=\sqrt{\overline{AD}^2-\overline{DH}^2}$$
$$=\sqrt{a^2-\left(\frac{\sqrt{3}}{3}a\right)^2}$$
$$=\sqrt{\frac{2}{3}a^2}=\frac{\sqrt{6}}{3}a$$

따라서 사면체 A−BCD의 부피 V는

$$V=\frac{1}{3}\times\triangle BCD\times\overline{AH}$$
$$=\frac{1}{3}\times\frac{\sqrt{3}}{4}a^2\times\frac{\sqrt{6}}{3}a$$
$$=\frac{\sqrt{2}}{12}a^3$$

34 오른쪽 그림과 같이 △NBC는 $\overline{NB}=\overline{NC}$인 이등변삼각형이므로 $\overline{NM}\perp\overline{BC}$이다. 이때 $\overline{CN}$과 $\overline{BN}$은 각각 정삼각형 ACD와 ABD의 높이이므로

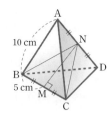

$$\overline{NC}=\overline{NB}=\frac{\sqrt{3}}{2}\times10$$
$$=5\sqrt{3}(\text{cm})$$

또, $\triangle$NBM에서

$\overline{BM}=\frac{1}{2}\times10=5(\text{cm})$이므로

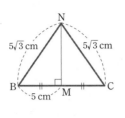

$$\overline{MN}=\sqrt{\overline{BN}^2-\overline{BM}^2}$$
$$=\sqrt{(5\sqrt{3})^2-5^2}$$
$$=\sqrt{75-25}$$
$$=\sqrt{50}=5\sqrt{2}(\text{cm})$$

35 (1) $\triangle$ABD에서 점 M, N은 각각 $\overline{AB}$, $\overline{AD}$의 중점이

므로 삼각형의 중점 연결 정리에 의해

$$\overline{MN}=\frac{1}{2}\overline{BD}$$
$$=\frac{1}{2}\times10=5(\text{cm})$$

$\overline{CM}$과 $\overline{CN}$은 한 변의 길이가 10 cm인 정삼각형의 높이

이므로

$$\overline{CM}=\overline{CN}=\frac{\sqrt{3}}{2}\times10=5\sqrt{3}(\text{cm})$$

오른쪽 그림과 같이 점 C에서 $\overline{MN}$

에 내린 수선의 발을 H라 하면

$\triangle$CMH에서

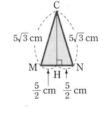

$$\overline{CH}=\sqrt{\overline{CM}^2-\overline{MH}^2}$$
$$=\sqrt{(5\sqrt{3})^2-\left(\frac{5}{2}\right)^2}$$
$$=\frac{5}{2}\sqrt{11}(\text{cm})$$

$$\therefore\ \triangle\text{CMN}=\frac{1}{2}\times\overline{MN}\times\overline{CH}$$
$$=\frac{1}{2}\times5\times\frac{5\sqrt{11}}{2}$$
$$=\frac{25\sqrt{11}}{4}(\text{cm}^2)$$

(2) 점 C에서 $\triangle$ABD에 내린 수선의 길이를 h cm라 하면

(사각뿔 C$-$MBDN의 부피)

$$=\frac{1}{3}\times\square\text{MBDN}\times h$$
$$=\frac{1}{3}\times\left(\triangle\text{ABD}\times\frac{3}{4}\right)\times h$$
$$=\left(\frac{1}{3}\times\triangle\text{ABD}\times h\right)\times\frac{3}{4}$$
$$=(\text{사면체 A}-\text{BCD의 부피})\times\frac{3}{4}$$
$$=\left(\frac{\sqrt{2}}{12}\times10^3\right)\times\frac{3}{4}$$
$$=\frac{125\sqrt{2}}{2}(\text{cm}^3)$$

36 오른쪽 그림과 같이 구의 중
심 O는 점 A에서 $\triangle$BCD에 내린
수선 AH 위에 있다. 또, 점 H는
$\triangle$BCD의 무게중심이므로

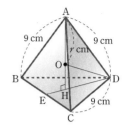

$$\overline{DH}=\frac{2}{3}\times\overline{DE}$$
$$=\frac{2}{3}\times\frac{\sqrt{3}}{2}\times9$$
$$=3\sqrt{3}(\text{cm})$$

$\triangle$AHD는 직각삼각형이므로

$$\overline{AH}=\sqrt{\overline{AD}^2-\overline{DH}^2}$$
$$=\sqrt{9^2-(3\sqrt{3})^2}$$
$$=\sqrt{54}=3\sqrt{6}(\text{cm})$$

정사면체가 구에 내접하려면 $\overline{OA}=\overline{OD}$이어야 한다.

그런데 $\triangle$OHD는 직각삼각형이므로

$$\overline{OH}^2+\overline{DH}^2=\overline{OD}^2$$

구의 반지름의 길이를 r cm라 하면

$$(3\sqrt{6}-r)^2+(3\sqrt{3})^2=r^2$$
$$54-6\sqrt{6}\,r+r^2+27=r^2$$
$$6\sqrt{6}\,r=81$$
$$\therefore\ r=\frac{9\sqrt{6}}{4}$$

따라서 구의 반지름의 길이는 $\frac{9}{4}\sqrt{6}$ cm이다.

37 오른쪽 그림과 같이
$\overline{CF}=2$ cm, $\overline{CG}=1$ cm,
$\angle$C$=60°$이므로
$\overline{FG}\perp\overline{CD}$이고 $\overline{FG}=\sqrt{3}$ cm
세 점 E, F, G를 지나는 평면과
$\overline{BD}$가 만나는 점을 H라 하면
$\overline{EF}\,/\!/\,\overline{GH}$

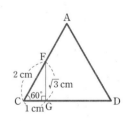

$\triangle$DBC$\backsim$$\triangle$DHG이므로

$$\overline{GH}=\frac{3}{4}\overline{BC}$$
$$=\frac{3}{4}\times4=3(\text{cm})$$

단면을 그려 보면 오른쪽 그림
과 같으므로 두 점 E, F에서
$\overline{HG}$에 내린 수선의 발을 각각
P, Q라 하면

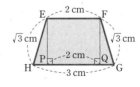

$$\overline{PQ}=\overline{EF}=2\text{ cm}$$
$$\overline{HP}=\overline{GQ}=\frac{1}{2}(\overline{HG}-\overline{PQ})$$
$$=\frac{1}{2}(3-2)=\frac{1}{2}(\text{cm})$$

△EHP에서

$$\overline{EP}=\sqrt{\overline{EH}^2-\overline{HP}^2}$$

$$=\sqrt{(\sqrt{3})^2-\left(\frac{1}{2}\right)^2}=\frac{\sqrt{11}}{2}(cm)$$

$$\therefore \square EHGF=\frac{1}{2}(\overline{EF}+\overline{HG})\times\overline{EP}$$

$$=\frac{1}{2}(2+3)\times\frac{\sqrt{11}}{2}$$

$$=\frac{5\sqrt{11}}{4}(cm^2)$$

38 수면의 최소 높이는

(구 O_1의 반지름의 길이)

$+$(사면체 $O_1-O_2O_3O_4$의 높이)

$+$(구 O_3의 반지름의 길이)

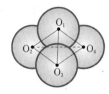

$$=6+\left(\frac{\sqrt{6}}{3}\times12\right)+6$$

$$=4\sqrt{6}+12$$

$$=4(\sqrt{6}+3)(cm)$$

또, 원기둥의 밑면의 반지름의 길이를

r cm라 하면

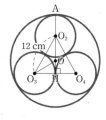

$$\overline{O_2H}=\frac{\sqrt{3}}{2}\times12$$

$$=6\sqrt{3}(cm)$$

이므로

$$\overline{OH}=\overline{AH}-\overline{AO}$$

$$=(6\sqrt{3}+6)-r(cm)$$

$\overline{OO_3}=(r-6)$ cm, $\overline{O_3H}=6$ cm이므로

△OO_3H에서

$$(r-6)^2=(6\sqrt{3}+6-r)^2+6^2$$

$$2\times6\sqrt{3}(6-r)+(6\sqrt{3})^2+6^2=0$$

$$\therefore r=6+4\sqrt{3}$$

따라서 필요한 최소의 물의 부피 V는

$V=($최소 높이의 원기둥의 부피$)-4\times($구의 부피$)$

$$=\pi(6+4\sqrt{3})^2\times4(\sqrt{6}+3)-4\times\frac{4}{3}\pi\times6^3$$

$$=48\pi(7\sqrt{6}+12\sqrt{3}+12\sqrt{2}-3)(cm^3)$$

39 오른쪽 그림의 꼭짓점 A에서 밑면

BCD에 내린 수선의 발을 H라 하고

$\overline{DH}$의 연장선이 $\overline{BC}$와 만나는 점을 M

이라 하면 점 H는 △BCD의 무게중심

이므로 $\overline{DH}:\overline{HM}=2:1$

이때 $\overline{DM}$은 △BCD의 높이이므로

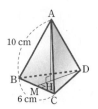

$$\overline{DM}=\frac{\sqrt{3}}{2}\times6=3\sqrt{3}(cm)$$

$$\therefore \overline{DH}=\frac{2}{3}\overline{DM}$$

$$=\frac{2}{3}\times3\sqrt{3}=2\sqrt{3}(cm)$$

△AHD에서

$$\overline{AH}=\sqrt{\overline{AD}^2-\overline{DH}^2}$$

$$=\sqrt{10^2-(2\sqrt{3})^2}$$

$$=\sqrt{88}=2\sqrt{22}(cm)$$

따라서 구하는 부피 V는

$$V=\frac{1}{3}\times\triangle BCD\times\overline{AH}$$

$$=\frac{1}{3}\times\left(\frac{\sqrt{3}}{4}\times6^2\right)\times2\sqrt{22}$$

$$=6\sqrt{66}(cm^3)$$

40 오른쪽 그림과 같이 사면체를 만들

어 $\overline{BC}$의 중점을 H라 하면 점 H는

△ABC의 외심이므로

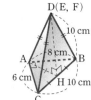

$$\overline{AH}=\overline{BH}=\overline{CH}=\frac{1}{2}\times10=5(cm)$$

△DCB에서

$$\overline{DH}=\frac{\sqrt{3}}{2}\times10=5\sqrt{3}(cm)$$

즉, △DAH에서 $\overline{DA}^2=\overline{AH}^2+\overline{DH}^2$이므로 $\overline{AH}\perp\overline{DH}$

따라서 $\overline{DH}$는 사면체 $D-ABC$의 높이이다.

$\therefore$ (사면체 $D-ABC$의 부피)

$$=\frac{1}{3}\times\triangle ABC\times\overline{DH}$$

$$=\frac{1}{3}\times\left(\frac{1}{2}\times8\times6\right)\times5\sqrt{3}$$

$$=40\sqrt{3}(cm^3)$$

41 오른쪽 그림의 △BCD에서

$$\overline{BD}=\sqrt{6^2+6^2}=6\sqrt{2}(cm)$$

점 A에서 밑면에 내린 수선의 발

H는 $\overline{BD}$와 $\overline{CE}$의 교점이므로

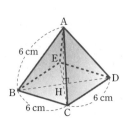

$$\overline{BH}=\frac{1}{2}\overline{BD}$$

$$=\frac{1}{2}\times6\sqrt{2}$$

$$=3\sqrt{2}(cm)$$

△ABH에서

$$\overline{AH}=\sqrt{\overline{AB}^2-\overline{BH}^2}$$

$$=\sqrt{6^2-(3\sqrt{2})^2}$$

$$=3\sqrt{2}(cm)$$

따라서 구하는 부피 V는
$$V=\frac{1}{3}\times\square BCDE\times\overline{AH}$$
$$=\frac{1}{3}\times6^2\times3\sqrt{2}$$
$$=36\sqrt{2}(\text{cm}^3)$$

42 오른쪽 그림에서 $\overline{BP}=\overline{CQ}$이고
$\triangle AED$에서 삼각형의 중점 연결 정
리에 의하여

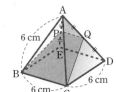

$$\overline{PQ}=\frac{1}{2}\overline{ED}=\frac{1}{2}\times6=3(\text{cm})$$
$$\overline{PQ}/\!\!/\overline{ED} \quad\cdots\cdots\ \text{㉠}$$
$\square EBCD$에서
$$\overline{ED}/\!\!/\overline{BC} \quad\cdots\cdots\ \text{㉡}$$
㉠, ㉡에 의하여 $\overline{PQ}/\!\!/\overline{BC}$
따라서 $\square PBCQ$는 등변사다리꼴이다.
또, $\triangle ACD$와 $\triangle ABE$는 한 변의 길이가 6 cm인 정삼각
형이므로
$$\overline{CQ}=\overline{BP}=\frac{\sqrt{3}}{2}\times6=3\sqrt{3}(\text{cm})$$
또한, 점 P, Q에서 $\overline{BC}$에 내린 수선의 발을 각각 H, H′이
라 하면

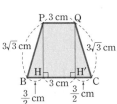

$$\overline{HH'}=\overline{PQ}=3\ \text{cm}$$
$$\overline{BH}=\overline{CH'}=\frac{1}{2}\times(6-3)$$
$$=\frac{3}{2}(\text{cm})$$
$\triangle PBH$에서
$$\overline{PH}=\sqrt{\overline{PB}^2-\overline{BH}^2}$$
$$=\sqrt{(3\sqrt{3})^2-\left(\frac{3}{2}\right)^2}$$
$$=\frac{3\sqrt{11}}{2}(\text{cm})$$
$$\therefore\square PBCQ=\frac{1}{2}\times(\overline{PQ}+\overline{BC})\times\overline{PH}$$
$$=\frac{1}{2}\times(3+6)\times\frac{3\sqrt{11}}{2}$$
$$=\frac{27\sqrt{11}}{4}(\text{cm}^2)$$

43 오른쪽 그림의 $\triangle CEF$에서

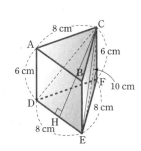

$$\overline{CE}=\sqrt{\overline{EF}^2+\overline{CF}^2}$$
$$=\sqrt{8^2+6^2}$$
$$=10(\text{cm})$$
$\triangle CDF$에서
$$\overline{CD}=\sqrt{\overline{DF}^2+\overline{CF}^2}$$
$$=\sqrt{8^2+6^2}=10(\text{cm})$$

점 C에서 $\overline{DE}$에 내린 수선의 발을 H라 하면
$$\overline{DH}=\overline{EH}=\frac{1}{2}\overline{DE}$$
$$=\frac{1}{2}\times8=4(\text{cm})$$
$\triangle CHE$에서
$$\overline{CH}=\sqrt{10^2-4^2}=2\sqrt{21}(\text{cm})$$
$$\therefore\triangle CDE=\frac{1}{2}\times8\times2\sqrt{21}$$
$$=8\sqrt{21}(\text{cm}^2)$$
따라서 점 F에서 $\triangle CDE$에 내린 수선의 길이를 h cm라
하면 사면체 F-CDE의 부피는
$$\frac{1}{3}\times\triangle CDE\times h=\frac{1}{3}\times\triangle DEF\times\overline{CF}$$
$$\frac{1}{3}\times8\sqrt{21}\times h=\frac{1}{3}\times\left(\frac{\sqrt{3}}{4}\times8^2\right)\times6$$
$$\therefore h=\frac{12\sqrt{7}}{7}$$
따라서 수선의 길이는 $\dfrac{12\sqrt{7}}{7}$ cm이다.

44 사각뿔대의 옆면의 모서
리의 연장선을 그어 뿔로 만
들면 오른쪽 그림과 같다.
두 점 E, F에서 $\overline{AB}$에 내린 수
선의 발을 각각 P, Q라 하면

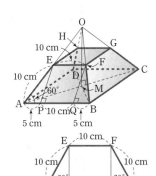

$$\overline{AP}=\overline{QB}=\frac{1}{2}\overline{AE}$$
$$=\frac{1}{2}\times10=5(\text{cm})$$
$$\overline{PQ}=\overline{EF}=10\ \text{cm}$$
$$\therefore\overline{AB}=\overline{AP}+\overline{PQ}+\overline{QB}$$
$$=5+10+5=20(\text{cm})$$
$\triangle OEF\backsim\triangle OAB$이므로
$$\overline{OE}:\overline{OA}=\overline{EF}:\overline{AB}=10:20=1:2$$에서
$$\overline{OA}=2\overline{OE}$$
또, $\overline{OA}=\overline{OE}+10$이므로
$$\overline{OE}+10=2\overline{OE} \quad\therefore\overline{OE}=10(\text{cm})$$
$$\therefore\overline{OA}=10+10=20(\text{cm})$$
$\square ABCD$는 한 변의 길이가 20 cm인 정사각형이므로
$$\overline{AC}=\sqrt{20^2+20^2}=20\sqrt{2}(\text{cm})$$
$\triangle OAM$에서
$$\overline{AM}=\frac{1}{2}\overline{AC}$$
$$=\frac{1}{2}\times20\sqrt{2}=10\sqrt{2}(\text{cm})$$
$$\therefore\overline{OM}=\sqrt{\overline{OA}^2-\overline{AM}^2}$$
$$=\sqrt{20^2-(10\sqrt{2})^2}$$
$$=10\sqrt{2}(\text{cm})$$

따라서 사각뿔 O−ABCD의 부피 V'은

$$V'=\frac{1}{3}\times\square ABCD\times\overline{OM}$$

$$=\frac{1}{3}\times20^2\times10\sqrt{2}$$

$$=\frac{4000\sqrt{2}}{3}(\text{cm}^3)$$

또, 사각뿔 O−EFGH의 부피 V''은

$$V''=\frac{1}{3}\times\square EFGH\times\left(\frac{1}{2}\overline{OM}\right)$$

$$=\frac{1}{3}\times10^2\times5\sqrt{2}$$

$$=\frac{500\sqrt{2}}{3}(\text{cm}^3)$$

따라서 구하는 사각뿔대의 부피 V는

$$V=\frac{4000\sqrt{2}}{3}-\frac{500\sqrt{2}}{3}$$

$$=\frac{3500\sqrt{2}}{3}(\text{cm}^3)$$

45 오른쪽 그림의 정삼각형
ACE의 한 변의 길이를 x cm
라 하면

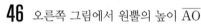

$$\overline{BC}=\sqrt{x^2-16}(\text{cm})$$
$$\overline{CD}=\sqrt{x^2-36}(\text{cm})$$

또, 점 A에서 $\overline{DE}$에 내린 수선의 발을 H라 하면
$\overline{DH}=\overline{AB}=4$ cm이므로

$$\overline{EH}=\overline{DE}-\overline{DH}$$
$$=6-4=2\,(\text{cm})$$

$\triangle AHE$에서

$$\overline{AH}=\overline{BD}=\sqrt{x^2-4}(\text{cm})$$

따라서 $\triangle BCD$에서

$$\overline{BD}^2=\overline{BC}^2+\overline{CD}^2$$
$$x^2-4=(x^2-16)+(x^2-36)$$
$$x^2=48 \qquad \therefore x=4\sqrt{3}\ (\because x>0)$$

따라서 정삼각형 ACE의 한 변의 길이는 $4\sqrt{3}$ cm이다.

46 오른쪽 그림에서 원뿔의 높이 $\overline{AO}$
는

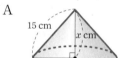

$$\overline{AO}=\sqrt{\overline{AB}^2-\overline{OB}^2}$$
$$=\sqrt{26^2-10^2}$$
$$=24(\text{cm})$$

또, 구하는 부피 V는

$$V=\frac{1}{3}\times(\text{밑면의 넓이})\times\overline{AO}$$
$$=\frac{1}{3}\times\pi\times10^2\times24$$
$$=800\pi(\text{cm}^3)$$

47 오른쪽 그림에서
(전개도의 중심각의 크기)

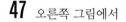

$$=\frac{\overline{PC}}{\overline{OC}}\times360°$$

즉, $180°=\dfrac{\overline{PC}}{6}\times360°$

$$\therefore \overline{PC}=3(\text{cm})$$

$\triangle OPC$에서

$$\overline{OP}=\sqrt{\overline{OC}^2-\overline{PC}^2}$$
$$=\sqrt{6^2-3^2}=3\sqrt{3}(\text{cm})$$

따라서 원뿔의 부피 V는

$$V=\frac{1}{3}\times(\text{밑면의 넓이})\times\overline{OP}$$
$$=\frac{1}{3}\times\pi\times3^2\times3\sqrt{3}$$
$$=9\sqrt{3}\pi(\text{cm}^3)$$

48 (전개도의 중심각의 크기)

$$=\frac{(\text{밑면의 반지름의 길이})}{(\text{모선의 길이})}\times360°\text{이므로}$$

A로 만든 원뿔에서

$$240°=\frac{(\text{밑면의 반지름의 길이})}{15}\times360°$$

(밑면의 반지름의 길이)$=10(\text{cm})$

B로 만든 원뿔에서

$$120°=\frac{(\text{밑면의 반지름의 길이})}{15}\times360°$$

(밑면의 반지름의 길이)$=5(\text{cm})$

따라서 두 고깔은 아래 그림과 같은 원뿔 모양이 된다.

그러므로 각 원뿔의 높이를 구하면

$$x=\sqrt{15^2-10^2}=5\sqrt{5}$$
$$y=\sqrt{15^2-5^2}=10\sqrt{2}$$
$$\therefore \frac{y}{x}=\frac{10\sqrt{2}}{5\sqrt{5}}=\frac{2\sqrt{10}}{5}$$

49 오른쪽 그림의 $\triangle OAB$와
$\triangle OCD$의 닮음비가 $1:2$이므로 윗
면의 반지름의 길이는 3 cm이다.
점 B에서 밑면에 내린 수선의 발을
H라 하면 $\triangle BHD$에서 피타고라스
정리에 의해

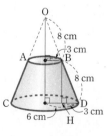

$$\overline{BH}=\sqrt{8^2-3^2}=\sqrt{55}(\text{cm})$$

50 오른쪽 그림의 $\triangle OAH$에서

$$\overline{OH}=\sqrt{\overline{OA}^2-\overline{AH}^2}$$
$$=\sqrt{5^2-3^2}=4(\text{cm})$$

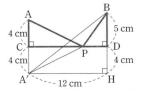

$\triangle OO'P \backsim \triangle OAH$이므로

$\overline{O'P}=r$ cm라 하면

$\overline{OO'}:\overline{OA}=\overline{O'P}:\overline{AH}$에서

$(4-r):5=r:3,\ 5r=12-3r$

$8r=12$ $\therefore r=\dfrac{3}{2}$

따라서 구의 반지름의 길이는 $\dfrac{3}{2}$ cm이다.

51 오른쪽 그림과 같이 점 A 를 $\overline{CD}$에 대하여 대칭이동한 점을 A'이라 하면

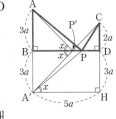

$\overline{AP}=\overline{A'P}$이므로

$\overline{AP}+\overline{BP}=\overline{A'P}+\overline{BP}$ 가 되고

그 최솟값은 $\overline{A'B}$의 길이이다.

점 A'에서 $\overline{BD}$의 연장선에 내린 수선의 발을 H라 하면

$\triangle A'HB$에서

$$\overline{A'B}=\sqrt{\overline{A'H}^2+\overline{BH}^2}$$
$$=\sqrt{12^2+9^2}=15(\text{cm})$$

52 오른쪽 그림과 같이 점 A를 $\overline{BD}$ 에 대하여 대칭이동한 점을 A'이라 하면 $\overline{AP}=\overline{A'P}$

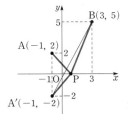

$\overline{AP}+\overline{PC}=\overline{A'P}+\overline{PC}$ 가 되고 그 최솟값은 $\overline{A'C}$의 길이이다.

한편, 점 A'에서 $\overline{CD}$의 연장선에 내린 수선의 발을 H라 하고

$\angle AP'B=\angle BP'A'=\angle P'A'H=\angle x$라 하면

$\overline{A'H}=\overline{BD}=5a$,

$\overline{CH}=\overline{CD}+\overline{DH}=2a+3a=5a$

이므로 $\triangle A'HC$는 직각이등변삼각형이 된다.

따라서 $\angle x=45°$이다.

53 오른쪽 그림과 같이 점 A를 x축에 대하여 대칭이동한 점 $A'(-1,\ -2)$에서

$$\overline{PA}+\overline{PB}=\overline{PA'}+\overline{PB}$$
$$\geq \overline{A'B}$$

따라서 $\overline{PA}+\overline{PB}$의 최솟값은 $\overline{A'B}$이므로

$$\overline{A'B}=\sqrt{\{3-(-1)\}^2+\{5-(-2)\}^2}$$
$$=\sqrt{16+49}=\sqrt{65}$$

54 다음 그림과 같이 점 P와 점 S를 $\overline{AD}$, $\overline{BC}$에 대하여 대칭이동한 점을 각각 P', S'이라 하면

$$\overline{PQ}+\overline{QR}+\overline{RS}=\overline{P'Q}+\overline{QR}+\overline{RS'}$$

이고 그 최솟값은 $\overline{P'S'}$의 길이이다.

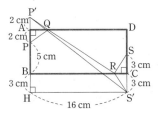

점 S'에서 $\overline{AB}$의 연장선에 내린 수선의 발을 H라 하면

$\triangle P'HS'$에서

$$\overline{P'S'}=\sqrt{\overline{P'H}^2+\overline{HS'}^2}$$
$$=\sqrt{12^2+16^2}=20(\text{cm})$$

55 오른쪽 그림과 같이 점 D 와 점 B를 각각 $\overline{AB}$와 $\overline{CD}$에 대하여 대칭이동한 점을 각각 D', B'이라 하면 구하는 길이는

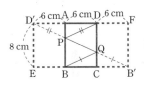

$$\overline{DP}+\overline{PQ}+\overline{QB}=\overline{D'P}+\overline{PQ}+\overline{QB'}$$

이므로 최솟값은 두 점 D'과 B'을 직선으로 연결한 선분의 길이이다. 즉,

$$\overline{D'B'}=\sqrt{\overline{D'E}^2+\overline{EB'}^2}$$
$$=\sqrt{8^2+18^2}$$
$$=\sqrt{388}$$
$$=2\sqrt{97}(\text{cm})$$

56 다음 그림과 같이 $\square ABCD$와 합동인 직사각형을 작도하여 점 P를 $\overline{AB}$와 $\overline{DC}$에 대하여 대칭이동한 점을 각각 P_1, P_2라 하자.

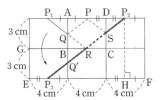

$$\overline{PQ}+\overline{QR}=\overline{P_1Q}+\overline{QR},\ \overline{PS}+\overline{SR}=\overline{P_2S}+\overline{SR}$$

다시 두 점 P_1, Q를 $\overline{GB}$에 대하여 대칭이동한 점을 각각 P_3, Q'이라 하면

$$\overline{P_1Q}+\overline{QR}=\overline{P_3Q'}+\overline{Q'R}$$가 되어 $\square PQRS$의 둘레의 길이의 최솟값은 $\overline{P_2P_3}$의 길이가 된다.

점 P_2에서 $\overline{EF}$에 내린 수선의 발을 H라 하면

$\triangle P_2P_3H$에서

$$\overline{P_2P_3}=\sqrt{\overline{P_3H}^2+\overline{P_2H}^2}$$
$$=\sqrt{8^2+6^2}=10(\text{cm})$$

57 점 A를 $\overrightarrow{OX}$, $\overrightarrow{OY}$에 대하여 대
칭이동한 점을 각각 A′, A″이라 하
면
$$\overline{AP}+\overline{PQ}+\overline{QA}$$
$$=\overline{A'P}+\overline{PQ}+\overline{QA''}$$
이므로 그 최솟값은 $\overline{A'A''}$의 길이이
다.

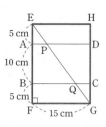

$\overline{OA}=\overline{OA'}=\overline{OA''}=8$ cm이고,
∠A′OX=∠AOX, ∠A″OY=∠AOY에서
$$\angle A'OA''=2(\angle AOX+\angle AOY)$$
$$=2\times45°$$
$$=90°$$
이므로 △A′OA″에서
$$\overline{A'A''}=\sqrt{\overline{OA'}^2+\overline{OA''}^2}$$
$$=\sqrt{8^2+8^2}$$
$$=8\sqrt{2}(\text{cm})$$

58 오른쪽 그림과 같이 점 A와
D를 $\overrightarrow{OX}$, $\overrightarrow{OY}$에 대하여 대칭이동
한 점을 각각 A′, D′이라 하면
$$\overline{OA'}=\overline{OA}=10\text{ cm},$$
$$\overline{OD'}=\overline{OD}=10\text{ cm}이고,$$

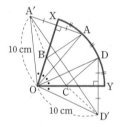

$$\angle A'OX=\angle XOA=\angle AOD$$
$$=\angle DOY=\angle D'OY$$
$$=\frac{1}{3}\times72°$$
$$=24°$$
$$\therefore \angle A'OD'=24°\times5=120°$$
$$\overline{AB}+\overline{BC}+\overline{CD}=\overline{A'B}+\overline{BC}+\overline{CD'}\geq\overline{A'D'}$$
즉, $\overline{AB}+\overline{BC}+\overline{CD}$의 최솟값은 $\overline{A'D'}$의 길이가 된다.
△OA′D′은 이등변삼각형이므로
점 O에서 $\overline{A'D'}$에 내린 수선의 발
을 H라 하면

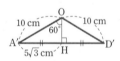

$$\angle A'OH=\angle D'OH$$
$$=\frac{1}{2}\times120°=60°$$
따라서 △OA′H에서
$\overline{OA'}:\overline{A'H}=2:\sqrt{3}$이므로
$$10:\overline{A'H}=2:\sqrt{3}, 2\overline{A'H}=10\sqrt{3}$$
$$\therefore \overline{A'H}=5\sqrt{3}(\text{cm})$$
$$\therefore \overline{A'D'}=2\overline{A'H}$$
$$=2\times5\sqrt{3}=10\sqrt{3}(\text{cm})$$

59 선이 지나가는 면을 펼치면 오
른쪽 그림과 같다.
따라서 최단 거리 $\overline{EG}$ 는
$$\overline{EG}=\sqrt{\overline{EF}^2+\overline{FG}^2}$$
$$=\sqrt{20^2+15^2}$$
$$=25(\text{cm})$$

60 (1) 선이 지나는 면을 펼쳐서 전개
도를 그려 보면 오른쪽 그림과 같다.
따라서 최단 거리는 $\overline{F'G}$이고,
△GF′G′에서
$$\overline{F'G}=\sqrt{\overline{GG'}^2+\overline{F'G'}^2}$$
$$=\sqrt{30^2+15^2}$$
$$=15\sqrt{5}(\text{cm})$$
(2) △F′MB ∽ △F′GF에서
$\overline{F'B}:\overline{F'F}=\overline{BM}:\overline{FG}$이므로
$$10:30=\overline{BM}:15$$
$$30\overline{BM}=150$$
$$\therefore \overline{BM}=5(\text{cm})$$

61 구하는 최단 거리는 다음과 같이 두 가지 중에서

(i) 　　$\therefore \overline{AG}=\sqrt{7^2+3^2}$
　　　　　　　　　　$=\sqrt{58}(\text{cm})$

(ii) 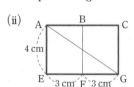　　$\therefore \overline{AG}=\sqrt{6^2+4^2}$
　　　　　　　　　　$=\sqrt{52}$
　　　　　　　　　　$=2\sqrt{13}(\text{cm})$

따라서 구하는 최단 거리는 $2\sqrt{13}$ cm이다.

62 원기둥의 옆면의 전개도를 그려
보면 오른쪽 그림과 같다.
원기둥의 밑면의 둘레의 길이는
$$2\pi\times3=6\pi(\text{cm})$$
이므로
$$\overline{RR'}=\overline{PP'}=6\pi\text{ cm}$$
또, $\overline{PQ}=2\pi\times3\times\dfrac{60}{360}$
$$=\pi(\text{cm})$$
$$\therefore \overline{QP'}=6\pi-\pi$$
$$=5\pi(\text{cm})$$

따라서 구하는 최단 길이는 $\overline{\text{QR}'}$이므로 $\triangle\text{R}'\text{QP}'$에서

$$\overline{\text{QR}'}=\sqrt{\overline{\text{QP}'}^2+\overline{\text{R}'\text{P}'}^2}$$
$$=\sqrt{(5\pi)^2+(12\pi)^2}$$
$$=13\pi\,(\text{cm})$$

63 오른쪽 그림과 같이 옆면의 전개도를 그리면

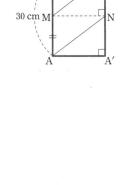

$$\overline{\text{BB}'}=2\pi\times\dfrac{10}{\pi}=20\,(\text{cm})$$

두 바퀴 감은 실의 최단 길이는 $\overline{\text{MB}'}+\overline{\text{AN}}$이므로

$$\overline{\text{MB}'}=\sqrt{\overline{\text{BB}'}^2+\overline{\text{BM}}^2}$$
$$=\sqrt{20^2+15^2}$$
$$=25\,(\text{cm})$$

$$\overline{\text{AN}}=\overline{\text{MB}'}=25\text{ cm}$$

따라서 구하는 실의 최단 길이는

$$25+25=50\,(\text{cm})$$

64 주어진 도형의 옆면의 전개도는 오른쪽 그림과 같고, 부채꼴의 중심각의 크기를 $\angle x$라 하면

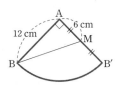

$$\angle x=\angle\text{BAB}'=\dfrac{\overline{\text{OB}}}{\overline{\text{AB}}}\times360°$$
$$=\dfrac{3}{12}\times360°$$
$$=90°$$

따라서 구하는 최단 길이는 $\overline{\text{BM}}$이므로 $\triangle\text{ABM}$에서

$$\overline{\text{BM}}=\sqrt{\overline{\text{AB}}^2+\overline{\text{AM}}^2}$$
$$=\sqrt{12^2+6^2}$$
$$=6\sqrt{5}\,(\text{cm})$$

65 (1) 원뿔대를 연장하여 원뿔을 만들면 오른쪽 그림과 같다.

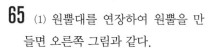
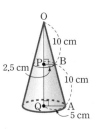

$\overline{\text{PB}}:\overline{\text{QA}}=1:2$이므로

$$\overline{\text{OB}}=\overline{\text{AB}}=10\text{ cm}$$

원뿔의 전개도에서 옆면인 부채꼴의 중심각의 크기를 θ라 하면

$$\theta=\dfrac{\overline{\text{QA}}}{\overline{\text{OA}}}\times360°$$
$$=\dfrac{5}{20}\times360°=90°$$

즉, 감긴 실의 최단 길이는 오른쪽 그림의 $\overline{\text{AM}}$이다.

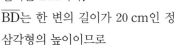
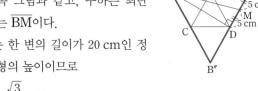

$\triangle\text{OAM}$에서

$$\overline{\text{AM}}=\sqrt{\overline{\text{OA}}^2+\overline{\text{OM}}^2}$$
$$=\sqrt{20^2+15^2}$$
$$=25\,(\text{cm})$$

(2) 구하는 최단 거리는 $\overline{\text{CH}}$이므로 $\triangle\text{OAM}$에서

$$\overline{\text{OA}}\times\overline{\text{OM}}=\overline{\text{AM}}\times\overline{\text{OH}}$$
$$20\times15=25\times\overline{\text{OH}}$$
$$\therefore\ \overline{\text{OH}}=12\,(\text{cm})$$
$$\therefore\ \overline{\text{CH}}=\overline{\text{OH}}-\overline{\text{OC}}$$
$$=12-10$$
$$=2\,(\text{cm})$$

66 주어진 정사면체의 전개도는 오른쪽 그림과 같고, 구하는 최단 길이는 $\overline{\text{BM}}$이다.

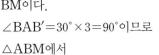

$\overline{\text{BD}}$는 한 변의 길이가 20 cm인 정삼각형의 높이이므로

$$\overline{\text{BD}}=\dfrac{\sqrt{3}}{2}\times20$$
$$=10\sqrt{3}\,(\text{cm})$$

또, $\overline{\text{DM}}=\overline{\text{B}'\text{M}}=\dfrac{1}{2}\times10=5\,(\text{cm})$

$\triangle\text{BDM}$에서

$$\overline{\text{BM}}=\sqrt{\overline{\text{BD}}^2+\overline{\text{DM}}^2}$$
$$=\sqrt{(10\sqrt{3})^2+5^2}$$
$$=5\sqrt{13}\,(\text{cm})$$

67 전개도를 그려 보면 오른쪽 그림과 같으므로 구하는 최단 길이는 $\overline{\text{BM}}$이다.

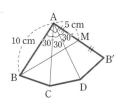

$\angle\text{BAB}'=30°\times3=90°$이므로 $\triangle\text{ABM}$에서

$$\overline{\text{BM}}=\sqrt{\overline{\text{AB}}^2+\overline{\text{AM}}^2}$$
$$=\sqrt{10^2+5^2}$$
$$=5\sqrt{5}\,(\text{cm})$$

68 주어진 정팔면체의 전개도를 그려 보면 다음 그림과 같으므로 구하는 최단 거리는 $\overline{\text{PQ}}$이다.

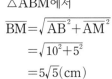

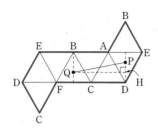

$\triangle$PQH에서 두 점 P와 Q는 각각 한 변의 길이가 10 cm인 정삼각형의 무게중심이므로

$\overline{\text{PH}}=\dfrac{1}{3}\times(\triangle\text{DEA의 높이})$

$\qquad=\dfrac{1}{3}\times\dfrac{\sqrt{3}}{2}\times10$

$\qquad=\dfrac{5\sqrt{3}}{3}(\text{cm})$

$\overline{\text{QH}}=10+5=15(\text{cm})$

$\therefore\overline{\text{PQ}}=\sqrt{\overline{\text{QH}}^2+\overline{\text{PH}}^2}$

$\qquad=\sqrt{15^2+\left(\dfrac{5}{3}\sqrt{3}\right)^2}$

$\qquad=\dfrac{10\sqrt{21}}{3}(\text{cm})$

69 $\overline{\text{PA}}\times\overline{\text{PB}}=\overline{\text{PC}}\times\overline{\text{PD}}$에서

$2\times6=x\times(7-x)$

$x^2-7x+12=0$

$(x-3)(x-4)=0$

$\therefore x=3$ 또는 $x=4$

70 큰 원의 반지름의 길이를 r cm라 하면

$\overline{\text{OP}}=\overline{\text{OQ}}=(r-2)\,\text{cm}$

$\overline{\text{OR}}=(r-3)\,\text{cm}$

$\overline{\text{OP}}\times\overline{\text{OQ}}=\overline{\text{OA}}\times\overline{\text{OR}}$에서

$(r-2)^2=r(r-3)$

$\therefore r=4$

$\therefore\overline{\text{OP}}=r-2=4-2=2(\text{cm})$

71 $\overline{\text{OB}}=\overline{\text{OO}'}-\overline{\text{BO}'}$

$\qquad=5-4=1(\text{cm}),$

$\overline{\text{DO}'}=\overline{\text{OO}'}-\overline{\text{OD}}$

$\qquad=5-3=2(\text{cm}),$

$\overline{\text{BD}}=\overline{\text{OO}'}-\overline{\text{OB}}-\overline{\text{DO}'}$

$\qquad=5-1-2=2(\text{cm})$

이므로

$\overline{\text{BC}}=x$ cm라 하면 $\overline{\text{CD}}=(2-x)$ cm

원 O에서 $\overline{\text{AC}}\times\overline{\text{CD}}=\overline{\text{PC}}\times\overline{\text{CQ}}$이고,

원 O'에서 $\overline{\text{BC}}\times\overline{\text{CE}}=\overline{\text{PC}}\times\overline{\text{CQ}}$이므로

$\overline{\text{AC}}\times\overline{\text{CD}}=\overline{\text{BC}}\times\overline{\text{CE}}$

$(4+x)(2-x)=x(8-x)$

$10x=8$

$\therefore x=\dfrac{4}{5}$

따라서 $\overline{\text{BC}}$의 길이는 $\dfrac{4}{5}$ cm이다.

72 원 O의 반지름의 길이를 r cm라 하면

$\overline{\text{PA}}=(7-r)\,\text{cm}$

$\overline{\text{PB}}=(7+r)\,\text{cm}$

$\overline{\text{PA}}\times\overline{\text{PB}}=\overline{\text{PC}}\times\overline{\text{PD}}$에서

$(7-r)(7+r)=5\times(5+3)$

$49-r^2=40,\ r^2=9$

$\therefore r=3\ (\because r>0)$

따라서 원 O의 반지름의 길이는 3 cm이다.

73 $\overline{\text{PC}}=x$ cm라 하면

$\overline{\text{PC}}\times\overline{\text{PD}}=\overline{\text{PA}}\times\overline{\text{PB}}$에서

$x(x+17)=10\times(10+10)$

$x^2+17x-200=0$

$(x-8)(x+25)=0$

$\therefore x=8\ (\because x>0)$

$\triangle$PAC와 $\triangle$PDB에서

$\angle\text{PAC}=\angle\text{PDB}$ (내대각), $\angle\text{P}$는 공통이므로

$\triangle\text{PAC}\backsim\triangle\text{PDB}$ (AA 닮음)

이때 두 삼각형의 닮음비는

$\overline{\text{PC}}:\overline{\text{PB}}=8:20=2:5$

이므로

$\triangle\text{PAC}:\triangle\text{PDB}=2^2:5^2=4:25$

$\therefore\square\text{ACDB}:\triangle\text{PAC}=(25-4):4=21:4$

74 오른쪽 그림과 같이 $\overline{\text{OO}'}$의 연장선이 원 O'과 만나는 점을 D라 하고, $\overline{\text{OA}}=r$ cm라 하면

$\overline{\text{OB}}\times\overline{\text{OC}}=\overline{\text{OA}}\times\overline{\text{OD}}$에서

$8\times(8+4)=r(r+5\times2)$

$r^2+10r-96=0$

$(r+16)(r-6)=0$

$\therefore r=6\ (\because r>0)$

따라서 원 O의 반지름의 길이는 6 cm이다.

75 $\overline{CF}=x$ cm, $\overline{CD}=y$ cm라 하면 $\overline{CF}\times\overline{CB}=\overline{CD}\times\overline{CE}$에서

$x(x+20)=y\times2y$ ...... ㉠

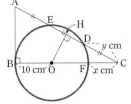

점 O에서 $\overline{DE}$에 내린 수선의 발을 H라 하면 원의 중심에서 현에 내린 수선은 그 현을 이등분하므로

$\overline{DH}=\overline{EH}=\dfrac{y}{2}$ cm

$\therefore \overline{CH}=\overline{CD}+\overline{DH}$

$\qquad =y+\dfrac{y}{2}=\dfrac{3}{2}y$ (cm)

△COH와 △CAB에서

$\angle CHO=\angle CBA=90°$, $\angle C$는 공통이므로

△COH∽△CAB (AA 닮음)

$\overline{CO}:\overline{CA}=\overline{CH}:\overline{CB}$에서

$(x+10):3y=\dfrac{3}{2}y:(x+20)$

$\therefore (x+10)(x+20)=\dfrac{9}{2}y^2$ ...... ㉡

㉠, ㉡에서 $\dfrac{x+10}{x}=\dfrac{9}{4}\left(\because x+20=\dfrac{2y^2}{x}\right)$

$9x=4(x+10)$, $5x=40$ $\therefore x=8$

따라서 $\overline{CF}$의 길이는 8 cm이다.

76 $\overline{EA}\times\overline{EC}=\overline{EB}\times\overline{ED}$에서

$\overline{EA}\times6=9\times2$

$\therefore \overline{EA}=3$ (cm)

$\overline{PB}^2=\overline{PA}\times\overline{PC}$에서

$6^2=x(x+3+6)$

$x^2+9x-36=0$

$(x-3)(x+12)=0$

$\therefore x=3$ ($\because x>0$)

77 원의 중심에서 현에 내린 수선은 그 현을 이등분하므로

$\overline{GD}=\overline{GC}=3$ cm

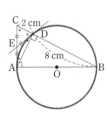

$\overline{PE}^2=\overline{PD}\times\overline{PC}$에서

$\overline{PE}^2=2\times(2+3+3)=16$

$\therefore \overline{PE}=4$ (cm) ($\because \overline{PE}>0$)

$\overline{BE}$를 그으면

△AGF와 △AEB에서

$\angle AGF=\angle AEB=90°$, $\angle A$는 공통이므로

△AGF∽△AEB (AA 닮음)

$\therefore \angle AFG=\angle ABE$

또, $\angle PFE=\angle AFG$ (맞꼭지각),

$\angle PEA=\angle ABE$ (접선과 현이 이루는 각)이므로

$\angle PFE=\angle PEF$

따라서 △PEF는 이등변삼각형이므로

$\overline{PF}=\overline{PE}=4$ cm

$\therefore \overline{DF}=\overline{PF}-\overline{PD}$

$\qquad =4-2=2$ (cm)

$\therefore \overline{PE}+\overline{DF}=4+2=6$ (cm)

78 오른쪽 그림과 같이 $\overline{OC}$를 그으면 $\angle AOD=\angle OCA$

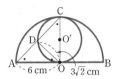

△AOC는 $\overline{OA}=\overline{OC}$인 이등변삼각형이므로

$\angle OAC=\angle OCA$

$\therefore \angle AOD=\angle OAC$

따라서 △DAO는 이등변삼각형이므로

$\overline{AD}=\overline{OD}=3\sqrt{2}$ cm

$\overline{AO}^2=\overline{AD}\times\overline{AC}$에서

$6^2=3\sqrt{2}\times\overline{AC}$

$\therefore \overline{AC}=6\sqrt{2}$ (cm)

$\therefore \overline{CD}=\overline{AC}-\overline{AD}$

$\qquad =6\sqrt{2}-3\sqrt{2}$

$\qquad =3\sqrt{2}$ (cm)

다른 풀이

△AOC에서 $\angle AOC=90°$이므로

$\overline{AC}=6\sqrt{2}$ cm

$\therefore \overline{CD}=\overline{AC}-\overline{AD}$

$\qquad =6\sqrt{2}-3\sqrt{2}$

$\qquad =3\sqrt{2}$ (cm)

79 $\overline{CA}^2=\overline{CD}\times\overline{CB}$에서

$\overline{CA}^2=2(2+8)=20$

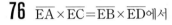

$\therefore \overline{CA}=2\sqrt{5}$ (cm) ($\because \overline{CA}>0$)

$\overline{AD}$를 그으면 $\angle ADB=90°$이고

$\overline{AE}=\overline{ED}$이므로

$\angle EAD=\angle EDA$

$\therefore \angle EDC=90°-\angle EDA$

$\qquad =90°-\angle EAD$

$\qquad =\angle ECD$

즉, △EDC는 이등변삼각형이므로

$\overline{ED}=\overline{EC}$

따라서 $\overline{EA}=\overline{ED}=\overline{EC}$이므로

$\overline{DE}=\overline{AE}=\dfrac{1}{2}\overline{AC}$

$\qquad =\dfrac{1}{2}\times2\sqrt{5}=\sqrt{5}$ (cm)

80 오른쪽 그림과 같이 $\overline{EF}$를 그으면

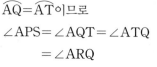

$\angle AFE = \angle PAE = \angle ACB$

즉, 동위각의 크기가 같으므로

$\overline{EF} /\!/ \overline{BC}$

따라서

$\overline{AB}:\overline{AC}=\overline{AE}:\overline{AF}=3:4$이므로

$\overline{BE}:\overline{CF}=3:4$

$\therefore \overline{CF}=\dfrac{4}{3}\overline{BE}$

$\overline{BD}^2=\overline{BE}(\overline{BE}+3)$에서

$4^2=\overline{BE}(\overline{BE}+3)$ ······ ㉠

$\overline{CD}^2=\overline{CF}(\overline{CF}+4)$에서

$\overline{CD}^2=\dfrac{4}{3}\overline{BE}\left(\dfrac{4}{3}\overline{BE}+4\right)$

$\qquad =\left(\dfrac{4}{3}\right)^2\overline{BE}(\overline{BE}+3)$

$\qquad =\left(\dfrac{4}{3}\right)^2\times 4^2\ (\because ㉠)$

$\therefore \overline{CD}=\dfrac{16}{3}(\mathrm{cm})\ (\because \overline{CD}>0)$

81 $\triangle ABC$는 $\overline{AB}=\overline{AC}$인 이등변

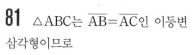

삼각형이므로

$\angle ABC=\angle ACB$

또, $\angle ABC=\angle AQC$

$\qquad$ ($\overset{\frown}{AC}$에 대한 원주각),

$\angle ACB=\angle AQB$ ($\overset{\frown}{AB}$에 대한 원주각)

이므로 $\angle AQB=\angle AQC$

따라서 $\overline{AQ}$는 $\triangle BQC$에서 $\angle BQC$의 이등분선이므로

$\overline{BQ}\times\overline{QC}=\overline{QP}\times\overline{QA}=4\times(4+5)=36$

82 $\overline{AC}$를 그으면 $\triangle ABC$는

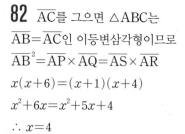

$\overline{AB}=\overline{AC}$인 이등변삼각형이므로

$\overline{AB}^2=\overline{AP}\times\overline{AQ}=\overline{AS}\times\overline{AR}$

$x(x+6)=(x+1)(x+4)$

$x^2+6x=x^2+5x+4$

$\therefore x=4$

83 오른쪽 그림과 같이 큰 원과

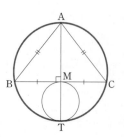

작은 원의 접점을 T라 하고 $\overline{AT}$

를 그으면 $\overline{AT}$는 큰 원의 지름이

고, 점 M을 지난다.

$\overline{AB}^2=\overline{AM}\times\overline{AT}$에서

$(2\sqrt{15})^2=\overline{AM}\times(2\times 5)$

$\therefore \overline{AM}=6(\mathrm{cm})$

따라서

$\overline{MT}=\overline{AT}-\overline{AM}$

$\qquad =10-6=4(\mathrm{cm})$

이므로 작은 원의 반지름의 길이는

$\dfrac{1}{2}\overline{MT}=\dfrac{1}{2}\times 4=2(\mathrm{cm})$

84 오른쪽 그림과 같이 $\overline{BC} /\!/ \overline{QT}$

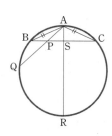

가 되도록 원 위에 점 T를 잡고

$\overline{QR},\ \overline{AT}$를 그으면

$\overset{\frown}{AQ}=\overset{\frown}{AT}$이므로

$\angle APS=\angle AQT=\angle ATQ$

$\qquad\quad =\angle ARQ$

$\therefore \triangle APS\backsim\triangle ARQ$ (AA 닮음)

$\overline{AP}:\overline{AR}=\overline{AS}:\overline{AQ}$에서

$3:(2+\overline{SR})=2:(3+5)$

$2(2+\overline{SR})=24$

$2+\overline{SR}=12$

$\therefore \overline{SR}=10(\mathrm{cm})$

다른 풀이

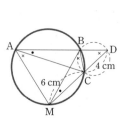

$\overline{AB},\ \overline{AC}$를 그으면

$\overset{\frown}{AB}=\overset{\frown}{AC}$이므로

$\overline{AB}=\overline{AC}$

$\overline{AP}\times\overline{AQ}=\overline{AB}^2=\overline{AS}\times\overline{AR}$에서

$3(3+5)=2(2+\overline{SR})$

$2+\overline{SR}=12$

$\therefore \overline{SR}=10(\mathrm{cm})$

85 $\overline{AC},\ \overline{BM},\ \overline{BC}$를 그으면

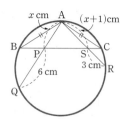

$\overline{AM}=\overline{BM}$이므로

$\angle MAB=\angle MBA$

$\therefore \angle MBC=\angle MAC$

$\qquad\quad =\angle MAB-\angle CAB$

$\qquad\quad =\angle MBA-\angle BMC$

$\qquad\quad =\angle MDB$

따라서 $\overline{MB}$는 $\triangle BCD$의 외접원의 접선이므로

$\overline{MB}^2=\overline{MC}\times\overline{MD}$에서

$\overline{MB}^2=6(6+4)=60$

$\therefore \overline{MB}=2\sqrt{15}(\mathrm{cm})\ (\because \overline{MB}>0)$

$\therefore \overline{AM}=\overline{BM}=2\sqrt{15}\ \mathrm{cm}$

86 오른쪽 그림과 같이 $\overline{MB}$, $\overline{BQ}$
를 그으면

$\overline{MB}=\overline{MA}=8\text{ cm}$이므로

$\angle MAB=\angle MBA$

$\triangle PBM$과 $\triangle BQM$에서

$\angle PBM=180°-\angle MBA$

$\qquad=180°-\angle MAB$

한편, $\square AMQB$는 원에 내접하므로

$\angle BQM=180°-\angle MAB$

$\therefore \angle PBM=\angle BQM$

또, $\angle BMP$는 공통이므로

$\triangle PBM\varpropto\triangle BQM$ (AA 닮음)

따라서 $\overline{PM}:\overline{BM}=\overline{BM}:\overline{QM}$이므로

$\overline{PM}:8=8:6$, $6\overline{PM}=64$

$\therefore \overline{PM}=\dfrac{32}{3}(\text{cm})$

$\therefore \overline{PQ}=\overline{PM}-\overline{MQ}$

$\qquad=\dfrac{32}{3}-6=\dfrac{14}{3}(\text{cm})$

87 각의 이등분선의 정리에 의해

$\overline{AB}:\overline{AC}=\overline{BP}:\overline{CP}$이므로

$8:6=\overline{BP}:(7-\overline{BP})$

$8(7-\overline{BP})=6\overline{BP}$

$14\overline{BP}=56$

$\therefore \overline{BP}=4(\text{cm})$, $\overline{CP}=3(\text{cm})$

또, 원에서의 비례 관계에 의해

$\overline{PA}\times\overline{PQ}=\overline{PB}\times\overline{PC}$에서

$\overline{PA}\times\overline{PQ}=4\times3=12$ ……㉠

$\overline{AB}\times\overline{AC}=\overline{AP}\times\overline{AQ}$에서

$8\times6=\overline{AP}\times\overline{AQ}$

$\therefore \overline{AP}\times\overline{AQ}=48$ ……㉡

㉠, ㉡에서

$\overline{AP}\times\overline{AQ}=\overline{AP}(\overline{AP}+\overline{PQ})$

$\qquad=\overline{AP}^2+\overline{AP}\times\overline{PQ}$

$\qquad=\overline{AP}^2+12=48$

$\overline{AP}^2=36$

$\therefore \overline{AP}=6(\text{cm})$ $(\because \overline{AP}>0)$

88 $\overline{PB}=\overline{PC}$이고, $\overline{PA}\times\overline{PQ}=\overline{PB}\times\overline{PC}$이므로

$6\times2=\overline{PB}^2$

$\therefore \overline{PB}=2\sqrt{3}(\text{cm})$ $(\because \overline{PB}>0)$

$\therefore \overline{BC}=2\overline{PB}=2\times2\sqrt{3}=4\sqrt{3}(\text{cm})$

89 $\triangle ABH$에서

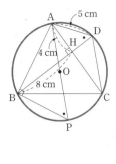

$\overline{AB}=\sqrt{\overline{AH}^2+\overline{BH}^2}$

$\qquad=\sqrt{4^2+8^2}$

$\qquad=4\sqrt{5}(\text{cm})$

$\overline{AO}$의 연장선이 원 O와 만나는 점을 P라 하고 $\overline{BP}$를 그으면

$\triangle ABP$와 $\triangle AHD$에서

$\angle APB=\angle ADH$ ($\overset{\frown}{AB}$에 대한 원주각),

$\angle ABP=\angle AHD=90°$ (반원에 대한 원주각)이므로

$\triangle ABP\varpropto\triangle AHD$ (AA 닮음)

$\overline{AB}:\overline{AH}=\overline{AP}:\overline{AD}$이므로

$4\sqrt{5}:4=\overline{AP}:5$

$4\overline{AP}=20\sqrt{5}$

$\therefore \overline{AP}=5\sqrt{5}(\text{cm})$

따라서 원 O의 반지름의 길이는

$\dfrac{1}{2}\overline{AP}=\dfrac{1}{2}\times5\sqrt{5}$

$\qquad=\dfrac{5\sqrt{5}}{2}(\text{cm})$

90 오른쪽 그림과 같이 $\angle A$의 이
등분선은 작은 원의 중심 O와 점 T
를 지난다.

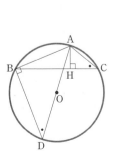

또, $\overline{PO}$와 $\overline{BT}$를 그으면

$\triangle APO$와 $\triangle ABT$에서

$\angle APO=\angle ABT=90°$,

$\angle A$는 공통이므로

$\triangle APO\varpropto\triangle ABT$ (AA 닮음)

$\overline{AT}=\overline{AO}+\overline{OT}=\overline{AO}+\overline{OP}$이고,

$\overline{AO}:\overline{OP}=2:1$이므로

$\overline{AO}:\overline{AT}=2:3$

따라서 $\overline{AP}:\overline{AB}=\overline{AO}:\overline{AT}=2:3$이므로

$\overline{AP}:6=2:3$, $3\overline{AP}=12$

$\therefore \overline{AP}=4(\text{cm})$

$\therefore \overline{AQ}=\overline{AP}=4\text{ cm}$

91 $\overline{AO}$의 연장선이 원 O와 만나
는 점을 D라 하고, $\overline{BD}$를 그으면

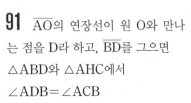

$\triangle ABD$와 $\triangle AHC$에서

$\angle ADB=\angle ACB$

$\qquad$ ($\overset{\frown}{AB}$에 대한 원주각),

$\angle ABD=\angle AHC=90°$이므로

$\triangle ABD\varpropto\triangle AHC$ (AA 닮음)

따라서 $\overline{AB} : \overline{AH} = \overline{AD} : \overline{AC}$에서

$5 : \overline{AH} = 2 \times 4 : 3$

$8\overline{AH} = 15$

$\therefore \overline{AH} = \dfrac{15}{8}(\text{cm})$

92 반원에 대한 원주각의 크기는

90°이므로

$\angle AEB = 90°$, $\angle ATB = 90°$

$\triangle ABT$에서

$\overline{AB} = \sqrt{3^2 + 4^2} = 5(\text{cm})$

$\triangle CAT$와 $\triangle TAB$에서

$\angle ATC = \angle ABT$ (접선과 현이 이루는 각),

$\angle ACT = \angle ATB = 90°$이므로

$\triangle CAT \backsim \triangle TAB$ (AA 닮음)

따라서 $\overline{AT} : \overline{AB} = \overline{TC} : \overline{BT}$에서

$3 : 5 = \overline{TC} : 4$

$5\overline{TC} = 12$

$\therefore \overline{TC} = \dfrac{12}{5}(\text{cm})$

$\triangle DTB$와 $\triangle TAB$에서

$\angle BTD = \angle BAT$ (접선과 현이 이루는 각),

$\angle TDB = \angle ATB = 90°$이므로

$\triangle DTB \backsim \triangle TAB$ (AA 닮음)

따라서 $\overline{TB} : \overline{AB} = \overline{TD} : \overline{AT}$에서

$4 : 5 = \overline{TD} : 3$

$5\overline{TD} = 12$

$\therefore \overline{TD} = \dfrac{12}{5}(\text{cm})$

이때 □AEDC는 직사각형이므로

$\overline{AE} = \overline{CD} = \overline{TC} + \overline{TD}$

$\qquad = \dfrac{12}{5} + \dfrac{12}{5}$

$\qquad = \dfrac{24}{5}(\text{cm})$

93 오른쪽 그림과 같이 $\overline{AC}$를

그으면 $\overarc{BC} = \overarc{CD}$이므로

$\overline{CD} = \overline{BC} = 8\ \text{cm}$

$\angle BAC = \angle DAC$,

$\angle DCP = \angle DAC$

　　(접선과 현이 이루는 각)

$\therefore \angle BAC = \angle DCP$

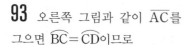

또, $\angle ABC = \angle CDP$(내대각)이므로

$\triangle ABC \backsim \triangle CDP$ (AA 닮음)

$\overline{AB} : \overline{CD} = \overline{BC} : \overline{DP}$에서

$10 : 8 = 8 : \overline{DP}$

$10\overline{DP} = 64$

$\therefore \overline{DP} = \dfrac{32}{5}(\text{cm})$

94 $\overline{AO}$의 연장선과 원이 만나는 점

을 D라 하고 $\overline{BD}$를 그으면

$\triangle ABD$와 $\triangle QMC$에서

$\angle ABD = \angle QMC = 90°$,

$\angle ADB = \angle ACB$ ($\overarc{AB}$에 대한 원주

각)이므로

$\triangle ABD \backsim \triangle QMC$ (AA 닮음)

$\therefore \angle BAD = \angle MQC$

따라서 $\overline{OA}$는 $\triangle PAQ$의 외접원의 접선이므로

$\overline{OA}^2 = \overline{OP} \times \overline{OQ}$에서

$6^2 = 4(4 + \overline{PQ})$

$4 + \overline{PQ} = 9$

$\therefore \overline{PQ} = 5(\text{cm})$

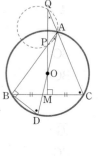

95 $\overline{AB}$와 $\overline{CD}$의 연장선이 만나는

점을 E라 하자.

$\overline{OB}$, $\overline{OC}$를 긋고, $\angle CDO = \theta$라

하면

$\angle COA = 2\angle CDO = 2\theta$

$\overline{AB} = \overline{BC}$이므로

$\angle BOA = \angle COB$

$\qquad = \dfrac{1}{2}\angle COA = \theta$

따라서 $\triangle AOB \backsim \triangle ADE$ (AA 닮음)이고, 닮음비는

$\overline{AO} : \overline{AD} = 1 : 2$이므로

$\overline{AB} : \overline{AE} = 1 : 2$에서

$2 : \overline{AE} = 1 : 2$

$\therefore \overline{AE} = 4(\text{cm})$

$\therefore \overline{BE} = \overline{AE} - \overline{AB}$

$\qquad = 4 - 2 = 2(\text{cm})$

또, $\overline{BO} : \overline{ED} = 1 : 2$에서

$4 : \overline{ED} = 1 : 2$

$\therefore \overline{ED} = 8(\text{cm})$

따라서 $\overline{EB} \times \overline{EA} = \overline{EC} \times \overline{ED}$에서

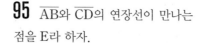

$2 \times 4 = (8 - \overline{CD}) \times 8$

$8 - \overline{CD} = 1$

$\therefore \overline{CD} = 7(\text{cm})$

96 오른쪽 그림과 같이 $\overline{AD}$를 그으면

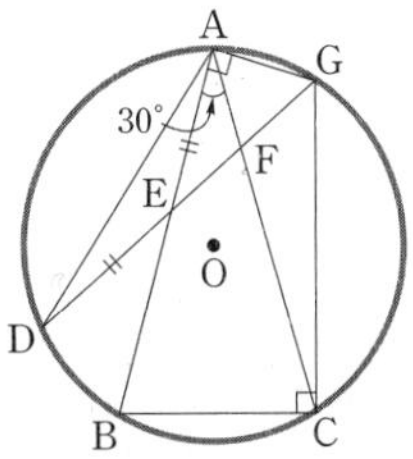

$\angle DAB = \angle ADG$

$\qquad = \dfrac{1}{12} \times 180°$

$\qquad = 15°$

이므로 △EAD는 이등변삼각형이다.

$\therefore \overline{AE} = \overline{ED}$

△ABC는 $\overline{AB} = \overline{AC}$인 이등변삼각형이므로

$\angle ABC = \angle ACB$

$\qquad = \dfrac{1}{2}(180° - 30°) = 75°$

또, $\overline{CG}$를 그으면

$\angle ACG = \angle ADG = 15°$

$\therefore \angle BCG = \angle ACB + \angle ACG$

$\qquad\quad = 75° + 15° = 90°$

$\overline{AG}$를 그으면 □ABCG는 원에 내접하므로

$\angle BAG + \angle BCG = 180°$

$\angle BAG + 90° = 180°$

$\therefore \angle BAG = 90°$

한편,

$\angle AEG = \angle EAD + \angle EDA$

$\qquad\quad = 15° + 15° = 30°$

이므로 △AEG는 $\angle A = 90°$, $\angle AEG = 30°$인 직각삼각형이다.

$\overline{AE} = x\,\text{cm}$라 하면

$\overline{AE} : \overline{EG} = \sqrt{3} : 2$이므로

$x : \overline{EG} = \sqrt{3} : 2$

$\therefore \overline{EG} = \dfrac{2}{\sqrt{3}} x = \dfrac{2\sqrt{3}}{3} x (\text{cm})$

$\overline{DG} = \overline{DE} + \overline{EG} = \overline{AE} + \overline{EG}$

$\qquad = x + \dfrac{2\sqrt{3}}{3} x = 10(\text{cm})$

이므로 $\dfrac{3 + 2\sqrt{3}}{3} x = 10$

$\therefore x = 10 \times \dfrac{3}{3 + 2\sqrt{3}} = 10(2\sqrt{3} - 3)$

따라서 $\overline{AE}$의 길이는 $10(2\sqrt{3} - 3)$ cm이다.

97 □ABCD는 원에 내접하므로

$\angle B + \angle D = 180°$

오른쪽 그림과 같이 사각형과 내접원의 교점을 각각 E, F, G, H라 하고, $\overline{BE} = \overline{BF} = a$라 하면

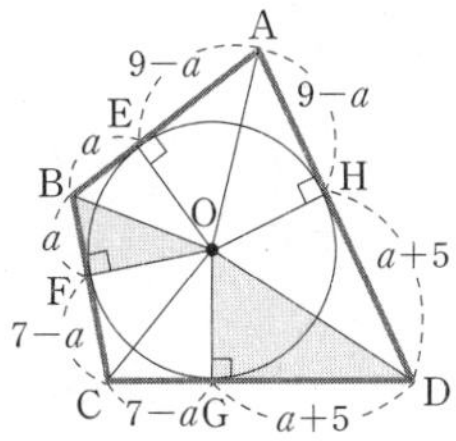

$\overline{CG} = \overline{CF} = 7 - a$,

$\overline{AH} = \overline{AE} = 9 - a$,

$\overline{DH} = \overline{DG} = a + 5$

△BFO와 △OGD에서

$\angle BFO = \angle OGD = 90°$

$\angle FBO = \dfrac{1}{2} \angle B\ (\because △BEO \equiv △BFO)$

$\qquad\quad = \dfrac{1}{2}(180° - \angle D)$

$\qquad\quad = 90° - \dfrac{1}{2} \angle D$

$\qquad\quad = 90° - \angle ODG$

$\qquad\quad = \angle GOD$

$\therefore △BFO \backsim △OGD\ (\text{AA 닮음})$

내접원의 반지름의 길이를 r라 하면

$\overline{BF} : \overline{OG} = \overline{FO} : \overline{GD}$에서

$a : r = r : (a + 5)$

$\therefore a(a + 5) = r^2 \qquad \cdots\cdots \ ㉠$

마찬가지로 △CGO $\backsim$ △OHA (AA 닮음)이므로

$\overline{CG} : \overline{OH} = \overline{GO} : \overline{HA}$에서

$(7 - a) : r = r : (9 - a)$

$\therefore (7 - a)(9 - a) = r^2 \qquad \cdots\cdots \ ㉡$

㉠, ㉡에서

$a^2 + 5a = a^2 - 16a + 63$

$21a = 63 \qquad \therefore a = 3$

즉, $r^2 = 3 \times 8 = 24$

$\therefore r = 2\sqrt{6}\ (\because r > 0)$

따라서 내접원의 반지름의 길이는 $2\sqrt{6}$ cm이다.

개념 확장

최상위수학

수학적 사고력 확장을 위한
심화 학습 교재

심화 완성

개념부터
심화까지

수학은 개념이다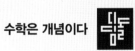

이 책을 만드신 선생님
최문섭 최희영 한송이 고길동 송낙천 최영욱 김종군 박민선

이 책을 검토하신 선생님
'수학나눔연구회' 선생님들

최상위수학 중 3-2
펴낸날 [개정판 1쇄] 2019년 11월 1일 [개정판 7쇄] 2023년 9월 1일
펴낸이 이기열
펴낸곳 (주)디딤돌 교육
주소 (03972) 서울특별시 마포구 월드컵북로 122 청원선와이즈타워
대표전화 02-3142-9000
구입문의 02-322-8451
내용문의 02-336-7918
팩시밀리 02-335-6038
홈페이지 www.didimdol.co.kr
등록번호 제10-718호
구입한 후에는 철회되지 않으며 잘못 인쇄된 책은 바꾸어 드립니다.
이 책에 실린 모든 삽화 및 편집 형태에 대한 저작권은 (주)디딤돌 교육에 있으므로 무단으로 복사 복제할 수 없습니다.
Copyright ⓒ Didimdol Co.
[2003060]